LA VOYANTE
DES TROIS-RIVIÈRES
(LE CRÉPUSCULE DES ARCANES –2)

La Voyante
des Trois-Rivières

(Le Crépuscule des arcanes –2)

Sébastien Chartrand

Illustration de couverture : BERNARD DUCHESNE

Photographie : SÉBASTIEN CHARTRAND

Distributeurs exclusifs :

Canada et États-Unis :

Messageries ADP
2315, rue de la Province
Longueuil (Québec) Canada
J4G 1G4
Téléphone : 450-640-1237
Télécopieur : 450-674-6237

France et autres pays :

Interforum Editis
Immeuble Paryseine
3, Allée de la Seine, 94854 Ivry Cedex
Tél. : 33 1 49 59 11 56/91
Télécopieur : 33 1 49 59 11 33
Service commande France Métropolitaine
Téléphone : 33 2 38 32 71 00
Télécopieur : 33 2 38 32 71 28
Service commandes Export-DOM-TOM
Télécopieur : 33 2 38 32 78 86
Internet : www.interforum.fr
Courriel : cdes-export@interforum.fr

Suisse :

Diffuseur : **Interforum Suisse S.A.**
Route André-Piller 33 A
Case postale 1701 Fribourg – Suisse
Téléphone : 41 26 460 80 60
Télécopieur : 41 26 460 80 68
Internet : www.interforumsuisse.ch
Courriel : office@interforumsuisse.ch

Distributeur : **OLF**
Z.I.3, Corminbœuf
P. O. Box 1152, CH-1701 Fribourg
Commandes :
Téléphone : 41 26 467 51 11
Télécopieur : 41 26 467 54 66
Courriel : information@olf.ch

Belgique et Luxembourg :

Interforum Editis S.A.
Fond Jean-Pâques, 6 1348 Louvain-la-Neuve
Téléphone : 32 10 42 03 20
Télécopieur : 32 10 41 20 24
Courriel : info@interforum.be

Pour toute information supplémentaire
LES ÉDITIONS ALIRE INC.
120, côte du Passage, Lévis (Québec) Canada G6V 5S9
Tél. : 418-835-4441   Télécopieur : 418-838-4443
Courriel : info@alire.com
Internet : www.alire.com

Les Éditions Alire inc. bénéficient des programmes d'aide à l'édition de la Société de développement des entreprises culturelles du Québec (SODEC), du Conseil des Arts du Canada (CAC) et reconnaissent l'aide financière du gouvernement du Canada par l'entremise du Fonds du Livre du Canada (FLC) pour leurs activités d'édition. Nous remercions également le gouvernement du Canada de son soutien financier pour nos activités de traduction dans le cadre du Programme national de traduction pour l'édition du livre.

Gouvernement du Québec – Programme de crédit d'impôt pour l'édition de livres – Gestion Sodec.

Dépôt légal : 1er trimestre 2015
Bibliothèque et Archives nationales du Québec
Bibliothèque et Archives Canada

*À Francine Pelletier (principalement)
mais aussi à Arialde Henke, Hélène Frost,
Nelle de Vilvèq, Samiva de Frée, Sha'Ema et
Frédérique Laganière.*

*À chacune d'entre vous, pour m'avoir
épaulé dans une période cruciale de ma vie,*

Merci…

TABLE DES MATIÈRES

PROLOGUE

Des griffes. C'est la première chose qui venait à l'esprit quand on contemplait les arbres du Mont à l'Oiseau. Des serres tordues, malsaines, émergeant du sol comme mille mains de démons jaillissant des Enfers. Maladifs et malingres, ils s'étiraient plus qu'ils ne poussaient, comme s'ils eussent nourri le désir secret de lacérer les cieux.

Désir vain. Un mur de neuf cents pieds leur barrait la route. Telle une cyclopéenne muraille de roc, la falaise du Mont à l'Oiseau surgissait des flots sombres, bloquant totalement la vue, à moins de rejeter la tête en arrière. Austère citadelle naturelle, la montagne semblait avoir été tranchée par un couperet. Les arbres blanchâtres qui la couvraient évoquaient des vers dévorant un bout de lard avarié.

La rivière abreuvant lesdits arbres ne valait guère mieux et portait bien son nom de *la Bête-Puante*. Une eau noire, traîtresse de remous et de bouillons, empestant d'un remugle écœurant. Les charognards, pourtant habitués aux carcasses pestilentielles, n'osaient y étancher leur soif. Et même les canotiers les plus expérimentés qui la sillonnaient ne le faisaient que par obligation.

Car c'était bien par obligation que l'embarcation du *foreman* se trouvait là.

Quand le premier hurlement jaillit de l'inquiétant boisé, le canotier se ramassa dans le fond de son esquif. Au second cri, il planta son aviron dans l'eau méphitique, décrivit un large arc de cercle et accosta sur la berge rocailleuse.

— S'cusez, mon père, bafouilla l'homme en serrant le bord du canot pour réprimer ses tremblements.

Osant un aveu de lâcheté, il ajouta :

— J'peux point vous amener plus loin. La souleur me prend.

Un sourire sur son visage tavelé par la vérole, le père Bélanger posa une main rassurante sur l'épaule du jeune *foreman*. Il n'était pas sans savoir que les bûcherons de la *Preston & Fraser* avaient tiré à la courte paille pour déterminer celui qui serait chargé de raccompagner le vieux prêtre à sa chapelle.

— Ça ira, mon garçon. Je ne suis plus qu'à un mille tout au plus.

— Pardonnez, mon père… c'est juste que…

Un nouveau hurlement lui coupa la parole. Le souffle court, l'œil aux aguets, le *foreman* semblait persuadé que le Diable en personne était sur le point de sortir du talus.

— Des oiseaux, mon garçon, murmura le père Bélanger en désignant le ciel. Des rapaces, hurlant tout là-haut, dont l'écho déforme les cris.

Guère convaincu, le *foreman* bégaya :

— On dit… y en a qui parlent… vous savez…

— Oui ?

— Les jacks mistigris.

Le *foreman* jeta aussitôt un coup d'œil par-dessus son épaule et se signa, craignant d'avoir appelé le mauvais sort seulement en l'évoquant.

— Des légendes, mon garçon. Des contes de grand-mère. Comme les sorciers, les loups-garous, les fifollets… ne va pas me dire que tu crois à de pareilles fadaises… Et maintenant, si tu veux bien m'aider à débarquer, je te laisserai t'en retourner. Avec un peu d'ardeur, tu seras au chantier avant que la nuit ne tombe.

Le père Bélanger eut la satisfaction de voir le canotier obtempérer sur-le-champ. Et heureusement. Le prêtre chancelait sous les brumes du p'tit blanc qu'il avait bu avec les bûcherons. Il manqua de perdre pied et fut rattrapé de justesse par la poigne solide de son compagnon, soulevant au passage une gerbe d'eau nauséabonde. Quand il fut certain d'être en sol stable, le bon père envoya la main au jeune *foreman*, lequel ne se fit pas prier pour rebrousser chemin. À voir la force de ses coups d'aviron, on ne se serait pas douté qu'il avait déjà quatre heures de canot dans le corps.

Quand l'embarcation eut disparu à l'horizon, le père Bélanger partit d'un bon pas en direction opposée. Encore joyeux de la dernière bouteille, il chantonna pour lui-même un air qu'il affectionnait particulièrement :

Bonnes gens des collèges,
Dévoués médecins, nobles notaires,
Allons pieds allèges,
Nos jours sont courts sur cette terre !

Bon ! La faridondaine,
Gai ! La faridondée !

On était venu le chercher la veille : un accident de chantier, juste avant le départ de la drave. Ç'avait été de belles funérailles. D'abord parce que le défunt était plus méprisé qu'apprécié : un Anglais venu de l'ancien Haut-Canada, qui s'était imaginé qu'on lui conférerait un poste de choix au seul prétexte qu'il était un vague cousin du propriétaire Preston. Il avait déchanté plutôt vite et, après un hiver à pester jour et nuit contre le labeur et les rigueurs de la vie de bûcheron, il s'était mis en tête d'abattre un grand pin gris dont ses collègues se méfiaient. Grand mal lui en avait pris. L'arbre avait faussé et le pauvre sot, victime de son obstination, avait été écrasé sous le tronc géant.

On était pas allé jusqu'à se réjouir de l'accident, mais personne au chantier n'avait pleuré le trépassé. Honnêtes jusqu'au cœur, les bûcherons étaient même allés chercher le père Bélanger pour qu'il s'acquitte des funérailles – non sans sourire en songeant que le défunt, un mécréant protestant, aurait droit à une messe catholique – et ce, malgré leur répugnance pour le sinistre lieu où il avait installé sa demeure.

Histoire de se remettre d'aplomb après un tel voyage, une première tournée de godets avait été distribuée. Puis une autre, à la mémoire du défunt; une pour la santé de sa pauvre mère, une pour célébrer le départ imminent de la drave, une pour fêter l'un des hommes qui allait bientôt se marier, encore une parce qu'il faisait si beau et une autre parce que c'était samedi...

Et ainsi de suite jusqu'au lendemain. S'appuyant sur un rocher pour reprendre son équilibre, le père Bélanger marmonna un autre couplet :

Pour des vins de prix
Vendons tous nos livres !
C'est peu d'être gris,
Amis, soyons ivres !

Bon ! La faridondaine,
Gai ! La faridondée !

Il ricana seul en avisant sa chapelle : il avait parcouru le trajet bien vite… et comme il lui restait encore quelques heures avant d'aller se coucher, il ouvrirait peut-être ce cruchon de cidre qu'il gardait caché sous un banc…

Ce qu'il vit le fit dégriser en un instant.

Une fillette d'environ quatre ans, vêtue d'une petite robe blanche, l'attendait sagement sur le pas de la porte.

Bâtisse ! D'où peut-elle bien venir ? songea le père Bélanger en accélérant le pas. Il n'y avait pas une seule ferme à des milles à la ronde et personne n'aurait été assez fou pour amener un enfant près du Mont à l'Oiseau.

— Père Bélanger, je présume ?

La fillette venait de se lever, très droite, le port si altier qu'elle en aurait été comique n'eût été de l'invraisemblance de sa présence. Trop stupéfait pour réagir autrement, le père Bélanger ne fit que hocher la tête en guise de réponse.

— Mon maître m'envoie quérir un livre. L'*Opus æternum,* de Roger Bacon. Vous savez bien… celui qui fut rédigé juste après l'*Opus tertium* et maquillé en un simple herbier…

Le prêtre agrippa le tronc d'un jeune hêtre pour éviter de tituber. Qu'est-ce que cela voulait dire ? Il allait demander l'identité dudit maître quand une silhouette élancée au pelage roux émergea de la chapelle et vint se frotter contre la fillette avec un étrange chuintement.

Une bête à grand'queue ! réalisa le père Bélanger, une incantation lui montant aux lèvres pour mourir aussitôt, éteinte par la vision de l'enfant grattant la nuque de l'énorme belette comme on eut récompensé un chien obéissant. Sans se départir de son œil fou, la bête siffla de plaisir, entrouvrant la gueule pour révéler ses crocs aigus.

Un peu tard peut-être, Bélanger eut le réflexe de passer à l'outrevision et découvrit l'aura noire et opaque de la goétie nimbant la fillette sur plus d'un pied d'épaisseur.

Fuir. Le Collège, où les protections magiques fourniraient un abri. Et sinon, les cavernes, tout là-haut.

Aucun de ses membres ne répondit. Un froid surnaturel l'avait saisi, engourdissant ses jambes et remontant doucement le long de son échine.

La petite fille de blanc vêtue laissa tomber une craie et s'avança. Un diagramme luisait entre ses pieds. Elle enfourcha la bête à grand'queue, qui trotta jusqu'au prêtre.

— Mon maître est bon joueur, père Bélanger, clama-t-elle du haut de sa monture. Il vous a laissé vivre la dernière fois qu'il est venu, il y a deux mois…

Deux mois ? Faustin et François ? Impossible…

… à moins que… Gamache !

Et l'Étranger !

— Louis-Olivier Gamache avait pourtant été clair, à ce qu'il m'a raconté, poursuivit l'enfant de sa voix terrifiante de maturité. Mêlez-vous de ce qui vous regarde, vous a-t-il dit. Mais vous avez fait à votre tête…

Alors qu'il ne sentait déjà plus ses jambes, le père Bélanger perçut la froidure magique lui serrer le cœur et lui engourdir les bras. Ses doigts se recroquevillèrent comme ceux d'un arthritique.

— Je ne vous le demanderai qu'une dernière fois, père Bélanger. Le bouquin n'est plus à sa place dans la bibliothèque du Collège. Où l'avez-vous mis ?

De sa main minuscule, l'enfant donna une infime poussée sur le prêtre paralysé. Bélanger tomba comme un tronc abattu. Une patte griffue se posa sur son torse et une gueule fine, aux petites dents vicieuses, se rapprocha de son visage.

Dans un coin de son esprit, Bélanger repensa au diagramme dans la chapelle, gravé sous la planche tenant lieu d'autel. À peine quelques verges l'en séparaient... qui pour l'heure s'étaient changées en lieues... et pourtant, s'il incantait assez fort...

— *Samchedaz ibn merded, soleiman daoud semir daz shiz-doren!*

D'un bond vif, la bête s'écarta de plusieurs mètres. La petite cavalière qu'il portait dut s'accrocher des deux mains au poil de la bête pour ne pas être désarçonnée.

Étendu sur le sol, le père Bélanger sentit ses forces l'abandonner... le contrecoup lui draina la vie comme une sangsue.

Plus amusée que contrariée, la fillette l'observa vieillir de quelques années en moins de dix secondes. Puis, d'un ton mi-moqueur, mi-méprisant, elle déclara :

— Si, dans la prochaine minute, vous parvenez encore à penser, rappelez-vous que c'est vous qui m'y avez forcé...

Un torrent de feu émergea du sol comme un geyser. Presque assez puissant pour tuer le prêtre sur le coup. *Presque.* Car avant de trépasser, il eut le temps de sentir les flammes lui racornir la chair et d'entendre la fillette s'éloigner en chantonnant :

Bon! La faridondaine,
Gai! La faridondée!

LIVRE IV

DE L'AU-DELÀ

Sinistre temps, sous la pleine Lune levée,
Sombre nuit – les loups ont hurlé,
Le prêtre, fort de son livre saint,
Veille sur l'âme de ses paroissiens.

Le bon prêtre
Auteur inconnu, dans
Répertoire de nos campagnes

CHAPITRE 14

Retrouvailles

Comme les petites cheminées d'une ville miniature, les pipes des clients de l'Auberge à Beaupré laissaient monter leurs volutes de fumée jusqu'au plafond où elles se mêlaient en un énorme brouillard qui empestait le tabac. Les effluves du cognac frelaté qu'avait servi le tenancier, pourtant puissants, ne parvenaient pas à couvrir l'odeur des hommes du village qui, à la suite de leur première journée de semence, traînaient avec eux des relents de fumier, de terre battue et de sueur.

Pourtant personne n'aurait songé à quitter la salle. Tous avaient les yeux rivés sur Pierre Dubé, originaire de Montréal. Malgré ses treize ans, ce jeune cousin du forgeron captait l'attention de tous, juché sur sa chaise au dossier usé.

Pas plus que les autres, Faustin Lamare ne perdait un mot du récit de l'adolescent. Déconcerté, il ne prêtait pas la moindre attention à sa pipe qui, posée depuis trop longtemps sur le coin du comptoir, menaçait de s'éteindre – à peine remarqua-t-il que le maire Latulipe, contre qui il disputait une partie de dames, venait de profiter de son inattention pour déplacer malhonnêtement quelques pions rouges.

— Franc-coin, mon Faustin !

— Mangez, monsieur le maire.

Le *tac-tac-tac-tac* de la dame noire escamotant quatre rouges mystérieusement réalignées ne troubla pas le jeune bedeau outre mesure, trop occupé à être témoin d'une prophétie qui s'accomplissait.

— Paraît que ça fait quat' jours que Montréal est aux mains des émeutiers, expliquait le petit Pierre Dubé. Z'ont commencé par jeter des œufs pourris à Lord Elgin, pis y sont devenus de plus en plus en maudit, jusqu'à temps d'mettre le feu au Parlement. Z'auriez dû voir ça ! Les flammes ont parti d'en arrière avant d'monter d'un coup ! On pouvait sentir la chaleur à cent verges ! Mais ç'a pas été assez pour eux autres : le *Montreal Gazette* les ont crinqués pis z'ont aussi brûlé la maison de M'sieur Lafontaine, pis d'autres aussi… paraît même que Lady Elgin s'est faite outrager en pleine rue, ses nippes toutes déchirées…

Faustin sentit un frisson douloureux lui courir le long des os. Un peu plus de deux mois auparavant, dans le somptueux manoir du shérif William Sewell, il avait contemplé un tableau illustrant précisément cette scène d'incendie. L'artiste l'ayant peint, Joseph Légaré, avait semblait-il un don pour prédire les drames imminents.

Le récit du jeune Dubé venait confirmer la chose. Distraitement, Faustin déplaça une dame rouge.

— Dame, mon Faustin !

— Mangez, monsieur le maire.

— Un autre cognac, monsieur le maire ? offrit le tenancier, peu habitué à si digne visite.

— Juste un doigt, alors.

— Les Anglais ont pris les nerfs à Québec itou, renchérit le forgeron Étienne Dubé qui venait lui aussi de se dresser sur une chaise, laquelle protesta par un grincement sinistre. Se sont ramassés sur la place du

Marché pour brûler un genre de pantin censé représenter Elgin. Croyez donc que la gang de Saint-Roch s'en est pas laissé imposer ! J'étais là, justement pour venir chercher le p'tit cousin Pierre qu'arrivait d'Montréal. Les boulés de Saint-Roch ont débouché par la rue de la Fabrique, qui son manche de hache, qui son bâton, pis leur ont réglé leur compte… ça fait que c'est pour ça, j'pense bin, que les Anglais sont débarqués à Pointe-Lévy.

Malgré lui, Faustin frissonna à nouveau. Quatre jours auparavant, on avait voté un *bill d'indemnité* pour dédommager les citoyens qui avaient été lésés durant la révolte des Patriotes, dix ans plus tôt. On avait accordé beaucoup plus d'argent aux Canadiens français qu'aux Anglais. Furieux, les citoyens anglais avaient canalisé leur rage en émeute, d'où l'embrasement du Parlement de Montréal.

Et Faustin ne pouvait s'empêcher de penser au shérif Sewell qui, étrangement, n'avait rien fait pour minimiser les troubles similaires à Québec. Ou à cet autre membre du Stigma Diaboli, James Ferrier, qui avait été maire de Montréal et prétendait avoir quitté son poste « juste à temps »…

… et toutes ces pensées le ramenaient à l'Étranger.

— On leur aurait réglé leur compte, aux Anglais de la Pointe-Lévy, se vanta un fier-à-bras, l'arrimeur Vallée. Ils voulaient brûler un mannequin eux autres aussi, au fond de l'Anse-aux-Perchaudes, pis j'vous jure qu'on les aurait pas laissé faire. Mais m'sieur l'curé nous l'avait interdit. J'y serais allé quand même, mais avec ma femme qui vient de partir en famille, c'est point l'temps de la laisser toute seule. N'empêche : quelques braves les ont bombardés de pierres, les Anglais !

— C'est de savoir s'ils vont débarquer à Notre-Dame des Tempérances, à c't'heure… souleva un habitué de la place.

— C'est pour ça que j'voulais vous réunir icitte, coupa le forgeron Dubé. C'est pas des Anglais de la Pointe qui vont venir nous mener chez nous. On devrait s'organiser, faire des veilles, surveiller…

— Les semences viennent de commencer, Dubé ! lança un autre client.

— Pis tu penses que les Anglais, y vont attendre la fin des semences pour continuer leurs émeutes ? qu'y vont dire : « On a brûlé le Parlement de Montréal, mais juste pour toé, on peut bin attendre que t'aies fini d'planter tes patates… ? »

— Ce ne sont pas les *mêmes* Anglais qu'à Montréal, intervint Faustin. Et notre village ne s'est jamais mêlé des affaires des autres. Nous sommes à des lieues de la Pointe-Lévy et il n'y a pas le moindre Anglais par ici. Tu exagères, Dubé.

— T'as beau parler, Faustin ! Tu vis dans un presbytère ! Y a pas un émeutier qui va oser venir te faire du tort, à toé, à ta terre ou à tes bestiaux…

— Tu peux parler toi aussi, Dubé ! Tu es forgeron : tu n'as ni terre ni bestiaux. Mais tu peux venir dormir au presbytère, si tu as peur…

— Peur ? Moé, peur ? M'en vas t'montrer… c'que j'dis, c'est qu'on va s'organiser. J'ai pas besoin de cent hommes… trois ou quatre braves vont faire l'affaire. Je l'sais qu'y en a qui font semences pis j'comprends ça… mais toé, Perdichaud, t'es charpentier… pis votre plus vieux, m'sieur Beaupré, il est revenu des chantiers ? Comme vous avez une auberge, vous avez pas de terre non plus…

— Soufflé, mon Faustin, déclara fièrement le maire Latulipe en contemplant le damier.

— Calvaire, monsieur le maire ! jura Faustin en se levant. Ce sont vos citoyens qui parlent de s'organiser en milice et vous n'avez rien de mieux pour vous occuper que de tricher aux dames ?

Un silence de mort tomba comme une pierre dans l'eau. Aussi décontenancé qu'un dormeur sortant d'un rêve, le maire Latulipe prêta attention pour la première fois aux hommes rassemblés dans l'auberge. Mal à l'aise, il chuchota à l'intention de Faustin :

— C'est ton oncle qui gère ça, d'habitude…

— Mon oncle est auprès de l'évêque de Montréal et vous le savez !

— Mais le vicaire Gauthier…

— Il est absent, vous le savez aussi !

S'éclaircissant la gorge, le maire jeta un regard lourd de regret au damier qu'il abandonnait et se leva. Après avoir fait craquer ses jointures et pris une longue gorgée de rhum dans le verre d'un autre client, il se décida à dire :

— On ne peut pas organiser une milice comme ça. La situation risque de nous échapper et de dégénérer. Nous allons constituer… une garde. C'est ça, avec des sentinelles… toi, Dubé, avec Perdichaud et Beaupré, vous allez monter la garde dans un lieu élevé, disons… le clocher de l'église ?

— Hors de question, coupa Faustin.

— Dans les combles de l'auberge, alors. Et pas de fusils, hein ? Je ne veux pas d'un corps à justifier… Montez la garde dans les combles et si les émeutiers viennent à débarquer, l'un de vous viendra m'avertir. Un autre ira à l'église (il jeta un regard sans réplique à Faustin) pour sonner les cloches et alerter tout le monde. Ça vous va ?

Pas trop mal, pensa Faustin avant d'acquiescer :

— Dans ces conditions, ça me convient.

— Ça m'va itou, opina le forgeron.

C'est alors qu'il se passa une chose qui relégua les histoires d'émeutes, de gardes et de sentinelles bien loin dans les préoccupations de l'assemblée.

Le bonhomme Lambert se levait pour aller satisfaire un besoin naturel quand il commença à tituber. Or, les habitants de Notre-Dame des Tempérances savaient que lorsque le vieillard se plaignait de ses genoux, le ciel allait se couvrir. S'il en venait à boiter, il était temps de fermer les volets et de rentrer les vaches.

Aussi, quand ils virent le bonhomme Lambert se prendre le genou à deux mains avant de s'affaler sur le plancher, c'est tout juste s'ils pensèrent à l'aider à se relever. La majorité des clients se rua vers la sortie.

— Mes bestiaux sont au champ, merci père Lambert !

— Le toit qu'est pas réparé, faut que j'y aille !

— Mes poches de grains qui sont devant la maison !

— La vieille qui a accroché les draps !

— La porte de la grange qui tient quasiment plus !

Samson ! se dit Faustin en se rappelant qu'il avait laissé le cheval à paître. Tapotant l'épaule du vieillard, il se lança lui aussi vers sa demeure. *Espérons que François arrivera avant l'averse*, pensa-t-il encore en courant vers le presbytère.

◆

Avec le soleil couchant et les nuages couleur de suie qui s'amoncelaient, le ciel avait pris la teinte jaunâtre du beurre rance. Le vent frais, presque mordant, contrastait avec la clémence des derniers jours. En scrutant l'horizon, on pouvait apercevoir, plus au nord, de petits pans de ciel s'illuminer fugitivement. *Ça doit déjà tomber sur la rive nord*, pensa Faustin en passant au pas de course.

Il s'arrêta brièvement pour aider la mère Bélisle à fermer un volet à la clenche trop élevée, coupa à travers la cour des Trottier en saluant le maître de la main, sauta plus qu'il ne traversa le petit pont enjambant le ruisseau Croche puis piqua un sprint en ligne droite vers le presbytère en passant par la terre des Duchemin. Ses bottes s'alourdirent en s'enfonçant dans la terre meuble et Faustin faillit rater son bond par-dessus la clôture de bois gris.

Au-dessus de sa tête, le ciel se mit à gronder. Les dernières lueurs du jour venaient d'être englouties par la marée sans cesse grandissante de lourds nuages gris. Une goutte épaisse et froide fit tressaillir Faustin en tombant sur sa nuque et il fut ravi de voir se dessiner à l'horizon la grosse silhouette de Baptiste Lachapelle qui s'empressait de rassembler ses outils.

◆

Depuis l'affrontement de l'île d'Orléans, Baptiste vivait au presbytère. Le guérisseur amérindien, le Premier Danseur Otjiera, l'avait jugé trop affaibli pour participer à la drave de cette année. Sans difficulté, Faustin avait convaincu Madeleine de laisser le bûcheron résider avec eux, histoire de lui permettre de se reposer.

Néanmoins, une semaine seulement après les événements qui avaient failli lui coûter la vie, Baptiste insistait déjà auprès de Faustin pour assumer une part des tâches agricoles du presbytère. Quand il constata que ce n'était pas assez pour occuper un homme habitué à abattre des arbres de l'aube au crépuscule, il commença à piéger le petit gibier puis, quand cela aussi se révéla insuffisant, il se mit en tête de « faire de la terre », histoire d'allonger l'espace que Madeleine pourrait consacrer à son potager. Depuis la troisième semaine de mars, il avait abattu tous les arbres d'un vaste espace boisé, les avait débités en bûches mises à sécher, pour ensuite brûler les souches, les ronces et la fardoche. Alors que mai arrivait à grands pas, force était d'admettre que la zone de terre nue attenant au presbytère avait considérablement augmenté.

Quand Faustin rejoignit le colosse, celui-ci finissait de rassembler des branches de merisier écorcées.

— Trop franches pour brûler, celles-là. J'm'en vas en faire des manches d'outils, au cas où il y en aurait qui briseraient.

Faustin ne put retenir un sourire. Il y avait de ces gens qui n'arrivaient tout simplement pas à se reposer.

— J'ai rentré les vaches, Faustin, poursuivait Baptiste. La Jersey a l'air d'avoir mal à une patte, faudrait que tu la r'gardes, demain. Reste juste Samson à ramener, mais j'arrive toujours pas à l'approcher.

— J'y vais, merci pour le reste.

— Ça va tomber su' un méchant temps, déclara Baptiste en jetant un regard suspicieux vers le ciel assombri. J'vas aller m'occuper d'la porte d'la grange.

Faustin lui envoya la main en courant vers le clos, passa la clôture d'un bond rendu gracieux par l'habitude et s'arrêta auprès du massif cheval de trait.

Samson renâcla brièvement quand Faustin lui saisit la bride. Depuis sa fuite face à un lycanthrope, deux mois auparavant, le cheval ne se laissait plus approcher que par Faustin ou Madeleine – et encore. Quiconque Samson considérait comme un étranger s'exposait à une ruade s'il avançait trop près.

— Là, là, grosse paillasse... lui chuchota tendrement Faustin en s'avançant. L'imminence de l'orage te rend nerveux, on dirait... regarde ce que j'ai pour toi...

Ce ne fut qu'après avoir englouti la demi-galette que Faustin avait extirpée de sa poche que le cheval accepta de se laisser guider à l'écurie.

— Il faut que ça reste notre secret, mon gros... si Madeleine apprenait que je t'ai donné un bout de galette, elle serait capable de s'imaginer qu'elles ne sont pas à mon goût...

Quand Samson fut correctement installé dans sa stalle, Faustin s'empressa de se rendre au presbytère. Des gouttes commençaient déjà à tomber en crachin, mais l'averse n'allait pas tarder à s'intensifier. Pressé d'éviter la pluie, Faustin franchit la porte du presbytère quand une voix jaillit du fond de la cuisine: « Tes bottes, P'tit ! »

Coupable, Faustin constata qu'il avait encore oublié de se déchausser.

— Pardon, Madeleine.

— Un de ces jours, P'tit, je ne t'avertirai plus !

— Et je m'éveillerai un matin avec une brosse à plancher dans mon lit, je sais.

— Si tu le sais, fais en conséquence.

Sourire aux lèvres, Faustin retira ses bottes et s'empressa d'aller embrasser l'ancienne servante du curé Lamare qui, depuis qu'il était bébé, lui tenait lieu de mère.

— Ma parole, Madeleine, tu as cuisiné pour une armée !

En effet, la lourde table de chêne semblait sur le point de se briser sous le poids des victuailles: un rôti, deux poulets, des tourtières, des cretons, une pleine chaudronnée de pommes de terre, des pelotes de viande et même une perdrix farcie. Comme si ce n'était pas assez, un chaudron de soupe mijotait sur le poêle et plusieurs sortes de tartes refroidissaient sur le bord de la fenêtre.

— Tu sais, P'tit, ça fait deux mois qu'on a pas vu François…

— Je ne pense pas qu'il ait jeûné tout ce temps…

— Quand même. Je voulais être sûre d'être dans ses goûts.

Au lendemain de l'affrontement sur l'île d'Orléans, François avait décidé d'étudier les ouvrages accumulés par son ancêtre, Jean-Pierre Lavallée, dit le Sorcier du Fort. Depuis, il n'avait guère donné de nouvelles. Il en aurait sûrement été ainsi encore longtemps si les étranges événements qui secouaient le presbytère n'étaient pas survenus, six jours auparavant, pour se répéter le lendemain, puis le surlendemain. Sous les supplications incessantes de Madeleine, Faustin était finalement descendu à la cave, avait fouillé la bibliothèque de son oncle et repéré l'incantation permettant d'expédier un message par la voie des rêves. François, stupéfait, lui avait répondu qu'il arriverait deux jours plus tard, soit aujourd'hui.

— Si seulement *ça* pouvait ne pas se produire ce soir, qu'on mange tranquillement en famille… pria Madeleine en touillant sa soupe.

— C'est spécialement à cause de *ça* que j'ai contacté François, alors ce serait peut-être mieux si…

— Ne souhaite pas des choses pareilles !

Un violent coup de tonnerre arracha un cri de terreur à la vieille servante. La pluie se mit à tambouriner brutalement contre les vitres. Au-dehors, les volets mal fermés d'un voisin se mirent à claquer et les arbres à grincer sous le vent.

— J'ai attaché la porte d'la grange avec un fil de fer, lança Baptiste en rentrant à son tour.

— Vos bottes, monsieur Lachapelle.

— S'cusez, ma bonne Madeleine.

Un éclair aveuglant fut suivi dans la seconde par une autre forte détonation. Les plaintes du vent devinrent si puissantes qu'elles couvrirent bientôt les mugissements des vaches.

Avec l'air résolu du médecin marchant vers l'armoire à remèdes, Madeleine traversa la pièce jusqu'au buffet d'érable d'où elle tira une soucoupe d'eau bénite et un rameau. Fermant les yeux à chaque nouveau coup de tonnerre, elle trempa puis agita son rameau dans les quatre coins de la cuisine, avant d'accomplir le même rituel dans le salon. Bien qu'ayant servi pendant vingt-cinq ans un faux prêtre – athée de surcroît –, elle ne s'était jamais départie de ces rituels rassurants, arguant que si ça n'aidait pas, ça ne pouvait pas nuire.

Sur le toit, on aurait juré que des millions de rats couraient dans tous les sens quand, soudain, une porte d'armoire claqua.

— C'est pas vrai, hurla Madeleine, à présent au bord de la panique. *Ça* ne va pas arriver *maintenant* !

Une seconde porte d'armoire se mit à battre frénétiquement, pareille à un volet au vent. Puis, de la table, le petit demiard de mélasse fendit l'air et alla éclater contre un mur, répandant son contenu comme un épais sang noir.

La tourmente s'enclencha ensuite, non pas celle de l'orage du dehors mais bien l'effroyable tempête qui hantait le presbytère depuis six jours et avait forcé Faustin à contacter François.

Un à un, les tiroirs s'arrachèrent de leurs espaces et tombèrent avec fracas sur le sol, déversant leur contenu. Une poignée d'ustensiles se souleva du plancher et tint brièvement dans le vide avant de se disperser dans tous les sens. D'un geste, Baptiste plaqua dans un coin la servante presque hystérique et la protégea de son énorme corps.

Comme décrochés par une main invisible, les cadres quittèrent leurs clous et s'écrasèrent au sol. Une chaise se renversa avec fracas. Le seau de ménage traversa la cuisine à toute vitesse et percuta durement le genou du bûcheron. Faustin eut tout juste le temps de s'accroupir pour éviter une poêle de fonte, puis plongea pour empêcher *in extremis* la lampe à l'huile de répandre son dangereux contenu.

Les secondes passèrent et quelques objets fusèrent encore. Puis le calme revint. À l'extérieur, l'orage, paraissant soudainement si... normal, ne soulevait plus la moindre inquiétude. Comme plus rien ne semblait vouloir s'agiter, Faustin entreprit de ramasser les objets éparpillés. Madeleine resta blottie dans les bras de Baptiste aussi longtemps que la décence le permettait avant de s'y mettre à son tour. Mal à l'aise, le bûcheron marmonna :

— Au moins, mam'zelle Madeleine, vos victuailles sont intactes. Z'avez point trimé pour rien.

Avec un sourire sans joie, la servante hocha la tête avant de tomber à genoux :

— Vivement que François arrive... ça ne peut plus durer.

Comme en réponse à sa prière, deux coups secs retentirent à la porte. Laissant Madeleine et Baptiste poursuivre le nettoyage de la pièce, Faustin se précipita dans l'entrée.

◆

Un franc sourire éblouit le visage de Faustin quand il repéra, à travers la vitre, la silhouette de son ami d'enfance. Aussitôt, il s'empressa d'ouvrir la porte et se figea net en découvrant celui qui se tenait dans l'encadrement.

C'était François, certes, mais les deux derniers mois l'avaient tant changé qu'il en était méconnaissable. La pluie ayant trempé ses vêtements, son corps terriblement émacié semblait être une croix de bois qu'on avait habillée pour faire un épouvantail. Sa chemise, pourtant taillée sur mesure par les doigts attentifs de Madeleine, avait l'air d'être empruntée à un homme ayant deux fois sa corpulence.

Mais cette maigreur était le moindre des changements. Ses cheveux blond clair avaient l'air de paille sale. Son visage, à demi mangé par une barbe de plusieurs jours, ressemblait à un masque de chair tendu sur un crâne trop grand et ses yeux bleus, jadis rieurs, semblaient désormais pâles et fades, largement cernés. On lisait sur ses traits, creusés de rides nouvelles, la fatigue et le tourment.

Fortement appuyé sur une sorte de crosse de pâtre, le vicaire François Gauthier fut secoué d'une violente quinte de toux. Il se racla bruyamment la gorge avant de baisser le regard vers Faustin.

— Ce que j'ai perçu, juste avant de frapper, c'est pour ça que tu m'as appelé ?

Faustin ne put que hocher la tête, interdit. Quoi, il en venait si vite au fait ? Sans le moindre bonsoir, sans même s'enquérir des dernières nouvelles ? Sans la moindre explication sur son état ? Juste cette constatation, froide et clinique… S'appuyant contre le mur, le vicaire essuya un nouvel accès de toux.

— Tu t'es enrhumé, vieux frère.

— Qu'importe. J'ai vu pire.

— Cré nom, François !

Baptiste, qui venait de les rejoindre dans l'entrée, était saisi de la même stupeur que Faustin. Ébranlé, il fit un pas en arrière.

— Bonsoir Baptiste.

— Viarge, on dirait que t'as pris dix ans.

— Seize ans et cinq semaines, précisa le vicaire avec un sourire amer.

Faustin secoua la tête, saisi de vertiges. *Seize ans!* Le temps pour un nourrisson de devenir un homme! Ça ne pouvait pas, il ne *fallait* pas que ce soit vrai… Il fallait à tout prix préparer Madeleine à…

Un cri étranglé révéla qu'il était trop tard. Au fond du couloir, la bonne servante, muette d'horreur, couvrait de sa main tremblante un rictus de pur effroi.

Cette fois, l'attitude de François changea du tout au tout. Posant sa crosse contre le mur, il marcha lentement, passa sans un mot entre Faustin et Baptiste et alla prendre Madeleine dans ses bras. Une plainte émergea de la femme pour se muer en sanglot, puis elle s'écarta violemment du vicaire pour le gifler à pleine volée.

— Pourquoi as-tu fait ça, mon garçon… pourquoi…

Une seconde gifle frappa le visage du vicaire. Puis une troisième. François n'essaya même pas de les esquiver. Quand le chagrin eut pris le pas sur la colère et que Madeleine se fut blottie contre cet homme qu'elle avait élevé comme un fils pendant douze ans, ne laissant échapper que de faibles *pourquoi*… entre ses pleurs, François se laissa aller à répondre :

— Parce que… le curé Lamare n'est plus avec nous. Parce qu'il a laissé un terrible vide que je suis incapable de remplir… parce que j'ai dû apprendre sans mentor, par essais et erreurs, afin de maîtriser des sortilèges terriblement complexes…

— Mais…

— … et, surtout, parce que je veux vous protéger, Faustin et toi.

Avec une infinie douceur, François embrassa la servante sur le grain de beauté qu'elle avait juste au milieu du front et, sans cesser de la tenir contre lui, fredonna les premières notes d'*À la claire fontaine*.

◆

En dépit du festin qu'avait préparé Madeleine, ils soupèrent sans faim, sans même prendre la peine de nettoyer les débris qui jonchaient encore le sol. Seul François avait mangé avec appétit : il s'était servi trois énormes assiettées en pigeant à tous les plats. De son propre aveu, il ne s'était nourri que de gruau, de beurre et de pain ces dernières semaines.

Tout au long du repas, Faustin ne put détacher ses yeux de l'homme qu'il aimait comme un frère, ce jeune homme de vingt-cinq ans qui semblait désormais en avoir quarante. S'habituerait-il à ces cheveux blonds trop pâles parce qu'entremêlés de gris, à ces mains qui commençaient à rider, à ces pattes d'oie qui cerclaient désormais ses yeux ? Pour l'instant, il préférait ne pas y penser.

Quand le thé fut servi – noir, fort et épais de sucre, comme l'aimait le vicaire –, François s'enquit des détails quant aux forces qui semblaient hanter le presbytère.

Faustin résuma les faits. Il y avait peu à dire : six jours auparavant, meubles et menus objets avaient commencé à s'agiter, toujours vers la même heure. Au début, il avait craint une vengeance de l'Ordre du Stigma Diaboli, mais l'outrevision révélait des traces argentées lorsque *cela* se produisait.

— Serait-ce ton oncle ? s'enquit François en trempant un bout de galette dans sa tasse.

— Je n'en ai pas l'impression. J'ai toujours cette sensation de quiétude lorsque j'effleure la pierre sous laquelle nous l'avons enseveli.

— Ah oui, cette sensibilité aux esprits que tu as acquise sur l'île. Elle ne t'a donc pas quitté…

— Non. Au contraire, je crois qu'elle s'est affinée avec les jours. Il y a deux semaines, le meunier Crête a finalement rendu l'âme. J'étais à la veillée au corps et j'avais l'impression de le sentir encore, quelque part tout proche, toujours accablé de tourments et rongé par sa folie. Quelque temps plus tard, en fouillant dans les vestiges du vieux moulin pour dénicher des bonnes planches, j'ai perçu qu'une autre âme hantait les ruines.

— Tu ne crois pas que ce soit celle de Crête ?

— Pas du tout. Je n'arrive pas à dire pourquoi, mais je suis sûr que ce n'est pas le meunier. Néanmoins j'ai la certitude que c'est quelqu'un que je connais.

— Pourquoi ?

— Je ne saurais l'expliquer, mais c'est comme ça…

Avec un sinistre grincement, la table se mit à vibrer violemment. De toute la force de ses bras puissants, Baptiste parvint péniblement à la maintenir au sol.

— Sinon, à s'mettrait à virer comme une roue d'charrette, expliqua-t-il à François.

— Ce n'est pas vrai, ça ne va pas recommencer ! Il faut que ça arrête, mon grand garçon, supplia Madeleine sans le regarder. Je ne dors plus. J'ai peur.

— Toute la maisonnée est prise d'souleur.

— Je vais voir ce que nous pouvons tenter, promit le vicaire. Le fait que Faustin ait aperçu une aura argentée risque de nous faciliter les choses. Ce… enfin… *cela* ne nous veut pas vraiment de mal.

François attendit que la table se fût immobilisée pour reprendre :

— Le spiritisme a toujours été une branche un peu déviante des arcanes. C'est une pratique que l'on retrouve dans tous les types de magie. Les média- nistes furent les premiers à s'en servir, d'où les cultes des ancêtres qui ont émergé à l'aube de l'humanité. Ils contactaient leurs défunts pour profiter de leur expérience et demander leur avis. Les goétistes en font usage pour déclencher des hantises en séquestrant des âmes tourmentées. Quant aux théurgistes, ils le font davantage pour acquérir de l'information. La masse de trépassés crée une sorte de vaste biblio- thèque de témoignages.

Un pot de terre cuite se mit à trembler bruyamment, puis tomba de son étagère pour aller se fracasser sur le sol.

— Donc *cela*, dit Faustin en se forçant à retrouver son calme, n'est pas une hantise.

— Comme l'aura en est argentée, j'en doute for- tement.

— Et alors ?

— C'est ce que tu vas découvrir.

Faustin ouvrit des yeux grands comme des sou- coupes : « *Moi ?* »

— Le spiritisme n'est pas à la portée de n'importe qui. Même quand on élabore les diagrammes appro- priés avec une extrême minutie, la maîtrise de cette technique se rapproche davantage de l'art que de la science. Il faut une sorte de don pour la voyance – tout comme une toile de Rembrandt ne peut être peinte par la simple connaissance théorique des proportions et des mélanges de couleurs.

— Mais pourquoi moi ?

— Tu as clairement ce don, Faustin. Souviens-toi : à la suite du drame de l'île d'Orléans, Otjiera en était certain. Tu te rappelles la voyance temporelle que tu avais déclenchée dans la chasse-galerie, alors que la marionnette magnétique nous poursuivait ? Dans de telles circonstances, pareille maîtrise est signe de génie.

— Je me souviens surtout d'un certain coup de poing qui m'a laissé supposer que tu avais une tout autre opinion de la chose.

François eut un sourire navré.

— C'était avant de connaître tes origines. Et tu as manifesté ton talent à plusieurs autres reprises. Ton contact avec ton oncle en feu follet. Le déversement de souvenirs de ta mère dans ton esprit ou l'opération inverse que tu as réussie, nous sauvant tous la vie. Et tout ça en situation de stress… j'ai de bonnes raisons de croire qu'en situation contrôlée, tu seras prodigieux. Et d'ailleurs, je ne te laisserai pas aborder l'outre-monde sans les outils appropriés.

De l'intérieur de sa chemise, le vicaire sortit un objet brillant que Faustin identifia à une sorte de coupe.

Aussitôt, la table bascula sur le côté comme si quelqu'un l'avait renversée, envoyant bouler le pauvre Baptiste. Tasses, soucoupes et sucrier volèrent en morceaux tandis que la théière de cuivre fendait l'air pour aller percuter le plafond avec bruit.

— J'en peux plus ! hurla Madeleine en pleurant. Faites quelque chose !

— V'nez, ma bonne Madeleine, invita Baptiste en se relevant pour lui prendre tendrement la main. L'orage est passé depuis une bonne heure, on va aller voir si les bestiaux sont corrects pis si les bâtiments ont bien tenu.

— Bonne idée, renchérit François. Faustin et moi allons nous occuper du reste.

La servante et le bûcheron ayant vite quitté la demeure, Faustin ramassa la coupe d'argent et l'inspecta de plus près. Un calice, à première vue, bien que l'objet fût gravé de motifs évoquant une danse macabre : face à un squelette sautillant qui tenait une flûte traversière, des corps à divers degrés de décomposition s'agitaient dans une sorte de sarabande. Sur la paroi intérieure de la coupe, les personnages étaient plus diffus, à peine suggérés, comme des spectres.

— J'ai déjà vu cet objet, déclara Faustin. Dans les catacombes sous l'église de Saint-Laurent.

— Tu as bonne mémoire. Ce que tu tiens en ce moment n'est autre que le Calice des Moires – ou, si tu préfères, le gobelet du seigneur Rioux. D'après ce que j'ai pu lire, il fut fabriqué à Cologne pour le fondateur de notre ordre, l'évêque Albert le Grand, celuilà même qui a rédigé *De arcanus*, *Alkymia*, *Meteora*, le *Petit* et le *Grand Albert* – bref, le premier homme de science à théoriser mathématiquement la magie et à concevoir qu'elle n'avait rien de miraculeux ou de démoniaque. Dans sa recherche pour percer à jour les secrets du trépas, il fit concevoir par un maîtreargentier ce Calice afin de s'adonner au spiritisme. L'artefact fut longtemps gardé dans la salle du trésor du monastère de Gladbach, qui fut un peu l'ancêtre du Collège d'Albert le Grand. Il s'est transmis de génération en génération, de théurgiste en théurgiste, en accentuant les dons spirites des meilleurs éléments de l'Ordre. Lors de la Fuite vers le Nouveau-Monde, le Calice fut apporté en Nouvelle-France. Les Rioux, seigneurs de Trois-Pistoles, en eurent la garde jusqu'à ce qu'un théurgiste, le père Amable Ambroise

Rouillard, vienne le quérir en 1768, peu après le changement de régime. Le bon père périt noyé lors d'une traversée en canot mais eut le temps de téléporter l'objet en un lieu sûr. Ce fut sa protégée qui se chargea de le ramener pour le déposer dans la crypte de l'église de Saint-Laurent.

Cette fois, Faustin se précipita pour empêcher le buffet de basculer à son tour. Plus exaspéré qu'apeuré, il décréta :

— Inutile de perdre davantage de temps. Comment utilise-t-on cet objet ?

◆

Après qu'ils eurent remis la table en place, François sortit le bréviaire factice dont il ne se séparait jamais et dans lequel il notait les diagrammes et formules de divers sortilèges. Sous ses indications, équipés de compas, de rapporteurs d'angle, d'équerres et de règles, ils tracèrent une complexe figure géométrique sur la surface de la table : deux cercles concentriques, un très grand et un petit, liés par les apothèmes d'un octogone régulier, lesquels se muaient en losanges allongés aux angles soigneusement calculés. Lorsque la figure fut terminée, François posa le Calice des Moires au centre du plus petit cercle et prit la main de Faustin pour lui piquer le doigt à l'aide d'une épingle. Le sang perla en une fine larme rubis qui tomba dans la coupe d'argent.

— C'est une sorte de signature, expliqua le vicaire. Ainsi, le défunt peut te reconnaître et décider de s'adresser à toi ou non. On appelle cette procédure une *nekuia*.

— Et si j'utilisais le sang de quelqu'un d'autre ?

— J'ignore si une telle supercherie fonctionnerait, et je n'ai pas trop envie de l'essayer. J'ai tracé une portée musicale pour t'indiquer comment prononcer la formule. Ça t'ira ?

Après avoir jeté un coup d'œil au bréviaire, Faustin hocha la tête.

— Qu'est-ce qui va se passer ensuite ?

— Les livres affirment que l'expérience varie pour chaque spirite.

Inspirant longuement, Faustin se planta devant la table et, comme son ami le lui avait indiqué, plaça ses deux mains au-dessus du Calice.

— Tu es prêt, Faustin ?

— Finissons-en.

Faisant le vide dans son esprit, Faustin récita mentalement la formule quelques fois et, quand il fut certain qu'il la prononcerait adéquatement, incanta d'une voix forte et claire :

> *Ad-esra !*
> *Sakim seran sanem,*
> *Id lameb ibn ganersta-ishek lamir !*
> *Nazad isk ! Nasad isk !*
> *Ektelioch !*

Douleur ! Faustin eut l'impression de rugir à s'en époumoner sans émettre le moindre son. L'horrible sensation d'avoir un hameçon planté dans le cœur lui déchira la poitrine puis, comme si cet hameçon avait été attaché à un fil de fer, il le sentit remonter dans son torse, lui traverser la gorge et jaillir par sa nuque, d'où il s'éloigna, toujours plus loin, entraînant avec lui chaque nerf de son échine.

Lancinante, la douleur lui battit dans les tempes et il se sentit bientôt pris de vertiges comme s'il s'était enivré. Une espèce de brume épaisse couvrait son champ de vision et la cuisine n'était plus qu'à demi visible. Un brouillard immobile, blanc et translucide, où ne remuait qu'une forme vague, seule dans un coin.

Pareille à un poisson, la forme ondoya en travers de la pièce, s'approcha d'un objet que Faustin parvint à reconnaître, à travers la brume, comme le lourd tisonnier du poêle. Comme dans un rêve, presque au ralenti, la lourde barre de fer tournoya dans les airs pour percuter une armoire.

— Arrêtez ! hurla Faustin aussi fort qu'il le put.

Aussitôt, la forme fila et se mit à tourbillonner tout autour de lui. Étrangement étouffée, la voix de François lui parvint :

— Le... vois... tu... ?

Au même moment ou presque, il eut l'impression qu'un énorme clou carré s'enfonçait dans sa tête tant assourdissantes furent les paroles qu'émit la forme :

« *ME VOIS-TU ?* »

— Oui ! Je te vois ! cria Faustin en retour.

— Tu... me... vois... ou... tu... le... vois... ? demanda François, terriblement lointain.

— Je le vois, lui ! Je vois le défunt ! Je l'entends !

« *TU ME VOIS ? TU M'ENTENDS ?* »

Une atroce douleur, comme si un autre clou lui traversait la tempe, fulgura Faustin.

— Tu... as... plongé... trop... loin... Faustin... le... fil... de... ta... nuque... tu... dois... le... ramener...

Avec un cri, Faustin fixa sa concentration sur sa nuque, sentit quelque part en dehors de son corps cette espèce d'hameçon qu'il parvint, à force de volonté, à ramener vers lui, pouce par pouce, comme s'il remuait un membre depuis trop longtemps engourdi.

— Ça va, Faustin ?

La voix de François lui parvenait plus distinctement. Le brouillard blanc s'était dissipé en un fin voile de fumée. Et la voix du défunt prit une ampleur plus acceptable :

« *Je te reconnais… tu es Faustin Lamare.* »

— C'est ça, je suis Faustin Lamare. Qui êtes-vous ?

François se rapprocha :

— C'est à lui que tu parles ? Tu l'entends ?

— Oui.

— Alors passe à l'outrevision.

Plissant les yeux, Faustin usa de ce sens qui lui permettait de voir les arcanes. Les couleurs s'atténuèrent et tout devint gris. Seule détonnait l'aura de François, argentée et si épaisse que Faustin faillit briser sa concentration. Autour de lui, l'esprit qui tournoyait toujours finit par s'immobiliser. Lui aussi avait une aura d'argent, si fine que Faustin peinait à la voir. Lentement, très lentement, la forme floue devint une silhouette, puis ses traits commencèrent à se révéler.

— Père Bélanger ! s'écria Faustin en le reconnaissant.

— Le père Bélanger du Mont à l'Oiseau ?

« *C'est moi…* »

— C'est lui ! transmit Faustin, seul à entendre le défunt. Père Bélanger, vous avez trépassé ?

« *Oui…* »

— Que lui est-il arrivé ?

— Que vous est-il arrivé ?

« *J'ai vu… une fillette de blanc vêtue. C'était… un monstre. Un démon.* »

Dans la pièce grise et brumeuse, Faustin vit la forme spectrale du dernier représentant du Collège d'Albert le Grand s'avancer tristement.

« *Ils vont ramener l'Étranger, Faustin. Cette fille… elle cherche le volume qui lui permettra de briser le sceau l'empêchant de se manifester à nouveau.* »

— Cette fille… qui est-elle ?

« *Je l'ignore. Mais jamais je n'ai vu pareille aura dans toute ma vie. Même ton oncle, Faustin, n'avait pas la moitié de cette puissance.* »

— Et c'est pour m'avertir que vous avez hanté le presbytère ?

« *Je devais attirer ton attention. La tienne ou celle de François. Présente mes excuses à Madeleine. Il fallait que je t'avertisse. L'Ordre Théurgique, à présent, n'est plus constitué que de François et toi. Si les goétistes en viennent à s'imposer…* »

— Qu'est-ce que je peux faire ?

— Qu'est-ce qu'il dit, Faustin ?

— La ferme ! Père Bélanger, qu'est-ce que je peux faire ?

« *Si l'Étranger revient… il reprendra son œuvre là où il l'a laissée. Libérer un esprit scellé demande une effroyable puissance, mais cette fillette… elle y parviendra sans peine. Il faut que tu la trouves.* »

— Mais comment voulez-vous que j'y parvienne ?

« *Vois !* »

Une espèce de claquement sec résonna dans l'esprit de Faustin. S'ensuivit une sensation qu'il avait déjà éprouvée auparavant : deux espèces de masses intangibles qui se heurtaient pour fusionner partiellement… un transfert de souvenir.

Faustin ouvrit toutes grandes les portes de sa psyché. La scène s'imposa clairement à son esprit. Une fillette d'environ quatre ans, vêtue d'une simple robe blanche, exigeant du père Bélanger qu'il lui remette un ouvrage.

En dépit de la violence du reste de la scène, Faustin cessa d'y prêter attention. Peu lui importait qu'elle chevauchât une bête à grand'queue. Peu lui importait même qu'elle brûlât vif le pauvre père Bélanger. Car cette fille, il la connaissait.

— Impossible ! hurla-t-il comme un fou, se levant brusquement de sa chaise et frappant d'un geste large le Calice qui semblait le narguer.

— Faustin, non ! cria en vain le vicaire, alors que la coupe d'argent volait en travers de la pièce et que Faustin s'effondrait sur la table, pris d'une douleur qui lui fit croire qu'on lui arrachait les quatre membres tout à la fois, tandis que des serres lui fendaient le crâne.

Disparus, le père Bélanger et la brume. Son lien avec l'outremonde ne venait pas de se rompre : il venait d'éclater. Toussant du sang, Faustin tomba à genoux alors que François se précipitait à ses côtés :

— Faustin ! Espèce de fou ! On n'interrompt pas comme ça un lien avec l'au-delà ! Tu aurais pu te tuer !

Mais Faustin n'écoutait pas. Du revers de sa main, il essuya le sang qui coulait de son nez et celui qui maculait ses lèvres.

— Cette fille… c'est impossible. Mais je ne peux pas me tromper…

— Arrête, Faustin. Prends sur toi. Tu me le diras plus tard…

— Cette fille… elle n'a que quatre ans… pourtant elle a lancé cet horrible sortilège de feu pour tuer le père Bélanger.

— Une fille de quatre ans ?

— Impossible de me tromper… je la reconnais trop bien… même à l'époque, elle attirait le regard des garçons… et son père, ce ridicule ambitieux… il avait l'habitude de venir veiller au presbytère pour s'attirer les bonnes grâces de mon oncle… et il amenait souvent sa femme et sa fille…

— Écoute, Faustin. Il faut que tu te reposes.

— Non, François, cria Faustin en lui agrippant le bras. C'est toi qui vas m'écouter. Cette fillette, c'est Rose Latulipe ! Je l'ai tant côtoyée durant mon enfance que je ne peux pas faire autrement que de la reconnaître ! Cette fille, c'est Rose à quatre ans, ou alors…

Les yeux de François s'écarquillèrent quand il réalisa ce que voulait dire Faustin :

— … ou alors c'est une enfant de la honte !

— Ça ne me surprendrait guère de Rose ! Et cette terrifiante aura, cette effroyable puissance arcanique, cela signifierait…

— Que c'est ta mère. Qu'ils avaient un plan de rechange. Et que Marie-Josephte Corriveau a finalement été réincarnée.

Des bruits sur le perron attirèrent leur attention. Baptiste et Madeleine revenaient de leur tournée des bâtiments.

— Nettoie ton visage le mieux que tu pourras pour préserver notre Madeleine, intima François en aidant Faustin à se relever. Nous, nous allons rendre visite au maire Latulipe. Si Rose a eu une grossesse secrète, son père ne peut l'ignorer. Il est tard, mais un vicaire peut toujours se pointer à l'heure qui lui convient. Tu crois que tu seras en état ?

— Ça ira.

— Madeleine ! cria le vicaire en se précipitant dans l'entrée. Dis-moi : ai-je des soutanes de propres ?

Un peu décontenancée par la question, la servante répondit, presque insultée :

— Tu me sous-estimes, garçon ! Elles sont toutes bien accrochées dans ta penderie !

— Parfait. Faustin et moi allons chez les Latulipe.

François s'élança aussitôt vers l'escalier, plantant là la pauvre femme.

— Et pour notre… *problème* ? demanda-t-elle faiblement en se tournant vers Faustin.

— C'est réglé, ma bonne Madeleine. Je te le jure.

Soulagée, la femme se laissa choir sur un banc. Le poids qui s'ôtait de ses épaules était si grand qu'elle ne remarqua même pas la chemise ensanglantée de Faustin. Jugeant qu'il valait mieux qu'elle ne s'en rende pas compte, il lui tourna le dos pour se précipiter dans la chambre qu'il avait partagée pendant douze ans avec le vicaire.

Il poussa la porte alors que François était en train de s'habiller.

— Calvaire, Faustin, on frappe avant d'entrer !

— C'est ma chambre aussi, souviens-toi !

Un bref instant, Faustin fut sur le point d'éclater de rire – on aurait dit une dispute datant de leur adolescence ! Toutefois, le rire mourut dans sa gorge lorsqu'il entrevit le torse du vicaire pendant que ce dernier achevait de boutonner sa soutane. D'étranges cicatrices lui barraient la poitrine, trop régulièrement disposées pour être le fruit du hasard.

— Merde, François… c'est… c'est un diagramme arcanique que tu t'es scarifié sur le torse ! Comme ce que ma mère s'était fait…

Son vêtement clérical attaché, François vint se planter à quelques pouces de Faustin :

— Je ne veux pas t'entendre dire un seul mot à ce propos à Madeleine, compris ?

— Non, bien sûr… mais pourquoi as-tu…

— Pourquoi, pourquoi, pourquoi ! Vous n'avez tous que ce mot à la bouche ! Êtes-vous trop aveugles pour comprendre qu'il faut que quelqu'un soit en mesure de s'opposer au Stigma Diaboli ?

— Ce n'est pas ce que…

— Écoute-moi bien, Faustin. Écoute-moi parce que je ne le répéterai pas : cette vulnérabilité – non, cette impuissance ! – que j'ai vécue sur l'île d'Orléans… je ne veux plus jamais que ça se reproduise. Jamais, tu m'entends ? J'aurais dû être en mesure de te protéger. Nous sommes passés si près… même Baptiste a failli y rester ! C'était mon rôle de vous protéger tous les deux, et même Shaor'i, tant qu'à y être.

Complètement sonné par le ton véhément de son ami, Faustin ne trouva rien à ajouter. Sans un mot de plus, François ramassa son bâton et s'apprêta à quitter la pièce.

— Ce bâton, François… c'est bien celui que nous avons trouvé dans la tombe de ton ancêtre, le sorcier Jean-Pierre Lavallée ?

— C'est ça, oui. Mais je ne parviens pas à l'utiliser, pour l'instant.

— Et à quoi sert-il ?

— Quand je le maîtriserai, tu le sauras. Maintenant dépêche-toi, nous devons aller chez le maire.

Décontenancé, Faustin passa devant le vicaire, qui fit claquer la porte derrière lui.

◆

Alors qu'il arpentait à grandes enjambées le chemin Croche qui sillonnait la partie ouest du village, Faustin eut une désagréable sensation de déjà-vu. La dernière fois qu'il avait parcouru ce rang, il se rendait aussi chez le maire Latulipe après une divination. Il se souvenait parfaitement du rythme des sabots de Samson sur le sol et ce bruit le hantait encore. Cela avait été les derniers instants de sa vie « normale », à peine une demi-heure avant qu'il découvre le décès de son oncle, l'existence de l'Étranger et celle des lycanthropes.

Par superstition, il n'avait pas emprunté le chemin Croche depuis ce terrible Mardi gras, comme si le seul fait d'y poser les pieds aurait eu le pouvoir d'attirer le malheur sur un autre membre de sa famille. Maintenant qu'il y suivait François, de douloureux frissons lui longeaient l'échine.

Il était beaucoup moins tard que la dernière fois, mais le soleil était tout de même déjà couché. Dans le noir, François semblait redevenu comme jadis, n'eût été de son bâton. Pour peu, il aurait eu l'air d'un évêque portant la crosse épiscopale. Mais Faustin ne pouvait s'enlever de l'esprit la vision du visage prématurément vieilli, ni de ce corps scarifié de diagrammes arcaniques.

— Tu disais qu'il croit que sa fille est devenue bonne sœur?

Dans l'obscurité, la voix de François le fit sursauter. Faustin s'empressa de répondre :

— En effet. Quelques jours après mon retour, il parlait de contacter la police de Québec et de lancer des recherches pour retrouver sa fille. Comme le shérif de Québec est le goétiste William Sewell, j'ai pensé qu'il valait mieux éviter ça. Je lui ai donc envoyé une lettre, prétendument de la main de mon oncle et provenant de Montréal, dans laquelle il affirmait que Rose, repentante, était entrée au couvent.

— Et il a gobé ça? Que sa petite putain avait été appelée par la foi?

— François! jeta Faustin en rougissant sous le terme vulgaire.

— C'est ce qu'elle était, non?

— Qu'importe. Il a gobé ça, comme tu dis. Et ça l'arrangeait bien : il pouvait laver l'honneur de sa fille – et le sien propre, ce qui l'importait encore davantage – tout en faisant taire les ragots qui allaient bon train dans le village. Fier comme un prince, il s'est pavané avec la lettre – écrite par monsieur le curé en personne, s'il vous plaît ! – chez la mère Bélisle, à l'Auberge à Beaupré, chez le forgeron Dubé… oh ! Comme ça l'arrangeait ! Sa fille avait eu ses écarts mais, maintenant, elle était l'épouse de Notre-Seigneur Jésus-Christ… même pour une terre, il ne lâchera jamais cette version des faits.

— Et s'il lui prenait l'envie d'aller lui rendre visite ?

— Impossible. Ses vœux le lui interdisent. De plus, la lettre affirme qu'elle a changé de nom et ne révèle pas de quel couvent il s'agit.

— Et tu n'as pas eu de remords, à mentir à un père au sujet de sa fille défunte ? Après tout, il passera sa vie dans le mensonge, persuadé que Rose est vivante…

Faustin laissa passer un moment avant de répondre :

— J'ai eu quelques remords au début, c'est sûr. Puis je me suis dit que c'était pour le mieux. La dépouille de Rose, prématurément vieillie par les sortilèges de ma mère, avait l'air d'être celle d'une femme de cent trente ans – son père ne l'aurait jamais reconnue. Alors impossible de lui révéler la vérité. J'avais le choix : ou bien il passait sa vie dans le tourment et le regret, à espérer en vain le retour de sa fille, ou bien je la rendais inaccessible, mais heureuse, et j'accordais ainsi une vie de bonheur et de fierté à ses parents.

Dans la nuit naissante, ils distinguèrent sans difficulté la fugitive lueur des chandelles de suif qui émanait de la demeure des Latulipe.

— Ils ne sont pas couchés, voilà qui nous arrange bien…

— Et ton histoire de couvent nous arrange bien davantage, Faustin. Je crois même qu'elle nous facilitera grandement la tâche.

Franchissant en deux enjambées la petite allée de pierre des champs, François alla se planter devant la porte, prit une seconde pour pénétrer son rôle de prêtre qu'il n'avait pas pratiqué depuis des semaines et, quand il s'estima drapé de toute l'autorité d'un homme de foi, il frappa quatre coups secs à la porte.

◆

Les yeux du maire s'agrandirent quand il découvrit François Gauthier. Il le détailla de la tête aux pieds, trop intimidé et trop poli pour émettre le moindre commentaire sur le changement qui s'était opéré dans les traits du vicaire. Entrant avant d'y avoir été invité, François déclara de but en blanc :

— Il faut que je vous parle, monsieur Latulipe. Et c'est d'une importance capitale.

— Bien sûr, bien sûr, monsieur le vicaire. Entrez, entrez… excusez le fatras, mais c'est la grande Criée demain. C'est pour ça que vous êtes venu, je suppose. Nous avons récolté de beaux lots, vous serez contents.

Tout l'espace de la cuisine – et une bonne partie de l'espace du salon – était occupé par divers produits culinaires ou artisanaux que les femmes du village avaient élaborés durant les longs mois de l'hiver. Sur la table s'entassaient, bien roulées, catalognes et courte-pointes ; juste en dessous, dans des caisses de bois bien propres, étaient triés chaussettes, mitaines, tuques, foulards et autres tricots. Les produits du nouveau sucre d'érable, dont l'année avait été prodigue, se trouvaient classés sous toutes leurs formes sur une plus petite table : tire, sucre dur, sirop, réduit et beurre avaient été soigneusement pesés et emballés. En sa qualité de présidente de l'Union des Prières, l'épouse du maire tenait consciencieusement le compte de

chaque article ; de son côté, il s'affairait à classer les
« ouvrages d'homme » : attelages, raquettes, manches
de hache et menus objets de bois. Un magnifique
traîneau à chien complétait le lot.

En découvrant tous ces dons de paroissiens, Faustin
se reprocha d'avoir oublié que le lendemain aurait
lieu la Criée des Pauvres. C'était pourtant son rôle de
bedeau de procéder à cette vaste vente aux enchères,
sur le parvis de l'église, dont les profits iraient aux
familles les moins nanties. Fort heureusement, les
Latulipe, fiers du rôle prééminent qu'ils jouaient dans
cette œuvre charitable, avaient veillé à tout régler dans
le moindre détail.

Après avoir jeté le regard satisfait qu'on attendait
de lui, et écouté babiller le maire sur tel ou tel objet
qu'on vendrait à bon prix, François s'installa dans le
meilleur fauteuil et posa son bâton contre un mur.
Au regard interrogateur de Latulipe, le vicaire répondit
à sa question muette :

— Non, ce n'est pas un bâton épiscopal. Ce n'est
qu'une canne, pour m'aider à me remettre d'une
mauvaise chute.

— Rien de grave, j'espère.

— Je vous rassure.

— Du thé, monsieur le vicaire, Ozias, Faustin ?
s'informa l'épouse du maire.

Après un triple *s'il vous plaît*, la femme tira de
l'eau à la pompe, emplit une bouilloire qu'elle mit
sur le poêle, puis s'installa sur une chaise d'érable
en demandant à François s'il avait fait bon voyage
depuis Montréal.

— Pas trop mal. Un brick léger m'a pris à bord
pour descendre le fleuve jusqu'à Québec. Les matelots
ayant les mœurs qu'on leur connaît, un représentant

de Notre-Seigneur à bord n'était pas de trop, même pour un aussi court laps de temps.

Les époux Latulipe échangèrent un regard entendu et hochèrent gravement la tête.

— La Providence vous a donné du beau temps pour votre retour, pour sûr.

— J'aime à le penser.

— Et notre bon curé Lamare est-il de retour lui aussi ?

François se tourna vers elle et prit un ton préoccupé :

— Non, malheureusement. Avec les remous qui agitent la capitale, je crains qu'il reste à Montréal encore longtemps. Rassurez-vous : il va bien. Un télégramme de sa part m'attendait à Québec lors de mon arrivée. Néanmoins, si je suis ici, c'est qu'il m'a demandé de venir vous parler de votre fille.

— Elle va bien, j'espère.

— Très bien. La mère supérieure ne pourrait être plus satisfaite de sa nouvelle novice. Rose trime du matin au soir, n'a pas son pareil pour faire briller comme l'or le plancher du couvent avec son bouchon de paille, accepte chaque privation comme autant de moyens de purifier son âme et démontre une exemplaire assiduité à la prière.

— À la bonne heure, souffla le maire, qui paraissait toutefois étonné que ce fût de sa fille qu'il était question.

— Mais vous concevez, bien certainement, que notre bon curé Lamare ne m'a pas envoyé de Montréal uniquement pour ces quelques nouvelles. L'âme de Rose semble tourmentée et, à la longue, cela risque de nuire à sa nouvelle vie. Le curé Lamare l'a entendue en confesse – bien entendu, j'ignore totalement les confessions de votre fille –, mais d'après la mère supérieure, à qui Rose s'est également confiée, il serait question d'un certain… enfant, dont le sort semble l'inquiéter.

Le maire et sa femme se tournèrent l'un vers l'autre dans un geste lourd de sens.

— Il est de mon devoir, monsieur et madame Latulipe, de vous demander de tout me révéler au sujet de cette… anecdote. Rose s'y refuse, mais nous ne voudrions pas que ce détail vienne, un jour ou l'autre, brimer sa nouvelle existence…

— Bien sûr… bien sûr que non.

— Alors, dites-moi.

Nerveux, le maire Latulipe s'offrit le temps de bourrer sa pipe et de l'allumer. Les mains tremblantes, il dut s'y prendre à trois reprises pour obtenir sa première bouffée. Patiemment, François attendit, l'œil implacable, que les époux lui racontent ce qu'il voulait savoir. Finalement, après un interminable silence, le maire commença, la voix rauque, en transpirant abondamment :

— C'est arrivé l'année dernière, aux alentours de janvier. Notre Rose avait l'air distante depuis quelque temps. Elle semblait jongleuse. Je la voyais qui passait des grands moments à se bercer, comme une femme qui attend son homme parti pour les chantiers. Elle était inquiète de quelque chose, pour sûr, mais je n'arrivais pas à savoir quoi. C'est sa mère qui a tout compris.

— Elle avait souvent la main sur le ventre, comme si elle digérait mal, poursuivit l'épouse Latulipe. Au début, c'est ce que j'ai pensé… en plus, elle avait des nausées le matin. Mais plus le temps passait et plus elle semblait inquiète. Et un matin, en faisant ma lessive, j'ai tout compris. Je l'ai appelée pendant que son père était en dehors de la maison et je lui ai dit…

Rougissante, la femme s'arrêta net.

— Poursuivez, insista François.

— Ce ne sont peut-être pas des propos à tenir devant un homme d'Église…

— Moi seul en suis juge, madame Latulipe. Et j'exige de connaître l'histoire de fond en comble. Donc reprenez.

Les joues en feu, elle continua :

— Je lui ai dit : « Rose, ça fait trois mois que je n'ai pas vu passer tes… enfin… tes chiffons. »

— Ses chiffons ?

— Pour sa visite du mois…

— Ça vous dérangerait vraiment de parler clairement, madame Latulipe ?

— … vous savez bien, monsieur le vicaire… sa visite… enfin, sa période de jeune femme…

— Vous voulez dire ses menstruations ?

Plus écarlate qu'une écrevisse, madame Latulipe hocha la tête en fixant le sol.

— Comme vous dites. Alors elle a éclaté en sanglots et m'a tout avoué : un jeune homme, dans la grange, lui avait conté fleurette. Elle avait cédé. Il suffit d'une fois, vous savez…

Malgré la gravité des propos, Faustin se retint de justesse pour ne pas éclater de rire. *Il suffit d'une fois !* Le miracle, c'était plutôt que la chose ne se fût pas produite longtemps avant ou plusieurs fois : en réalité, il ne connaissait pas un seul jeune homme de Notre-Dame des Tempérances qui n'avait pas au moins une fois goûté aux faveurs de la belle Rose.

Sans se douter des pensées de Faustin, madame Latulipe reprit :

— Ma Rose était tellement troublée qu'elle ne savait plus comment agir. Elle m'a avoué avoir tenté d'endormir le bébé en buvant toute une bouteille de rhum en cachette ou en mangeant du savon. Elle pleurait, ma Rose, vous savez… elle s'est jetée à mes pieds et m'a suppliée de l'amener à Québec, chez une faiseuse d'anges.

Faustin frissonna. Il avait déjà entendu parler de ces femmes qui, pour quelques piécettes, introduisaient des aiguilles à tricoter dans l'utérus de femmes enceintes pour provoquer un avortement. L'Église interdisait de telles pratiques, bien sûr, et les faiseuses d'anges dénoncées risquaient la prison et parfois même la pendaison – ce qui n'empêchait pas ce genre d'opération de s'effectuer clandestinement.

— Quand je suis revenu de chez mon frère, raconta le maire Latulipe, ma femme m'a tout dit. Ma Rose n'était pas grosse dans ses souliers, et elle me suppliait. Quand je lui ai demandé quel mécréant l'avait parti en famille, que je le force à l'épouser, elle m'a dit que…

— Que… ?

— Que… qu'elle ne pouvait pas être sûre. Qu'il y avait au moins deux possibilités. Peut-être plus.

Soucieux de s'assurer la pleine collaboration des Latulipe, François les rassura :

— Je vous garantis, monsieur le maire, que ce qui se dit ce soir ne sortira pas d'ici. Mes lèvres resteront scellées aussi certainement que si je vous avais entendu en confesse ; quant à Faustin, s'il ose dire le moindre mot à ce sujet à quiconque, je peux vous garantir que son oncle sera d'une terrible sévérité.

Feignant de tressaillir sous la menace qu'il savait creuse, Faustin détourna les yeux et hocha la tête.

Inspirant longuement, le maire Latulipe termina son honteux récit :

— Il était hors de question d'aller voir une avorteuse. Non seulement c'était dangereux pour Rose mais pire, c'était péché. J'ai donc fait ce qu'il fallait pour sauver l'honneur de ma fille : je l'ai envoyée dans ma famille, aux Trois-Rivières, dans le village des Vieilles Forges. Après avoir eu son premier, ma cousine n'arrivait plus à garder ses enfants – elle en avait perdu quatre avant terme. Je me suis dit que ça arrangerait tout le monde. Que ça serait pour le mieux. Alors j'ai amené Rose chez ma cousine pour les mois de grossesse qui lui restaient, ainsi que le temps de lui passer son lait. En janvier dernier, quand elle est revenue, j'ai cru que les folleries étaient terminées. Mais il y a encore eu ce malfaisant d'étranger qui est débarqué à ma fête du Mardi gras... heureusement, tout s'est arrangé pour le mieux. Maintenant que ma Rose a marié le bon Dieu, elle a trouvé une nouvelle vie dans un couvent et je ne peux pas être plus fier d'elle. Ses vœux de solitude m'attristent un peu, mais je comprends son désir de faire pénitence ; et comme ça, elle pourra prier pour nous.

Dans la cuisine, la bouilloire se mit à siffler. La mère Latulipe se leva, comme mue par un ressort, et fonça vers le poêle. Son mari, pressé de s'extraire un moment de l'inquisiteur interrogatoire, la suivit en marmonnant :

— Je vais te passer les tasses de l'armoire du haut, ma femme. Ce sera mieux pour notre grande visite.

Profitant de ce bref instant en privé, Faustin marmonna entre ses dents :

— Ça n'a aucun sens ! Si l'enfant est né l'année dernière, ce ne peut pas être la fillette en blanc que j'ai vue...

— Au contraire, c'est tout logique, répondit François. Le rituel de réincarnation a probablement fait vieillir le petit corps de quelques années.

Puis il dit plus haut, en s'adressant aux époux :

— Le Seigneur a-t-il accordé un garçon ou une fille à votre Rose ?

— Une fille, monsieur le vicaire. Tout le portrait de notre Rose, à ce qu'il paraît. On l'a baptisée du nom d'Anne, comme la sainte mère de la Vierge.

— Et votre cousine, elle se prénomme… ?

— Son nom de naissance, c'est Alma Latulipe. Mais quand elle s'est mariée à un nommé Leclerc, son mari a changé son prénom pour Justine, pour qu'elle ait le même nom que sa première femme. Il était veuf, vous savez.

— Je l'ai déduit. Donc Justine Leclerc. Et ce monsieur ?

— Antoine Leclerc. Mais tout le monde l'appelle Ti-Toine.

Alors qu'elle approchait avec un plateau contenant la théière, quatre tasses et le sucrier, la femme du maire sursauta en poussant un cri et échappa son chargement sur le plancher. Mais personne ne songea à essuyer le gâchis.

Au-dehors, bien qu'il fût passé dix heures du soir, on entendait clairement sonner les cloches de l'église.

La seconde suivante, sans même penser à frapper, le forgeron Dubé poussa la porte de la maison du maire en hurlant :

— Les Anglais, m'sieur l'maire ! Les émeutiers ! Ils arrivent !

CHAPITRE 15

L'émeute

Alors que le carillon assourdissant des cloches semblait ne jamais vouloir s'éteindre, les premiers cris commençaient à se mêler au vacarme. En bourrasque, la nouvelle de l'approche des émeutiers avait balayé le paisible village. Comme les lampions d'une église s'allumant un à un, les fenêtres des maisons s'illuminèrent les unes après les autres, leurs habitants joignant leur voix à la cacophonie ambiante.

À une lieue du village, coupant à travers un champ, une sorte de serpent de feu titanesque ondulait en se rapprochant des maisons comme s'il voulait les engloutir. La longue procession d'émeutiers, portant torches et fanaux, sinuait en un cordon lumineux semblant s'étendre jusqu'à l'infini. Déjà, l'écho du temps humide qui suivait l'orage portait les vociférations de la foule en colère, d'où on distinguait sans peine les *God damn fucking French!* et les *French bastards!* que scandaient les Anglais venus de Québec et de la Pointe-Lévy.

Dans les rues, les familles paysannes terrifiées commençaient à se rassembler. Quelqu'un – on ne savait déjà plus qui – avait ouvert les grandes portes de l'église où se réfugiaient femmes et enfants, rendus hystériques par la peur. Quelques groupes d'hommes se réunissaient autour de points de rencontre tacites – magasin général, auberge, échoppe du forgeron et, bien sûr, maison du maire.

En quelques minutes, la masse qui s'assemblait devant chez le maire compta plus d'une trentaine d'hommes. Quelqu'un offrit une fourche à Faustin, qui l'accepta machinalement, sans prêter attention à l'identité de celui qui la lui tendait, et pour cause : toute son attention était rivée sur le forgeron Dubé, qui glissait une cartouche dans son fusil de chasse. Tout autour, et ce, malgré le brouhaha des cris et des cloches qui s'agitaient encore, on entendit clairement claquer le chien d'autres armes à feu.

— Qui c'est qui a envoyé les femmes pis les p'tits dans l'église ? hurla Étienne Dubé comme un forcené. Faut qu'y sortent de d'là ! Z'avez vu toutes les torches ? Les Anglais vont brûler l'église comme chez les Acadiens durant l'Grand Dérangement !

À ces mots, les hurlements prirent une telle ampleur que Faustin eut l'impression d'être en pleine guerre civile. *Blasphème, la situation va déraper pour de bon !* pensa-t-il au bord de la panique, quand une voix puissante, impérieuse, couvrit l'immense tumulte pour résonner comme un cor :

— Dubé ! Il suffit !

Debout sur une caisse de bois pour être sûr que chacun le verrait, fier comme un seigneur des temps jadis, François dominait la foule, impassible, sa soutane et son bâton lui conférant une prestance presque surnaturelle. Tout autour, les murmures fusèrent :

— Le vicaire est revenu ! Le vicaire va s'occuper des Anglais !

— Paroissiens, vous dépassez les bornes ! tonna François avec toute l'autorité que pouvait rassembler un homme d'Église. Qu'espérez-vous faire avec ça ?

Descendant de son promontoire, il arracha le fusil des mains du forgeron.

— Vous pensez abattre les Anglais ? damner votre âme aux tourments de l'Enfer pour l'éternité ?

Alors qu'on s'écartait sur son passage, le vicaire confisqua une à une les armes à feu, les rassemblant en tas devant lui.

— Les Anglais ne viennent pas vous piller, ni incendier vos maisons, ni encore moins brûler vifs vos femmes et vos enfants dans l'église ! Ils viennent mettre feu à une effigie ! Un mannequin représentant Lord Elgin ! Laissez-les se payer ce jeu puéril et rentrez chez vous !

Stupéfait, Faustin admira le calme et l'autorité qu'incarnait son ami. Au loin, le serpent de flamme s'était mué en une masse ardente qui progressait vers le village.

Alors que les émeutiers passaient près d'une grange à foin, des hurlements jaillirent face à eux. Un second groupe de paysans, armés de gourdins et d'outils agricoles, émergèrent de l'ombre pour foncer sur les Anglais. Aussitôt, les émeutiers – qui n'étaient pas venus les mains vides – réagirent à l'assaut en brandissant leurs propres armes.

Le fracas des deux armées improvisées retentit dans l'air nocturne. Sans mal, on pouvait voir la formidable mêlée qui s'engageait.

Soudain, pareille à un minuscule météore, une petite torche traversa la nuit dans une courbe gracieuse avant de s'abattre sur le toit de la grange.

Les flammes ne tardèrent pas à monter, vives et brillantes, et à illuminer la zone d'un effroyable brasier.

Oubliant la présence du vicaire, Dubé et ses hommes foncèrent pour prêter main-forte à leurs alliés. Pestant

contre le mauvais sort, Faustin et François se lancèrent
à leur suite.

◆

Sous la chaleur de la fournaise d'un incendie que
personne – pas même le propriétaire de la grange enflammée – ne songeait à éteindre, deux cultures par-
tageant le même territoire donnaient libre cours à une
haine vive qui n'avait jamais cessé d'habiter leurs
cœurs.

Les émeutiers, ayant chacun transporté quelques
billots pour monter un bûcher, brandissaient des gourdins improvisés auxquels s'opposaient les tisonniers,
les manches de hache, les fourches et autres armes
blanches que les paysans avaient pu rassembler. Fort
heureusement, les fusils avaient été abandonnés devant
la maison du maire et personne ne semblait en avoir
apporté dans l'autre camp.

Dans un chaos innommable, les Anglais, venus de
plusieurs villes et supérieurs en nombre, affrontaient
les Canadiens français mieux armés et enragés de
voir violée la quiétude de leur village. Aux yeux de
Faustin, qui ne connaissait des guerres que les récits
de ses aînés ayant participé aux Troubles, pareil affrontement était inconcevable. Il vit le vieux père
Martel, pourtant reconnu pour sa patience et son
calme, assommer coup sur coup deux émeutiers avec
une pelle ronde avant de faire volte-face pour éviter
de justesse le gourdin d'un troisième Anglais. Moins
alerte, l'un des frères Trottier venait de tomber à
genoux, après avoir reçu un coup de gournable au
ventre ; le forgeron Dubé se porta à sa défense en
tempêtant et en brandissant d'une seule main un épais

billot de cinq pieds qui décrivit un large arc de cercle avant de s'abattre sur les côtes de l'émeutier.

Fonçant sur la grange embrasée, un Anglais arracha une planche enflammée et chargea le vieux Laloge, occupé à tirer son fils inconscient de la mêlée. Il fut stoppé dans sa course par le manche d'une fourche jeté entre ses jambes.

Pétrifié devant l'horrible spectacle, Faustin ne vit pas arriver la pierre qui le percuta durement au crâne. Sonné et chancelant, il parvint quand même à repérer l'émeutier obèse, roux et frisé qui se moquait de lui en faisant de grands bras d'honneur. *Ah bin, mon câlisse de bloke…* marmonna Faustin en se penchant pour ramasser une roche à son tour.

Un pied lui écrasa la main :

— Faustin ! As-tu perdu l'esprit ?

Honteux, Faustin se redressa en laissant François le toiser avec colère.

— Faustin, ce sera déjà un miracle si personne n'est tué ce soir, alors n'en rajoute pas !

— Que veux-tu qu'on y change ? cria Faustin par-dessus le bruit de la bataille.

— Rien de plus pour le moment qu'isoler les blessés – quelle que soit leur allégeance – et tenter de raisonner cette flopée d'imbéciles… même si c'est déjà un vœu pieux…

— Tu vas t'adresser à la foule ?

— *Nous* allons nous adresser à la foule. Tu sais bien que je ne parle pas un traître mot d'anglais. Allez, suis-moi.

Droit comme une flèche, le vicaire s'élança à travers la cohue. Ceux qui l'aperçurent – Anglais ou villageois – s'écartèrent sur le passage de la soutane noire. À peine à quelques verges de son ami, Faustin n'eut pas cette chance : sans vêtement distinctif, on lui réserva le même sort qu'aux autres paysans.

Une nouvelle pierre l'atteignit à l'épaule, puis quelqu'un le frappa aux genoux, le faisant s'affaler par terre. Un émeutier enragé se précipita sur lui, bâton au poing. Du mieux qu'il le put, Faustin roula sur le sol pour éviter le premier coup. Des yeux, il chercha désespérément un quelconque outil égaré. Le second coup lui résonna le long de la cuisse. Fou de douleur, Faustin hurla :

— *Let me go ! I'm with the priest !*

Interloqué d'entendre parler dans sa langue, l'assaillant resta figé un instant... avant qu'un énorme billot ne s'écrase dans son dos.

— Faustin ! C'tu toé ?

— Étienne !

Le forgeron Dubé se précipita vers Faustin pour l'aider à se relever. Prestement, il lui tendit le gourdin abandonné par son adversaire.

— Étienne, beugla Faustin pour couvrir la mêlée, il faut que tu m'aides ! Il faut que je retrouve François !

— Le vicaire est icitte ?

— Oui ! Il a besoin de moi !

— En pleine bataille ?

— Le vois-tu ?

Assommant au passage le maigre émeutier qui se précipitait sur eux, l'immense forgeron se dressa de toute sa hauteur et scruta les environs.

— J'le vois pas, Faustin !

— Calvaire, je l'ai perdu !

Retenant le forgeron par le bras, Faustin le supplia :

— Il faut que je le retrouve, Étienne ! Il faut arrêter cette folie ! Quelqu'un va finir par se faire tuer !

— Ils l'auront cherché, c'té blokes-là !

— C'est peut-être quelqu'un du village qui va mourir !

Dubé lui jeta un regard hébété, comme si cette possibilité venait tout juste de lui effleurer l'esprit.

— OK, Faustin ! On va aller su' la grand'côte, à côté d'la grange en feu. Tu vas avoir un bon affût pour repérer l'vicaire. Suis-moé, pis reste proche !

À toutes jambes, le forgeron et le bedeau coururent en direction du bâtiment incendié. Par des claques puissantes, Dubé écartait ceux qui se pressaient sur son passage. Un colosse anglais tenta de se jeter sur eux en agitant une courte matraque – grand mal lui en prit car Dubé l'accueillit d'un violent coup de billot dans la mâchoire. S'écroulant, l'homme cracha d'épais filets de sang et quelques dents. Horrifié, Faustin retint son ami :

— Tu as failli le tuer, Étienne ! Six pouces plus haut ou plus bas…

— Tabarnak, Faustin ! C'est lui qui a couru après !

— Aurais-tu pu vivre avec ça sur la conscience, si tu l'avais tué ? Il a peut-être une femme, des enfants… tu veux les rendre orphelins de père ?

Secouant la tête pour chasser ces pensées, le forgeron entraîna Faustin près des vestiges de la grange. Quand il fut certain que le bedeau était en sûreté, Dubé repartit en sens inverse :

— T'as raison, Faustin. Faut arrêter ça. Sinon, demain, on sera tous ou bien morts, ou bien des meurtriers.

Jetant un dernier coup d'œil à l'homme fort du village, Faustin le laissa repartir et gravit la petite colline.

De ce promontoire, il pouvait sans peine distinguer François qui, invectivant la foule à deux cents verges de là, tâchait de calmer la frénésie des combattants. Le maire Latulipe s'était joint à lui.

Latulipe est moins pathétique que je le croyais, finalement, sourit Faustin avant qu'une ombre ne le fasse se retourner.

Derrière lui venait de surgir un homme dans la trentaine brandissant un vieux sabre de milicien.

— *You fuckin' bastard! I'll kill you!*

Plongeant sur le côté, Faustin évita la lame de trente pouces avant qu'elle ne s'enfonce dans ses entrailles. Se relevant sans attendre, il eut tout juste le temps de lever son gourdin pour que s'y plante l'arme de son ennemi.

— *Are you crazy?* cria Faustin à son assaillant. *I don't want to fight you! I don't want to fight anyone…*

— *Die!* vociféra l'homme d'une voix rauque, son sabre ratant de peu la gorge de Faustin.

Mais c'est qu'il cherche réellement à me tuer! réalisa celui-ci, paniqué. Un bref coup d'œil aux alentours lui indiqua qu'il était trop éloigné pour que quiconque ne remarque la scène.

L'Anglais frappa d'estoc en visant la cuisse et, cette fois, Faustin ne put esquiver assez rapidement. La lame s'enfonça dans sa chair et, avec un sourire mauvais, l'homme vira le fer dans la plaie. Étendu sur le sol, Faustin griffa le sol pour y dessiner prestement un pentacle.

— *Ashek saen-irstean al-ibnar!* incanta-t-il en désespoir de cause.

Du pied de la grange en feu, un tonneau noirci et fumant quitta le sol à la vitesse d'une flèche pour s'abattre sur l'Anglais dément. L'homme fut plaqué à quelques pouces du brasier tandis que le tonneau percutait une poutre qui émit un craquement sinistre.

Merde! jura mentalement Faustin qui, braillant de douleur, tituba vers son adversaire pour le tirer de la fournaise. De peine et de misère, il parcourut en boitant les six verges le séparant de l'homme quand, soudain, il réalisa que la silhouette de son adversaire n'avait plus rien d'humain.

Un énorme loup gris se dressait devant l'infernal brasier.

Faustin eut à peine le temps de comprendre ce qui se passait. Le loup se ramassa sur lui-même, banda ses muscles et bondit, la gueule visant la gorge de Faustin.

Tournoyant dans les airs, un couteau de silex fracassa le crâne de la bête et lui rendit sa forme humaine, quoique désormais inerte.

De l'ombre, une frêle Indienne surgit pour récupérer son arme.

— Shaor'i ! lâcha Faustin avec un réel soulagement.

— On a étudié, à ce que je vois, lança la jeune femme en désignant le tonneau ayant frappé le lycanthrope.

— Un peu. Qu'importe. Que fais-tu ici ?

— Je te le dirai plus tard. Montre-moi ta cuisse.

À genoux devant lui, l'Indienne posa ses mains et ferma les yeux. Sa respiration ralentit, comme si la mêlée tout en bas n'existait plus. Bientôt, une apaisante chaleur, bleutée à l'outrevision, parcourut la jambe de Faustin et referma sa plaie.

— Ça ira ?

— Encore des élancements, mais ça va. Je dois rejoindre François.

— Laisse tomber. Je le trouverai. Pour toi, il y a plus urgent.

— *Plus urgent ?* Je te signale que des gens s'affrontent en bas de la colline !

— Et tu trouves normal qu'un loup-garou ait été parmi eux ? coupa-t-elle de sa voix tranchante. Écoute-moi, Faustin : à un demi-mille de votre presbytère, il y a une grange abandonnée.

— L'étable des Bégin ? Bien sûr…

— Baptiste et la femme qui s'occupe de vous y sont en sécurité. Va les rejoindre.

— À l'étable ? Pour quoi faire ? Et l'émeute ?

— Otjiera s'en occupe. D'ici quelques minutes, ce sera fini. Maintenant, file ! Je m'en vais quérir le prêtre !

Sans ajouter un mot, la jeune Indienne rengaina ses couteaux et étendit les bras. Plus vite que l'œil ne pouvait le déceler, elle adopta sa forme de harfang des neiges et s'envola dans la nuit.

Presque en même temps, un effroyable coup de tonnerre ébranla le ciel. Dans l'obscurité, il était impossible de voir que les nuages s'étaient amoncelés, bien que les étoiles ne fussent plus visibles.

Les premières gouttes d'une pluie glacée atteignirent Faustin alors qu'il s'était assuré que le hibou blanc avait bel et bien rejoint le vicaire. L'averse devint plus drue en quelques secondes, puis se mua subitement en une grêle dense. Aussitôt, Faustin s'élança vers la vieille étable indiquée par Shaor'i, sa douleur à la jambe n'étant plus qu'un mauvais souvenir. Bien vite, il n'eut d'autre choix que de courir aussi rapidement qu'il le pouvait.

Et pour cause : en quelques minutes, les grêlons avaient atteint la taille de noix – et ils ne cessaient de grossir. Partout autour, on eût juré que quelqu'un bombardait de pierres les toits des maisons. Quelques vitres furent brisées, puis les toitures de tôle déformées de bosses et de creux. Des animaux mal abrités se plaignirent, des villageois émirent quelques cris de douleur. Quand une masse de glace compacte de la taille d'un œuf le manqua de peu, Faustin se mit à zigzaguer en passant sous les arbres et au ras des maisons.

Au loin, il entendit diminuer la clameur de la foule, aussi aisément dispersée que si un réel bombardement s'était abattu sur elle. Plaqué contre une grange, Faustin dut attendre une accalmie avant de poursuivre son chemin. Le déferlement de sphères de glace était devenu réellement dangereux. Là où s'était déchaînée, dix minutes auparavant, la pire orgie de violence de l'histoire du village, ne restait plus le moindre agitateur. Les flammes de l'incendie diminuaient rapidement et les gourdins avaient été abandonnés. Les demeures les plus proches hébergeaient les villageois s'étant précipités aux abris ; quant aux Anglais, ils avaient rapidement gagné la sécurité des arbres de la pinède.

Soulagé de l'averse providentielle qui, malgré les dégâts qu'elle causerait aux fermes, avait mis fin à la mêlée, Faustin observa un long moment les énormes grêlons qui s'accumulaient sur le sol. Eût-il été exposé qu'il aurait risqué d'être assommé – comme pour le lui prouver, un chien errant gisait au pied d'une clôture, inconscient ou mort.

Quand finalement, au bout d'une dizaine de minutes, les grêlons reprirent des proportions plus naturelles, Faustin se précipita vers la vieille étable abandonnée, comme le lui avait ordonné Shaor'i.

◆

— P'tit renard !

Le visage barbouillé de larmes, Madeleine s'était précipitée sur lui et l'avait entouré de ses bras comme pour s'assurer qu'il était bien là.

Quand il parvint à se dégager, Faustin vit Baptiste, qui montait la garde près de la porte, armé d'une vieille barre à clou rouillée et, un peu plus loin, à demi cachée dans l'ombre, une autre silhouette, celle d'un homme assis en tailleur.

— Otjiera ! s'exclama Faustin en reconnaissant le Premier Danseur, maître du cercle arcanique indien.

— Chut… y a dit qui fallait point l'déranger.

— C'est terminé, Baptiste. La nature va s'occuper de disperser le reste des nuages.

Ouvrant les yeux, Otjiera s'épongea le front de la manche de sa tunique, puis adopta une position plus confortable pour se tourner vers les autres. Autour de lui flottaient les relents de tabac et de sauge qu'il brûlait avant d'entrer en transe.

— L'exercice du début de la soirée m'a permis de retrouver mon aisance de jadis. C'est une transe difficile à atteindre, et le niveau de concentration requis est un réel tour de force.

— Vieux chafouin, s'exclama le bûcheron, l'orage du souper, c'tait toé ?

Le vénérable chamane se contenta de sourire.

— Shaor'i ne devrait plus tarder.

— Je l'ai vue, lança aussitôt Faustin, alors que les derniers événements se bousculaient dans sa tête. À l'émeute. Elle est censée revenir avec François ; elle m'a aussi sauvé d'un lycanthrope qui cherchait à me tuer…

— P'tit, les loups-garous… commença Madeleine avant que sa voix ne se brise.

— Les goétistes ont attaqué votre presbytère, expliqua Otjiera.

— Comment est-ce possible ? s'exclama Faustin. Les protections que mon oncle et le vieux père Masse ont installées il y a vingt-cinq ans étaient supposément inviolables !

— C'est aussi ce que je croyais. Mais lorsque je me suis précipité pour avertir Madeleine et Baptiste, elles avaient été dissipées.

— Ils sont tous arrivés, balbutiait Madeleine en tremblant à ce souvenir, sous leur forme de loup, en meute. Il y avait des corbeaux, aussi. On a juste eu le temps de sortir par-derrière – ce bon monsieur Otjiera nous avait lancé un sort pour nous rendre invisibles.

— Pas invisibles mais dissimulés, corrigea l'Indien. Baptiste a eu l'idée de se réfugier dans cette vieille étable.

— Mais pourquoi… protesta Faustin, décontenancé… pourquoi aujourd'hui, pourquoi à ce moment précis…

— N'as-tu rien compris ? Cette émeute, c'est le Stigma Diaboli qui l'a attisée.

Stupéfait, Faustin resta muet en attendant des explications.

— Les troubles ont commencé d'eux-mêmes à Québec. Mais après la mêlée du faubourg Saint-Roch, lorsque les forces de l'ordre ont procédé aux arrestations, la majorité des agitateurs anglais ont aussitôt recouvré leur liberté. Le shérif de Québec y avait veillé…

— William Sewell ! lança Faustin en se souvenant de ce riche goétiste dans le manoir duquel il s'était infiltré, quelques semaines auparavant.

— C'est Sewell qui a encouragé le groupe à traverser à la Pointe-Lévy. Puis, lorsqu'ils en ont été chassés, il a usé de sa magie pour raviver de nouveau la rage des émeutiers et les diriger vers Notre-Dame des Tempérances. Quel intérêt auraient-ils eu à importuner un village si éloigné ?

— Mais dans ce cas, pourquoi…

— Pour faire diversion. Pour que toute votre attention soit rivée sur la mêlée et que, pendant ce temps, il ait la possibilité d'envoyer ses troupes à l'assaut du presbytère. Ainsi, il pouvait tenter de vous faire tuer, François et toi – les accidents sont fréquents dans ce genre de rixe – et, vu la foule, vous pouviez difficilement user des arcanes.

— Et comment tu sais tout ça ? intervint Baptiste.

— Shaor'i espionne les Sewell depuis les événements de l'île d'Orléans. En harfang, elle a rôdé dans Québec tout ce temps, à l'affût de la moindre information. Quand elle a su que Sewell et les membres du Stigma Diaboli traversaient le fleuve, aiguillonnant la rage d'une foule déjà en colère, elle m'a averti. J'ai cru que le premier orage serait suffisant pour les décourager ; malheureusement, il aura fallu les grêles du siècle, ou peu s'en faut.

Le bruit d'un froissement d'ailes arracha un cri de sursaut à Madeleine ; l'instant suivant, Shaor'i reprenait forme humaine dans la vieille étable.

— P'tite !

Baptiste se précipita sur la jeune Indienne pour la soulever à trois pieds du sol dans une étreinte digne d'un ours.

— Tu m'as manqué, P'tite…

— Toi aussi, mon ami, répondit Shaor'i sans chaleur ni sourire, mais sans se crisper non plus. Repose-moi, maintenant. J'ai de graves nouvelles.

— Pas François ! hurla Madeleine en se couvrant le visage.

— Non, Madeleine. Je suis ici, la rassura le vicaire en passant la porte du bâtiment.

La servante se précipita à ses côtés, tandis que Shaor'i reprenait :

— Je suis allée au presbytère. Je crois qu'ils sont partis. Le feu était pris dans la bibliothèque, mais j'ai pu l'étouffer avant qu'il ne cause trop de dégâts.

— Rien d'essentiel n'a été brûlé, reprit François. La plupart des livres n'ont eu que le temps de roussir un peu. Les volumes vraiment gâchés ou totalement réduits en cendres pourront être recopiés depuis l'église de Saint-Laurent.

— Pas de danger qu'ils y aillent ? s'informa Baptiste.

— Sans la Pierre Manquante, que je garde toujours avec moi, c'est impossible.

— Mais pourquoi s'attaquer à notre presbytère ?

— Je pense avoir la réponse, affirma Otjiera. Nul besoin de te remémorer que ton oncle s'est… *dépassé*… en essayant de lancer un sortilège de bannissement contre l'Étranger, lequel n'a la capacité de se mouvoir que sous forme de projection.

Faustin sentit sa gorge se nouer. Comment aurait-il pu oublier le courageux sacrifice de son oncle, seul dans les ruines du moulin de Crête, affrontant d'abord le lycanthrope Sauvageau avant de tenter de bannir cet homme qui vivait depuis des siècles ?

— Ce genre de sortilège, reprit l'Indien, n'est possible que par un long et complexe rituel dont mon peuple a depuis longtemps oublié la procédure… ou, pour un théurgiste, par l'entremise des diagrammes géométriques précis que seule une copie d'un rare ouvrage peut révéler…

— *Opus æternum,* s'exclama François. Ou quelque chose comme ça, par Bacon. J'ai lu à ce sujet sur l'île, mais même la vaste bibliothèque de mon ancêtre n'en contenait pas d'exemplaire.

— Et c'est en refusant de révéler où se trouvait cet ouvrage que le père Bélanger a été tué, ajouta Faustin, qui avait vu toute la scène lors de son expérience de spiritisme.

— On peut présupposer que c'est la bibliothèque du presbytère qui cachait cette copie, d'autant plus que le curé Lamare connaissait forcément la procédure lorsqu'il a tenté d'affronter l'Étranger lors du Mardi gras. Ce livre en main, le Stigma Diaboli peut espérer ramener l'Étranger à l'état de conscience.

— Ils ont déjà ma mère avec eux, révéla Faustin aux deux Danseurs.

— Comment est-ce possible ?

— Rose Latulipe… elle a eu une fille illégitime, aux Trois-Rivières, dans le village des Vieilles Forges. Par-delà la mort, le père Bélanger est venu m'en avertir. Marie-Josephte Corriveau est bel et bien de retour dans le corps d'une fillette. C'est pourquoi je dois partir pour les Forges.

Ahuris, cinq regards dévisagèrent Faustin. Sans l'ombre d'une hésitation, il ajouta :

— Sans ma mère, ils ne pourront rien faire. Il me suffit d'aller la voir et de lui donner les informations qui lui manquent, exactement comme sur l'île. Je ne peux pas agir autrement : une fois l'Étranger éveillé, ils nous traqueront à nouveau, François et moi, pour nous utiliser comme réceptacles. Hors de question – autant prendre les devants. Je pars pour les Forges, que ça vous plaise ou non.

Décontenancés, pas un seul membre de la petite assemblée n'osa proférer le moindre mot. Même Shaor'i, d'habitude si prompte au sarcasme, ne trouva rien à répliquer – au contraire, elle le dévisageait d'un air… approbateur ? Impossible, décréta Faustin. Et pourtant…

— Faustin a raison, finit par déclarer François. Cette fois, il serait inconcevable que nous restions bêtement à attendre que le malheur s'abatte sur nous. Sans l'Étranger avec eux, les membres du Stigma ne sont pas si terrifiants : plusieurs sont morts sur l'île d'Orléans – Anderson, sa femme, puis Lady Elizabeth… Et si Faustin parvient à raisonner sa mère comme il l'a fait il y a deux mois, nous pourrons tuer dans l'œuf cette nouvelle folie.

— *Ge's'g, Shaor'i…* lança soudainement Otjiera à son apprentie.

— *Taliaq ?*

En aparté, les deux Danseurs s'entretinrent à voix basse en langue micmaque. Malgré la pénombre, Faustin vit clairement le vieil Otjiera sortir d'une bourse une sorte de bracelet de cuir.

— *Goqwei tana a't ?* demanda Shaor'i en recevant l'objet.

Ses yeux s'écarquillèrent en l'examinant de plus près et, sidérée, elle marmonna entre ses dents :

— *Awana'qiei, Otjiera ! Keska't…*

— *Awana'qieieg, gisigu'ei.*

Agacé, comme chaque fois que les deux Indiens discutaient dans leur langue pour éviter d'être compris, Faustin se rapprocha de Baptiste et murmura :

— Que disent-ils ?

— C'est pas trop d'tes affaires, chuchota l'ancien coureur des bois qui, ayant bourlingué toute sa jeunesse, se débrouillait dans la plupart des langues autochtones. La P'tite est Exécutrice, t'sais… faque l'vieux chafouin lui donne une mission d'exécution. J'ai dans l'sentiment qu'elle va nous accompagner aux Forges.

— *Nous ?*

— J'ai juré sur la tombe de ton oncle que j'veillerais sur toi, mon Faustin. Si tu pars, j'pars.

— *Ewle'jultieg, Shaor'i,* insistait le chamane auprès de la jeune femme.

Il était impossible de lire la moindre expression dans les étranges yeux de hibou de Shaor'i. Ses iris dorés restaient aussi fixes que des billes de verre. Finalement, ses traits se durcirent et, prenant une profonde inspiration, elle dégaina l'un de ses couteaux pour s'entailler prestement l'avant-bras. « *Apugjig apaja'sites »,* conclut-elle, en nouant le bracelet de cuir sur la courte incision. Puis, revenant au français :

— Je viens avec toi, Faustin. Ou je te suivrai, si tu refuses.

— Jamais il ne me serait venu à l'idée de refuser, Shaor'i. Baptiste vient de me dire qu'il m'accompagnera également. François ?

— Je croyais avoir été assez clair. Bien entendu : cela me concerne aussi, après tout. Ne reste que le cas de Madeleine. Si le Stigma s'est introduit au presbytère, tu ne seras pas en sécurité chez ta sœur, comme la dernière fois. Et les goétistes savent bien que t'atteindre est une façon de nous atteindre, Faustin et moi.

— Je vous propose d'assurer sa sécurité, intervint Otjiera.

Abasourdie, Madeleine s'exclama :

— *Vous* ? Vous voulez m'amener chez les Sauva...

La dernière syllabe de *Sauvages* lui mourut dans la gorge et elle s'empressa de corriger :

— ... chez les Indiens ?

— Autre mauvais terme, quoique moins pire que le premier, corrigea Otjiera sans rancune. J'habite un village wendat.

— Bien sûr. Pardon. Les Wendats. C'est pas que j'ai quoi que ce soit contre votre mode de vie – comprenez-moi bien, mon bon monsieur Otjiera –, mais vous voyez, c'est que... c'est pas ma place. Et d'ailleurs, qui s'occuperait des bestiaux ? Certainement pas encore un marguillier : la dernière fois, les vaches ont pris mal aux jarrets.

— Je comprends. Mais François a raison : vous n'êtes pas en sécurité, seule ici. Si vous souhaitez rester à Notre-Dame des Tempérances, il faudra consentir à ce que je m'y installe.

— Pas au presbytère, quand même ! s'épouvanta Madeleine. Pas que je ne voudrais pas vous accueillir, comprenez-moi ; mais avec Faustin parti, qu'est-ce que le village va penser d'une femme seule qui héberge un homme inconnu de la paroisse ?

— Et un Sauvage, par-dessus le marché ? releva le chamane avec un sourire moqueur. Soit. J'ai besoin de peu : cette vieille étable fera parfaitement l'affaire, une fois aménagée.

Silencieusement, Madeleine hocha la tête. Sur ces mots, François marcha vers la sortie et déclara :

— Si nous sommes tous d'accord, nous nous mettrons en route dès l'aube. Nous avons la nuit pour ramasser nos paquetages. J'ai quelques trucs à prendre au presbytère.

— Moi aussi, ajouta Faustin.

— Pareil, renchérit Baptiste.

Laissant Shaor'i et son maître discuter en tête à tête dans l'étable délabrée, les trois hommes et Madeleine partirent pour le presbytère. Quand il fut certain d'être assez éloigné, Faustin insista auprès de Baptiste :

— Et Shaor'i… qui a-t-elle reçu l'ordre de tuer ? Sûrement pas l'Étranger : s'il venait à s'éveiller, même à nous quatre nous ne serions pas de taille.

— J'ai dit que c'tait point d'tes affaires, coupa Baptiste. Mais si y faut tant que tu saches, c'est point l'Étranger que la P'tite doit exécuter. C'est Nadjaw.

◆

À chaque pas qu'il faisait, une bile amère lui remontait dans la bouche. Le regard froid, les traits durs, Faustin contemplait les dégâts qu'avaient causés les membres du Stigma Diaboli en violant ce qui avait été son domicile aussi loin qu'il pouvait s'en souvenir. Un sentiment d'écœurement le prenait à la gorge, comme si le presbytère s'était subitement mis à dégager un miasme infect.

Tiroirs, armoires, caisses, placards, tout avait été ouvert, renversé, manipulé par des mains étrangères et inquisitrices pour ensuite être éparpillé sur le sol. Sans dire un mot, Faustin traversa une à une les pièces.

Il serra les dents en arrivant au salon et le sel d'une larme vint piquer ses yeux auparavant restés secs. Les livres de son oncle – ceux qu'ils lisaient par plaisir – jonchaient le plancher, entrouverts et dispersés comme des cadavres d'oiseaux. Silencieusement, Faustin s'accroupit pour remettre en place Dumas, Balzac et Dickens. Il serra le poing quand il tomba sur *Le Lys dans la vallée* qui n'avait, jusque-là, pas bougé du guéridon où le curé Lamare l'avait posé, la veille de son trépas.

Quand chaque bouquin eut retrouvé sa place, et toujours sans prononcer le moindre mot, Faustin marcha jusqu'à sa chambre. Enjambant les couvertures arrachées des lits, il pénétra dans son placard dont la porte était déjà ouverte pour en ressortir avec le fusil de chasse que son oncle lui avait offert pour ses seize ans.

— Tu espères faire quoi, avec ça ? lui demanda François qui venait de le rejoindre.

— Pour les jacks, répondit Faustin en testant l'alignement.

— Inutile. Les jacks mistigris ne sont vulnérables qu'au feu et à la magie, tu le sais. Mieux vaudrait apprendre un sort offensif ou deux.

En quittant la chambre pour revenir au salon, suivi de François, Faustin écarta cette possibilité :

— Trop long. Il me faut des semaines pour maîtriser le ton juste d'une incantation.

Juste à côté, dans la cuisine, Baptiste s'affairait. Connaissant depuis quelques semaines les airs du logis, il était monté au grenier dénicher trois grands havresacs qu'il emplissait avec la célérité et l'efficacité d'un homme ayant passé sa vie à voyager.

— J'ai ça, si t'en veux, dit-il en lançant une bourse à Faustin, qui l'attrapa au vol.

Du sac, de petites billes argentées se déversèrent dans sa main.

— Des balles d'argent ?

— Ton oncle m'avait donné ça, dans l'temps. J'en ai point usage. J'trouve la hache plus rapide.

— Pourquoi en argent ?

— Parce que le plomb est imperméable aux rayonnements, y compris celui des arcanes, se chargea d'expliquer le vicaire.

Fermant à demi les yeux, Faustin focalisa son outre-vision et vit briller les balles d'une faible aura théurgique. Il en dénombra douze, qu'il s'empressa de remettre dans la bourse et de ranger dans la poche de sa chemise d'habitant.

— Merci, Baptiste.

— Pas d'quoi.

— Si tu souhaites réellement te colletailler avec les wendigos, tu serais mieux d'utiliser ceci, affirma la voix d'une femme qui les fit tous se retourner – Shaor'i qui, assise sur le rebord d'une fenêtre, venait d'entrer dans le presbytère.

En le tenant par la lame, elle tendait à Faustin un sabre de milicien : celui de l'homme qui avait tenté de le tuer, peu auparavant. À l'outrevision, il brillait d'un fin halo noir.

— Je ne sais pas me servir de ça, déclina Faustin en secouant la tête.

— Ça n'a rien de compliqué. Le bout rond va dans ta main, le bout pointu dans les entrailles de ton adversaire.

Sans réagir au sarcasme, Faustin détailla l'objet, intrigué. La lame fine, légèrement courbée, avait probablement été entretenue au brou de noix. Sur les trois premiers pouces, on avait gravé une devise en latin, *virtute et industria*. La garde, en forme de coquille ronde, était ornée d'un blason portant trois abeilles autour d'un chevron. Dans une écriture cursive élégante, on pouvait lire le nom du propriétaire légitime.

— Sewell ?

— En effet, confirma Shaor'i. L'homme que j'ai tué tout à l'heure devait être le fils du shérif Sewell.

À sa grande surprise, Faustin dut réprimer un sourire de satisfaction mesquine. Vivement, il chassa l'indigne pensée et passa l'arme à sa ceinture.

— Sewell aura donc des raisons personnelles de nous en vouloir, en plus des événements de l'île.

— C'est aussi ce que je pense. Mais avec un peu de chance, nous ne le verrons pas aux Trois-Rivières. Son poste de shérif de Québec ne devrait pas lui permettre de s'absenter trop longtemps.

Hochant la tête, Faustin accepta le paqueton que lui tendait Baptiste. L'espace d'un instant, il resta interdit : sac au dos, fusil à l'épaule, sabre à la ceinture, il se faisait vraiment penser à un soldat se préparant à la guerre. Pas trop certain d'apprécier l'image, il s'empressa de prêter attention aux propos du bûcheron qui griffonnait avec un bout de craie au dos d'une feuille de papier.

— Si on prend l'vieux canot, on peut passer par la Pinède du Sauvage jusqu'à la riviérette qui s'rattache au ruisseau Croche. De là, on r'monte jusqu'au fleuve, à une lieue d'la Pointe-Lévy, pis on traverse à Québec. Sur la rive nord, on monte lentement jusqu'aux Trois-Rivières, carré où s'que le Saint-Maurice débouche.

— Ça sera long ? s'informa François.

— Ça dépend si l'fleuve métine ou pas. Avec l'dégel qu'est terminé, pis les pluies… encore qui faut pas tomber sur une drave… ça peut prendre deux semaines.

— Si long ?

— On r'monte, t'sais. C'est plus dur. Pis à part la P'tite, j'aurai pas d'rameur d'expérience.

— On pourrait prendre la diligence et passer par le Chemin du Roy.

— Et en chasse-galerie ? s'informa subitement Faustin en se tournant vers François.

— C'est à Shaor'i de nous le dire. La dernière fois, c'est elle qui avait été l'arcaniste principale. Je ne l'ai qu'assisté…

L'Indienne resta silencieuse un moment avant de décréter :

— On pourrait le refaire, c'est certain. Comme la dernière fois, j'aurai besoin de quelques heures de méditation afin d'obtenir l'état mental adéquat.

— Et par théurgie ? reprit Faustin.

— Il me faudrait au moins trois jours pour tracer les diagrammes requis, répliqua François.

Un vague sourire de triomphe sur les lèvres, Faustin lança :

— Peut-être pas. Venez voir à l'écurie.

◆

Samson se mit à renâcler bruyamment lorsqu'ils entrèrent dans l'écurie. Il s'apaisa assez rapidement quand il reconnut François et, manifestant qu'il lui avait manqué, le cheval se mit à hennir doucement en fichant son énorme museau contre la joue du vicaire, lequel ne se fit pas prier pour lui caresser l'encolure.

— Toi aussi, tu m'as manqué, mon gros…

— Regarde, François. C'est ici, s'exclama Faustin alors qu'il retirait une à une d'épaisses veillottes de foin.

Sous le tas,.couvert de vieilles poches de grain qu'on s'empressa de. retirer, dormait un magnifique canot neuf.

— Belle pièce… siffla François. Ce n'est pas qu'un simple canot de chantier en écorce : il est réellement en bois, celui-là…

— Oui. Un gars de Québec le vendait aux enchères, à la Pointe-Lévy. Dès que je l'ai vu, j'ai su ce que j'allais en faire… Baptiste, si tu veux m'aider…

À eux deux, Faustin et le colosse soulevèrent l'embarcation, l'extirpèrent de sa cachette et allèrent la déposer sur deux chevalets de menuisier.

— Je ne serai jamais un grand arcaniste, ajouta Faustin avec modestie, mais le travail du bois, ça me connaît…

— Faustin ! s'émerveilla le vicaire. C'est… extra-ordinaire !

De la proue à la poupe, sur la face intérieure comme à l'extérieur, un ciseau avait gravé les diagrammes, les pentacles et autres symboles cabalistiques. Les figures géométriques couvraient même les bancs, sous lesquels se trouvait un lourd aviron de gouverne, lui aussi savamment sculpté. Presque sans voix, François tenta de trouver ses mots :

— Mais… comment… quand… ?

— Au cours des dernières semaines. Avec Baptiste qui abattait le travail de ferme comme six hommes, j'ai eu beaucoup de temps libre ; et même si je n'ai pas étudié les arcanes de façon approfondie, je connais malgré tout ma géométrie… il m'a suffi de suivre attentivement les indications du volume qu'on a rapporté du Collège. Tu peux vérifier si ça te plaît, mais j'ai moi-même recalculé mes angles et mes mesures dix ou vingt fois avant de les ciseler… je comptais te l'offrir à ton retour.

— C'est… du grand art. Il n'y a pas d'autres mots… et tu as même ajouté les apothèmes de célérité proposés par Newton dans l'*Alchimia*…

— Alors, tu crois que tu pourras piloter seul ?

— Avec Baptiste à l'aviron de gouverne, sans l'ombre d'un doute. Si tu le veux bien, nous passerons rapidement au Collège pour protéger la bibliothèque, maintenant que le père Bélanger ne peut plus s'en charger – à la suite de quoi nous nous précipiterons aux Vieilles Forges.

Silencieusement, Faustin approuva.

— Maintenant aide-moi, vieux frère, s'empressa de reprendre le vicaire. Il nous faudra bien sortir cette merveille à l'extérieur si nous voulons décoller bientôt.

CHAPITRE 16

Ruines et cendres

Les ombres menaçantes qui se dressaient au pied des arbres malsains jetaient sur la clairière un voile sinistre. Le long de l'imposant à-pic rocheux, le cri des oiseaux se réverbérait, incessant, lancinant, et il s'y mêlait, peut-être, les gémissements des âmes damnées qui hantaient le Mont à l'Oiseau et profitaient des lueurs sanglantes de l'aube rougeoyante pour s'adonner à leur chasse sans fin.

Malgré l'oppressante ambiance qui semblait décidée à étouffer toute vie humaine, l'attention de Faustin et de ses compagnons n'était guère portée sur les éventuelles créatures qui auraient pu – ou non – jaillir des épais taillis. Car, du haut des airs, ils avaient aussitôt repéré les masses noires qui jonchaient la clairière et, sans un mot, François avait forcé le canot volant à amorcer sa descente pour confirmer ce qu'eux quatre avaient déjà compris : le Collège d'Albert le Grand, ultime bastion d'une science vieille de six cents ans, avait été sauvagement incendié.

Sur le visage baigné de larmes de François, dont la mâchoire serrée retenait avec peine les sanglots, Faustin devinait une tourmente dans laquelle s'entremêlaient la rage et le désespoir. Immobile comme s'il eut été de pierre, le vicaire fixait les ruines noires, peut-être en leur surimprimant mentalement le souvenir qu'il gardait du Collège qu'il avait visité peu auparavant, sans se soucier des rafales aux relents de cendres qui faisaient claquer sa soutane en la maculant de débris.

Mais ce n'étaient pas les poutres effondrées ou les murs affaissés qui semblaient broyer le cœur de François Gauthier. C'était, de toute évidence, les siècles d'observation et d'expérimentation, les innombrables théurgistes qui s'étaient succédé pour coucher leur science sur le papier, l'inestimable trésor d'érudition que les clercs-sorciers de jadis avaient préservé des bûchers au péril de leur vie, soixante décennies de savoir qu'on s'était acharné à faire perdurer et qui, dans l'embrasement d'une seule flamme, par la volonté d'une seule personne, venaient de disparaître dans le néant à tout jamais.

La gorge serrée face à la détresse de son ami, Faustin aurait voulu dire quelque chose. Que la bibliothèque de l'île d'Orléans subsistait et celle, beaucoup plus modeste, du presbytère – mais qu'auraient changé ces paroles creuses face aux vestiges d'une époque glorieuse désormais destinés à s'émietter au gré du vent ?

— Le curé Bélanger… marmonna finalement le vicaire.

— Quoi ?

— Le corps du père Bélanger… où est-il ?

— D'après la vision qu'il m'a transmise, pas trop loin de sa chapelle, à une lieue d'ici.

— Retrouvons-le. Puis allons-nous-en. Désormais, il n'y plus rien pour les vivants, ici. Laissons ce lieu malsain aux jacks mistigris, et partons.

Sans ajouter un mot, appuyé sur son bâton comme un homme au souffle coupé, François s'engagea sur le sentier menant à la chapelle. Après avoir pris l'une des extrémités du canot – laissant l'autre à Baptiste qui, mal à l'aise, n'avait rien dit depuis leur arrivée, Faustin s'empressa de suivre son ami, sous l'œil vigilant d'un harfang des neiges qui survolait les environs.

◆

Il leur fallut plus d'une heure pour trouver le corps. Ce fut finalement Shaor'i qui, alertée par un attroupement de corbeaux, finit par le découvrir.

Recroquevillé sur le sol, il avait l'air d'un pantin desséché. Se précipitant sur la dépouille en chassant furieusement les charognards à l'aide d'une branche, Faustin s'agenouilla au pied de celui qui avait été le dernier théurgiste à avoir été formé au Collège d'Albert le Grand.

Noirci au point de commencer à s'effriter, le corps était horrible à voir. Les orbites creuses fixaient le néant comme deux trous béants. La bouche, partiellement édentée, n'avait plus ni lèvres ni joues pour cacher le mortel rictus. Pareil au cuir d'un gant de forge rendu noir par le feu, la peau calcinée craquelait partout, révélant çà et là quelques bouts d'os couleur d'ivoire sale. De la panse et des cuisses du prêtre, il ne restait plus rien – il était presque choquant de constater que le ventre n'était plus qu'un espace vide et que le haut et le bas du corps n'étaient plus liés que par quelques vertèbres presque consumées. Du bas des jambes et des pieds, il ne restait rien non plus : ni chair, ni os, ni poussière.

Comme il était impossible de le déplacer sans qu'il ne s'effrite, ils décidèrent de l'ensevelir sur place. Et puisqu'ils n'avaient aucun outil pour creuser le sol rocheux du Mont à l'Oiseau, ils couvrirent son corps d'un monticule de pierre. Quand ils posèrent ensemble le dernier fragment de roc, François et Faustin échangèrent un regard lourd de sens.

Ici s'achevait l'Ordre Théurgiste, qui avait survécu à six siècles de persécution, lui-même ayant été l'héritier de traditions encore plus anciennes. L'Ordre, qui avait résisté aux conciles, à l'Inquisition, aux Réformes, à la Chambre Ardente, l'Ordre qui avait migré au Nouveau Monde afin d'assurer sa pérennité pour ensuite affronter le changement de Régime, l'Ordre qui avait tout tenté pour se maintenir sombrait désormais dans la nuit.

Seul subsistait un faux vicaire, François Gauthier, pareil aux dernières lueurs dans le crépuscule avant que la nuit ne tombe, obscure et silencieuse.

◆

Baptiste entonna quelques chants lourds, graves et mélancoliques, puis François récita un *De profundis* qui sonna bien étrangement dans un lieu pareil. Puis, lentement, ils firent le tour de ce qui avait été la chapelle du père Bélanger. Du bâtiment en bois rond ne subsistaient que les plus gros billots. Le reste n'était que cendres noires et salissantes. Seule la moitié d'un mur qui tenait encore révélait que s'était jadis trouvé là un lieu de culte.

Alors que François fouillait les ruines de la chapelle, espérant y trouver Dieu savait quoi, Faustin extirpa sa pipe de sa poche et commença à la bourrer. Aussitôt le vicaire réagit fortement :

— Pas de ça ici, Faustin. S'il te plaît. Il y a eu assez de fumée comme ça.

Sans soulever l'étrangeté de la réflexion, Faustin obtempéra. Au loin, Baptiste et Shaor'i discutaient à voix basse du meilleur endroit où atterrir quand ils seraient à proximité des Trois-Rivières. L'Indienne aurait préféré une berge du Saint-Maurice afin de poursuivre en canot par la voie des eaux. Le bûcheron, certain que les symboles arcaniques ne manqueraient pas d'attirer l'attention, penchait plutôt pour cacher l'embarcation dans les bois et continuer par la route.

Conscient qu'il n'aurait rien de bon à ajouter au débat, Faustin laissa son regard se perdre dans les décombres. Se pouvait-il que ce fût sa mère qui ait fait cela? Tout semblait indiquer qu'elle habitait désormais le corps de la fille illégitime de Rose, pourtant Faustin ne parvenait pas à la croire responsable de cette atrocité. Certes, il ne l'avait côtoyée que deux fois, et seulement quelques minutes; néanmoins, les souvenirs qu'elle lui avait transférés de son passé la révélaient telle que Faustin était persuadé qu'elle était: sensible, douce et victime de sournoises manipulations.

Si Marie-Josephte Corriveau avait causé toute cette destruction, c'était qu'elle devait être soit sous l'emprise d'un charme, soit dupée par quelque mensonge odieux. Faustin aurait pu en jurer.

Lourdement appuyé sur son bâton, François vint s'asseoir à ses côtés. Quand le vicaire eut pris une longue inspiration, il se tourna vers son ami:

— Tu sais, Faustin… ça ne doit pas durer comme ça encore longtemps.

— Qu'est-ce que tu veux dire?

— Tu comprends que tu ne pourras pas éternellement demeurer au presbytère. Tôt ou tard, le diocèse devra savoir pour ton oncle et attribuer un nouveau curé à la paroisse.

Hébété, Faustin dévisagea François. Comment osait-il aborder des propos aussi triviaux alors qu'ils venaient à peine d'ensevelir un défunt ? Décontenancé parce que la chose lui paraissait presque sacrilège, Faustin ne fit que balbutier :

— Je croyais… je pensais que, enfin…

— Je ne prendrai pas la cure de Notre-Dame des Tempérances. Je n'ai pas l'étoffe d'un prêtre.

Quoi ? Qu'est-ce qui poussait François à proférer pareilles absurdités ? François était destiné à être un homme d'Église – il l'avait clairement démontré la veille en évitant les débordements lors de l'émeute : qui d'autre aurait été capable de désarmer, un à un, des villageois ayant chargé leurs fusils, ne recevant en guise de réponse que des regards piteux d'enfants pris en faute ?

Faustin arracha quelques aiguilles de pin qu'il brisa entre ses doigts.

— Je suppose que je vais m'établir, alors. De toute façon, je ne serais pas demeuré au presbytère toute ma vie. J'ai accumulé des gages et il reste beaucoup de l'argent que nous avions ramassé chez le notaire Lanigan. Je pourrais m'acheter une terre et prendre Madeleine avec moi un temps, et Samson…

Toutefois, je m'étais figuré qu'ils resteraient avec toi, quand tu reprendrais la cure, se garda-t-il d'ajouter. Pourquoi François choisissait-il ce moment précis pour annoncer qu'il ne voulait pas de cet avenir qui semblait aller de soi ? Un vicaire reprenant la paroisse de son curé, c'est ainsi que les choses se passaient, non ? Et lui, il se serait acheté une terre non loin, ou s'en serait défriché une à même le terrain boisé… la vie aurait poursuivi son cours… mais subitement, François semblait tout balayer du revers de la main. Agacé, le vicaire insista :

— Et tu comptes te marier? fonder une famille? avec une trâlée de mioches qui te courront entre les jambes? passer ta vie entre semences et récoltes?

Le ton avait été coupant, presque méprisant. Sans trop savoir quoi dire, Faustin répondit:

— Je suppose que oui… j'ai encore le temps d'y penser…

— Tu as une femme en vue?

— Non, enfin, pas spécialement… mais il y en a beaucoup à Notre-Dame des Tempérances qui sont de mon âge, plusieurs sont jolies et bonnes ménagères, puis j'ai de bons gages, une solide réputation…

— Tu n'es *vraiment* qu'un garçon de village.

Faustin accusa le coup. Le ton de François était si fielleux de dédain qu'il en resta sans voix quelques secondes. Quand il se décida à répliquer, ce fut la gorge nouée:

— Pourquoi pas? Tu m'as déjà dit toi-même que c'était précisément ce qui réjouissait mon oncle, que je sois un garçon de village.

— Et comment lui expliqueras-tu ta longévité, à cette fille d'habitant?

— *P'tite!*

Le cri de Baptiste fit aussitôt se retourner les deux hommes. Se tenant le ventre à deux mains, Shaor'i venait de se mettre à haleter. Le bûcheron s'empressa de passer un bras autour de ses épaules, mais la frêle Indienne le repoussa, les traits durs et crispés, pour poser un genou au sol.

Tout autour, les cris qui étaient l'ordinaire du Mont à l'Oiseau semblèrent s'amplifier. Incessants, ils se répercutaient le long des parois rocheuses en de longs sifflements, pareils à des griffes sur une ardoise. Craignant l'arrivée de jacks mistigris, Faustin s'empressa de pulvériser un peu de bourre sèche entre ses doigts et de glisser une balle d'argent dans le canon de son fusil. Un gémissement de femme détourna son attention.

Les ongles plantés dans le sol, le visage ruisselant de sueur, Shaor'i levait vers le ciel un regard si venimeux que Faustin en oublia brièvement de faire claquer le chien de son arme. Dans sa langue, elle murmura entre ses dents :

— Si je te donne l'impression de me conduire anormalement, tu me tires…

— Quoi ? répondit Faustin, horrifié.

Mais la jeune Indienne n'ajouta rien. D'entre les arbres qui couvraient le sommet de la falaise, d'énormes silhouettes, noires et ailées, émergèrent en une masse compacte pour piquer vers eux. La vitesse de leur vol était telle qu'elles furent vite assez près pour que Faustin puisse les détailler : d'une envergure avoisinant la taille de Baptiste, les affreux volatiles arboraient un plumage couleur charbon et une tête horrible, rougeâtre et nue, au vicieux bec courbé. Leurs serres énormes semblaient plus acérées que celles d'un aigle.

— Des huants d'enfer ! hurla Baptiste. Tire, Faustin !

Obéissant derechef, Faustin grimpait sur un tas de décombres pour viser la volée quand le tas de poutres noircies s'effondra. Sautant de côté, Faustin eut tout juste le temps d'éviter la poigne glacée d'un non-mort qui, tapi depuis le début sous les ruines, émergeait avec un hurlement qui sembla faire écho aux oiseaux noirs.

Alors que d'autres wendigos surgissaient des amoncellements, un premier huant s'abattit sur le bûcheron.

— *Ashek akkad baath ahmed dazan il-bekr.*

À travers la soutane de François, un diagramme arcanique émit une brève lueur. Un globe de flammes jaillit de sa main tendue pour réduire en cendres le torse du wendigo le plus proche de Faustin. Simultanément, une seconde sphère enflammée émergea de son bâton pour s'abattre dans la direction opposée, explosant au sein de la sombre volée. Deux des rapaces tombèrent en tournoyant, inertes, et les huants s'écartèrent les uns des autres.

Shaor'i profita de ce moment pour adopter sa forme de harfang. Avec une stupéfiante vitesse, elle gagna de l'altitude comme si elle était aspirée par le ciel. Le piqué qui s'ensuivit n'en fut que plus efficace et, toutes griffes sorties, le hibou blanc broya la nuque de l'un des monstres ailés. Plus petit et plus agile, le harfang décrivit une large courbe latérale, passa sous un second huant pour lui ouvrir le ventre de son bec avant de virer prestement et de labourer le dos d'un troisième volatile.

Maniant sa lourde hache d'une seule main, Baptiste fendit la tête d'un des non-morts avant de faire volte-face et de trancher en plein vol l'un des huants qui avait été à un cheveu de fondre sur sa gorge. Tremblant, Faustin visa un wendigo qui fonçait sur lui. Le coup détona, le coude droit de la créature vola en éclats. Sans ralentir sa course – ni même se soucier de son avant-bras qui venait de tomber – le non-mort se jeta sur Faustin en écartant le fusil de sa main restante. Il eut toutefois à peine le temps d'user de son aura glaciale : une force invisible le projeta contre un rocher, où il fut aussitôt broyé.

François, s'étant rapproché de son ami, planta violemment sa crosse dans le sol en incantant. Faustin sentit passer des vagues successives, pareilles aux rides d'une pierre tombant dans l'eau. Dans un rayon de plusieurs verges, les wendigos se mirent à trembler, puis à s'embraser subitement. Avec des hurlements effroyables, les non-morts s'agitèrent dans tous les sens et tombèrent un à un, achevant de se consumer.

La chute d'un cadavre noir et plumeux attira l'attention de Faustin vers le ciel, où le hibou blanc venait d'échapper aux serres vicieuses d'un huant. Pourtant, le harfang ne riposta pas : Shaor'i semblait chercher à s'extirper de la mêlée pour atteindre un autre oiseau noir, plus petit et plus lent, qui volait en retrait : un corbeau.

Quand elle fut parvenue à s'écarter de la volée, elle plongea vers le corvidé qui, n'ayant ni la vitesse ni l'agilité d'un rapace, ne parvint pas à éviter l'assaut. De ses serres, le harfang cueillit le corbeau au vol. Les deux oiseaux tourbillonnèrent un bref instant puis le harfang, plus fort, prit le dessus et largua l'oiseau noir contre un arbre. Le volatile percuta le tronc et tomba sur le sol, où il retrouva forme humaine.

Même à dix verges, Faustin reconnut sans mal la goétiste hors de combat. Les affreuses cicatrices qu'avaient laissées les feux de l'île d'Orléans sur sa peau d'ébène n'avaient pas altéré la perfection de ses courbes. Lady Elizabeth, chauve et défigurée, se mit lentement à genoux. D'une parole goétique, elle dispersa la horde de huants qui restaient avant de croiser les mains derrière sa nuque dans un geste éloquent de reddition.

Un billot à demi brûlé, encore lourd de plusieurs centaines de livres, traversa l'air comme un bélier lancé à pleine vitesse et percuta la Noire en plein visage, la décapitant sur le coup.

La masse informe qui avait été la tête de la goétiste s'écrasa sur le sol.

François, impassible, abaissa sa crosse de pâtre.

Le harfang se posa à ses côtés pour redevenir la jeune Indienne, qui s'empressa de l'invectiver :

— Espèce de sombre imbécile ! Mais tu es fou ? Comment veux-tu que l'on sache ce que le Stigma prépare, maintenant ? Et de quelle façon ils ont su qu'on était là ? Aurais-tu perdu la raison…

De marbre, le vicaire ne prêta pas la moindre attention aux propos de Shaor'i. Pas plus que Faustin, d'ailleurs. Horrifié, il ne pouvait empêcher son regard de passer du crâne arraché de la Noire à son corps sans vie dont les jambes continuaient de s'agiter spasmodiquement sur le sol.

◆

Sans la moindre émotion, François avait tué.

Même après plusieurs minutes, Faustin ne pouvait s'empêcher de penser au visage déformé de Lady Elizabeth qui, sans un bruit, avait vu l'énorme tronc fendre l'air et accepté, résignée, l'inexorable châtiment du vicaire. Au plus profond de lui-même, il savait que le bruit à la fois sec et souple du crâne qui avait éclaté à l'impact le hanterait jusqu'à la fin de ses jours, tout comme celui du martèlement des talons de la Noire contre le sol.

Sans la moindre émotion, François avait tué.

Soudain, le vicaire décrivit un large mouvement de son bâton et, sans le moindre effort, souleva de terre le billot pour le guider à travers les airs jusqu'aux ruines de la petite chapelle.

Il a terriblement gagné en puissance. À quel point puis-je me fier à lui, désormais?

Pétrifié par ses propres pensées, Faustin secoua la tête. Comment pouvait-il se dire de telles choses? C'était François! En tout point un frère aîné, si ce n'était par le sang. Qui d'autre avait, durant son enfance, couvert ses larcins quand il dérobait les tartes des voisines, laissées à refroidir sur une fenêtre? François qui l'avait consolé quand les bruits montant de la cave lui avaient donné des cauchemars, François qui lui lisait les contes de Perrault, François qui passait ses veillées à lui sculpter des animaux en bois, qui l'amenait glisser en traîneau sur la Côte-aux-Lièvres…

Sans la moindre émotion, François avait tué.

Malgré lui, Faustin se surprit à détailler le corps de Lady Elizabeth. Une vision, une seule, preste et fugitive de cette tête évoquant une courge éclatée le força à fermer brièvement les yeux. Il les rouvrit pour laisser courir son regard sur les bras sombres, jadis souples et gracieux, désormais bosselés comme des chandelles fondues. Les courbes étaient toujours harmonieuses, presque parfaites, et même la mort n'avait pas voilé le charme de l'opulente poitrine et de la taille fine. Mais lorsque les yeux s'attardaient sur les jambes, que la chair boursouflée faisait ressembler à deux saucisses laissées trop longtemps à griller dans une poêle de fonte, toute trace de charme s'envolait.

Comment s'était-elle remise de ses atroces brûlures, après les feux de l'île d'Orléans? Dans quel état d'esprit s'était-elle trouvée, elle qui comptait tant sur ses charmes féminins, elle qui avait gravi les échelons jusqu'au Stigma Diaboli grâce à l'art de la séduction ?

Comme un hameçon qui se plante dans un doigt, un vif éclair mental écorcha la psyché de Faustin.

Douleur, souffrance, chagrin, peur. Lutte contre la démence, désespoir. Désir urgent, impérieux, irré-pressible de prouver sa valeur. Rage et amertume en recevant une mission presque suicidaire. Anéantis-sement face à une défaite imminente. Lassitude. Ironie. Soulagement… et mort.

Posant la main sur sa tempe, Faustin laissa passer la tourmente mentale. Cette empreinte, pareille à une sorte de texture… Lady Elizabeth. Ou, du moins, ce qui restait de son esprit. Malgré lui, la gorge nouée, Faustin tenta de raffermir le contact. En vain : autant essayer de capturer une ombre. L'âme se dissipait, ou s'éloignait – ou les deux.

Et Faustin resta aux prises avec cette vision d'un corps affalé aux pieds frappant le sol longtemps après l'impact. Si terriblement longtemps.

Sans la moindre émotion, François avait tué.

— Ça va aller, garçon ?

La voix bourrue de Baptiste le fit se retourner. Faustin ne sut que répondre et laissa le bûcheron le guider à l'écart. François était toujours à plusieurs dizaines de verges, le regard perdu dans le courant de la rivière ; quant à Shaor'i, elle s'était envolée pour scruter à fond les environs.

Sans attendre un mot de Faustin, Baptiste com-mença :

— J'ai connu un homme, v'là queuques années. Poutré, son nom, Félix Poutré. C'était l'homme-lige d'un prêtre du Collège, le père Chartier.

— Comme toi pour mon oncle ?

— Pareil. Pis comme chaque homme-lige, Poutré a suivi son prêtre durant les Troubles. Moi, j'm'en suis pas mêlé, par rapport à ton oncle qui s'était retiré ; mais Poutré s'est ramassé du bord des Patriotes, avec Chartier.

— Il a donc fait les escarmouches ? demanda Faustin, impressionné.

— Plus que ça. Il était là à toutes les grandes batailles. Poutré avait une de ces haines des Anglais, ça se raconte pas. Et une force ! Je l'ai vu ramasser des boulets de canon et les lancer d'un seul bras contre des tireurs anglais.

Baptiste eut un pâle sourire en se remémorant l'anecdote. Puis, après être resté un moment dans ses pensées, il reprit :

— Poutré était pas mal proche d'un fils de fermier, Bellemare qu'il s'appelait. Gros comme un clou pis pas plus lourd. Avec les Patriotes, y se faisaient appeler le Lièvre pis l'Ours. Toujours ensemble. Poutré le protégeait comme un p'tit frère. J'me souviens qu'on m'a raconté qu'une fois Poutré avait traversé un tir croisé pour aller chercher le p'tit Bellemare qu'avait pris une balle dans l'mollet pis qui pouvait pus marcher. C'était, comme qui dirait, cul et chemise. Une autre fois, Bellemare était rentré dans une grange d'Anglais pour voler quelques œufs pis il s'était fait prendre par le fermier. Alerté par les cris, Poutré a débarqué, et juste à voir sa grandeur pis son air de bœuf enragé, l'Anglais a laissé partir le p'tit Bellemare avec les œufs, et même avec la poule en prime !

Faustin ne put retenir un rire à cette histoire.

— Pis un jour, juste comme Bellemare se levait pour aller pisser, ils ont entendu un coup de fusil, pis le p'tit est tombé. Comme ça, sans combat, sans duel, sans bataille. Sans rien. Pis Poutré, tout brave et tout fort qu'il était, avait rien pu faire. Même pas moyen, après avoir fouillé l'boisé, de trouver l'assassin.

D'un geste distrait, Baptiste ramassa une pierre et la lança au plus profond des bois.

— Après ça, Poutré a pus jamais été le même. Durant les batailles, il tirait comme une machine, la face en pierre, le cœur en plomb, sans rage ni plaisir, juste comme un gars qui fait son ouvrage. Pis quand la Rébellion s'est achevée, Poutré a été pris et jeté en prison, à Montréal, avec de Lorimier pis les autres… condamné à être pendu. Sauf qu'il l'a pas été : les Anglais l'ont jugé fou. Pas parce que c'était pas un prisonnier qui hurlait dans sa cellule, pareil comme un damné, non… Il restait assis dans son coin, silencieux, des fois en pleurant doucement… Mais si un Anglais passait trop proche, y se levait comme un fauve pis prenait l'Anglais à la gorge à travers les barreaux – fallait trois hommes pour l'empêcher de tuer encore. Une fois, ils l'ont enchaîné… y'est resté sans dire un mot pis, à un moment donné, il a brisé sa chaîne d'un coup sec. Y s'en est servi comme d'un fouet, encore à travers les barreaux, pis il a manqué de tuer un officier. C'est pour ça qu'ils l'ont jugé fou. Faque y'a pas été pendu. Son père est venu le chercher.

Le bûcheron resta un moment silencieux, soit pour ruminer ses souvenirs, soit pour laisser à Faustin le loisir de réfléchir. Ce n'est qu'un long moment plus tard qu'il conclut :

— Y en a qui disent que Poutré s'est fait passer pour fou exprès. Pas moi. J'pense plus que la façon que le p'tit Bellemare est mort l'a coupé du monde. Pas la *mort* du p'tit, mais la *manière*. Il avait beau être grand, être brave, être fort… un coup de fusil, même pas en bataille, pis c'était fini.

— Alors si tu me dis ça, c'est que tu penses que François…

— J'sais pas. Mais c'est vrai qu'il a rien pu faire, à la fin, sur l'île. Par chance, tu t'en es sorti. Il virera p'tête pas comme Poutré. Mais y va lui falloir du temps pour s'en remettre. Pis pendant c'te temps-là, il supportera pas de t'voir en danger. Même si, pour ça, il faut qu'il coule son cœur dans l'plomb. Veux-tu que j'te dise mon avis ?

— Bien sûr.

— Va lui jaser de n'importe quoi. Pas de c'qui s'est passé – il endurera pas que tu le juges –, mais jase d'autre chose. De magie, p'tête. Ou d'un livre. N'importe quoi…

Parler d'autre chose, de magie ? Ce ne serait pas bien difficile : tant de questions se bousculaient encore dans la tête de Faustin concernant la théurgie, la goétie, les créatures tirées des légendes qui relevaient désormais de sa réalité. Il acquiesça :

— Tu as raison. C'est ce que je vais faire. Merci.

Il allait s'éloigner quand Baptiste le retint par l'épaule.

— Autre chose, garçon. François va se sentir plus à l'aise si t'arrives à te défendre toi-même… j'pense que t'as compris pourquoi j'laisse la poussière se ramasser sur les balles d'argent ?

— Oui. Le fusil est trop lent.

— C'te sabre que t'as à ta ceinture, c'est pas un couteau à beurre. Tu devrais p'tête demander à la P'tite de t'apprendre à t'en servir.

Sans un mot, Faustin hocha la tête et s'éloigna.

◆

Baptiste eut la délicatesse de rester à l'écart et Faustin prit tout son temps pour rejoindre le vicaire. Qu'allait-il lui dire ? Comment éviter le sujet du dernier combat sans avoir l'air de faire exprès ? Il n'allait tout de même pas lui raconter les derniers potins du village !

Il manqua de trébucher en butant sur une masse molle : le cadavre d'un huant d'enfer. Le volatile était immense : son corps devait atteindre une verge, alors que l'envergure dépassait les six pieds. Cette taille monstrueuse le rendait encore plus horrible à voir avec son plumage noir de jais qui contrastait violemment avec sa tête chauve, nue et rouge, d'où émergeait un vicieux bec crochu, couleur d'ivoire.

Inspirant profondément, Faustin fit quelques pas vers le vicaire et lança, sur un ton faussement détaché qu'il espéra convaincant :

— Dis, François… ces oiseaux… peut-être que je me trompe, mais ils ressemblent à cet aigle à carcasse que le vieux Adjutor Beaugrand avait abattu, quand nous étions petits…

— *Cathartes aura*, répondit François sans détacher son regard de la rivière.

— Pardon ?

— *Cathartes aura*. Des urubus à tête rouge. Ce sont des charognards qui vivent en bande et quittent parfois les États, durant l'été, pour venir sur la rive sud. Tu as bonne mémoire, c'est bien ce que Beaugrand avait tiré. C'était la bonne décision à prendre : ces oiseaux ont la mauvaise habitude de déféquer sur leurs propres pattes, transmettant ainsi la peste à cochon, ou maladie du charbon…

— Baptiste les a appelés des *huants*.

— *Chat-huant* est le surnom de petites chouettes des vieux pays, principalement parce que les Grecs les utilisaient à la manière de ces urubus. *Huant* est un ancien terme pour désigner des rapaces que l'on domine pour le combat. Un peu à la manière de cette bête à grand'queue qui nous a attaqués, tu te souviens, quand tout ça a commencé…

— Je me rappelle, oui. C'est de la goétie, non ?

— Évidemment. Ça va à l'encontre de l'ordre naturel des choses. Et c'est pour ça que Shaor'i s'est comportée si étrangement avant l'arrivée de la volée. Elle résistait à l'appel du sortilège goétique. Sa nature de harfang la poussait à rejoindre la volée.

— Alors elle aurait pu se retourner contre nous ?

— Peu probable. Elle est admirablement forte, *elle*.

Faustin laissa passer un moment de silence. Du coin de l'œil, il pouvait voir son ami serrer les poings, la mâchoire crispée. En son for intérieur, il chercha une façon de détourner la conversation vers un sujet plus léger :

— François, il y a longtemps que je voulais te demander, pour Shaor'i… quand elle se transforme, je veux dire…

— Hmmm ?

— Eh bien…

Mal à l'aise, Faustin chercha ses mots en rosissant.

— Je me demandais… où vont ses… enfin, tu sais bien… ses effets ?

François le regarda avec un demi-sourire :

— Tu veux savoir pourquoi ses vêtements ne tombent pas à ses pieds quand elle prend sa forme d'oiseau… et pourquoi elle ne réapparaît pas flambant nue ?

Faustin vira à l'écarlate en bégayant :

— Mais non, enfin oui… en vrai, je veux dire que… ses vêtements et ses couteaux ne sont pas sur le sol ni sur le hibou. Où vont-ils ? Il n'y a aucune lubricité dans ma question…

François eut un petit rire avant de répondre :

— La vraie question serait plutôt : « Quel est le mécanisme d'une transformation » ?

Ce ton doctoral… Faustin sentit qu'il était sur la bonne voie pour ramener François à de plus saines préoccupations.

— D'accord. Quel est le mécanisme d'une transformation ?

— Est-ce que tu as lu Dalton et Lavoisier, comme je te l'avais suggéré ?

Faustin laissa tomber un soupir agacé :

— J'ai passé les deux derniers mois à potasser sur ce fichu sortilège me permettant de projeter mes adversaires à distance.

— Il vient du *Force, Portance & Attraction* de Copernic, l'ouvrage que l'Église a presque fait disparaître. Ce n'est pas un sort très difficile à apprendre.

— Pour toi peut-être. Et dans mes temps libres, j'ai sculpté les diagrammes de cette chasse-galerie. Alors tu m'expliques ou tu me réprimandes ?

— C'est bon… Tu sais, à tout le moins, que la matière est composée de petites particules invisibles…

— Les *atomos*, le coupa Faustin, déterminé à prouver qu'il n'était pas trop ignare. Les *atomos* sont les fines particules des éléments primordiaux. Tout ce qui nous entoure, y compris nous-mêmes, est composé d'*atomos*.

— Fort bien. Lorsque l'on élabore un sortilège de transformation, trois sujets sont indispensables : l'incantateur, le bénéficiaire et un spécimen de l'animal à reproduire.

— Donc, pour Shaor'i, il y avait un harfang de présent ?

— Indubitablement. Le sortilège, très puissant et éprouvant, dresse une sorte de « carte » des particules qui composent l'animal sujet – le harfang, dans notre exemple. Cette « carte » est ensuite transférée dans l'esprit du bénéficiaire, un peu comme le père Bélanger t'a transféré le souvenir de sa mort, hier. Sauf qu'ici la « carte » est implantée dans un coin de la mémoire auquel le sujet n'a pas accès.

— Et ensuite ?

— Shaor'i détient dans son esprit la « carte » des *atomos* qui constituent un harfang. Lorsqu'elle souhaite se transformer, les *atomos* qui la composent se réorganisent pour créer un corps d'oiseau – carbone, calcium, oxygène… tous les êtres vivants sont composés des mêmes éléments.

Faustin digéra ces informations quelques instants avant de s'exclamer :

— Mais ça n'a aucun sens ! Il y a bien davantage de matière dans le corps d'une jeune femme que dans celui d'un oiseau ! Où va l'excédent ?

François eut un sourire satisfait :

— L'excédent va à la même place que la matière « étrangère », c'est-à-dire les vêtements et les divers accessoires que Shaor'i désire garder. C'est très difficile à expliquer sans des notions avancées en mathématiques arcaniques. Je pourrais te faire un dessin…

Le vicaire commença à griffonner sur la terre, puis abandonna.

— Disons seulement que cette matière passe dans un « repli »… qu'elle va « ailleurs ». Le repli emmagasine la matière, puis la rejette le moment voulu.

— Et ce… repli, il suit Shaor'i ?

François fronça les sourcils.

— Pas vraiment. En réalité, ce repli est partout et nulle part à la fois. C'est très complexe. Ce qui est intéressant, c'est qu'à la longue il y a des pertes de matière. Pour compenser, la « carte » que Shaor'i a de son propre corps utilise des informations de la « carte » du corps d'oiseau.

— D'où ses yeux dorés, ses os creux…

— Exactement. Et si jamais elle se transforme trop souvent, ou trop longtemps, le repli se déchirera pour de bon. La matière du corps de Shaor'i sera éparpillée et elle restera prisonnière de son corps de harfang.

Faustin prit un air horrifié et François s'empressa de dissiper ses craintes :

— Ne t'inquiète pas, elle connaît les risques et sait bien mieux que nous où est sa limite. Et pour finir l'explication, lorsque l'animal à imiter excède la dimension d'un corps humain, un ours par exemple, la matière manquante est placée dans le repli au moment du sortilège et le bénéficiaire y « puise » quand il se transforme.

Avec un demi-sourire, Faustin admit :

— Tu as raison, c'est vraiment complexe. Mais c'est intéressant.

— À notre retour, je te ferai lire l'étude de Nicolas Malebranche sur les transformations.

— Bien sûr.

À notre retour. Faustin sourit. Voilà qui ressemblait davantage au François qu'il connaissait.

◆

Peu après, Baptiste vint trouver le vicaire et tous deux s'éloignèrent le long du sentier. Resté seul avec Shaor'i, Faustin repensa aux propos du bûcheron :

« C'te sabre que t'as à ta ceinture, c'est pas un couteau à beurre. »

L'Indienne était assise en tailleur, l'air de méditer. Aucun doute, son combat contre les huants l'avait ébranlée. Ainsi détendue, les traits aussi sereins, elle aurait presque pu être jolie.

Avec le même ton qu'il aurait pris pour éveiller un dormeur, il murmura :

— Shaor'i…

La jeune femme émit un « hmm ? » bref et agacé.

— Shaor'i… j'aimerais… enfin, je voudrais… apprendre à manier le sabre.

Shaor'i ouvrit les yeux et le toisa avec un insondable mépris. Sans lui accorder plus d'attention qu'à un chien errant, elle détourna le regard, se leva et lui tourna le dos.

Estomaqué, Faustin secoua la tête. Il s'était attendu à devoir insister, mais pas à être pareillement ignoré.

— Shaor'i, je…

— Non.

Le ton avait été catégorique et sec. Stupéfait, Faustin décida de persister malgré tout et dégaina le sabre des Sewell. Se retournant vivement en entendant le son de la lame frottant contre sa ceinture, Shaor'i fixa longuement Faustin dans les yeux.

— Il suffit, Faustin.

Faustin sentit ses traits se durcir. *Non… tu ne vas pas me faire ça.* Sa main se mit à trembler, serrant si fort la garde de l'arme que ses jointures en blanchirent.

La jeune Indienne soutint longuement son regard, un sourcil levé. La voix froide et détachée, elle déclara à nouveau :

— Il suffit. Rengaine ça.

Le sang se mit à battre dans les tempes de Faustin. La colère afflua dans tout son être. *Je ne te demande pas grand-chose…* Le retour en force du Stigma lui revint en tête. Puis le viol du presbytère. L'émeute qui avait troublé la paix de son village… *Je ne vais pas passer ma vie dans la passivité…*

Sans un mot, Shaor'i continuait de le fixer, impassible. *Maudite Sauvagesse!* La colère se mua en rage et le souffle de Faustin devint plus court. Lui revint en tête l'attitude de François. Les années de vie qu'il avait sacrifiées. Puis la mort du curé Bélanger. *Mais qu'est-ce qu'elle a à me fixer comme ça…* Vision de la chapelle incendiée. Souvenir des ruines du Collège. La mâchoire de Faustin commença à l'élancer tant il serrait les dents. Et Shaor'i se détourna à nouveau avec dédain.

Maudite Sauvagesse… tu n'auras pas le choix.

Le hurlement qui émergea de sa propre gorge surprit Faustin. Puis tout se passa en un éclair: il franchit en trois enjambées l'espace qui le séparait de l'Indienne. Leva la main pour frapper. Reçut un coup de pied au ventre avant même de finir son geste.

Le souffle coupé, plié en deux, il manqua de s'effondrer. Le sabre tomba sur le sol en tintant.

Shaor'i continuait de le fixer, méprisante.

Peinant pour retrouver son air, Faustin posa un genou à terre, ramassa l'arme, se redressa et la menaça à nouveau. *Calvaire, vas-tu comprendre que…*

Il vit l'Indienne hausser les sourcils. En un bond, elle fut sur lui: un violent coup de coude le percuta au visage, un croc-en-jambe l'envoya au sol. Crachant par terre, Shaor'i lui tourna le dos et s'en fut.

Étendu sur le tapis d'aiguilles de pin, Faustin essuya du revers de la main le sang qui coulait de ses narines. Le décor tanguait autour de lui comme s'il était ivre. Sans plus chercher à retenir ses larmes de rage, il frappa le sol du poing.

Tenta de se relever.

Tituba.

Se redressa, ramassa le sabre, essaya de le pointer.

Il ne vit même pas arriver le couteau qui le désarma en percutant son arme, ni le coup de pied qui le frappa au sternum en le jetant encore au sol. Mais il vit parfaitement la main menue de l'Indienne ramasser le sabre et le lancer vers un arbre, où il se planta dans l'écorce.

Sans parvenir à esquisser le moindre geste, Faustin resta recroquevillé sur le sol. La souffrance lui vrillait le corps et l'âme. Comme un enfant, il pleura des larmes de rage et de douleur entremêlées. *Pas... un fardeau... jamais plus... un... fardeau...*

Quelque part aux tréfonds de son corps, il trouva la force de bouger ses jambes. Puis ses bras. Péniblement, il se dressa à quatre pattes. Puis parvint à faire un pas. Un second. Un troisième. Et malgré un esprit englué par les coups et les émotions, il réussit à s'approcher suffisamment du grand pin pour tendre la main vers le sabre qui s'y était fiché.

Appuyé sur le tronc, il arracha difficilement l'objet.

— Combien de fois vais-je devoir t'envoyer au sol pour que tu comprennes ?

La voix avait claqué comme un fouet. Derrière lui, Faustin devina la présence de Shaor'i. Malgré la mâchoire qui l'élançait, il parvint à bafouiller :

— Plus... jamais... un... fardeau...

Cuisante comme un fer rouge, la voix de l'Indienne répliqua :

— Étudie avec le prêtre. Apprends à tirer avec Baptiste. Je m'en fiche. Moi, je ne t'enseignerai pas. J'ai pour ordre de te protéger au péril de ma vie, pas de t'exposer au combat.

Étrange façon de me protéger, voulut un instant répliquer Faustin en essuyant le sang de son nez qui se mêlait à celui de sa lèvre inférieure. Mais il pensa plutôt à son oncle. À l'une des choses qu'il disait souvent aux paroissiens, lorsqu'ils venaient lui quérir de l'aide pour des miséreux.

— Pour... nourrir un homme... ne lui donne pas... de poisson, articula-t-il en arrachant le sabre du tronc. Apprends... lui... à pêcher.

Et dans un geste rendu pathétique par sa lenteur, il dirigea le sabre vers l'Indienne et boita dans sa direction. Buta contre une racine et perdit pied.

Juste à temps, Shaor'i le rattrapa.

— Un renardeau qui défie un loup, murmura-t-elle en l'aidant à s'adosser à un arbre. Brave mais bête. Ou inconscient, plutôt. *Ksite'taqnji'j wli-npa.*

— Qu'est-ce... que... tu dis ?

— Dors bien.

Il n'eut même pas la force de lutter. Le sommeil le cueillit comme une feuille que le vent emporte. À peine sentit-il la chaleur du premier sortilège curateur.

Quand il s'éveilla, une heure plus tard, ce fut pour se faire annoncer qu'ils partaient tous pour les Trois-Rivières où, une fois rendus, ils cacheraient le canot dans une pinède. L'Indienne ne fit plus allusion à l'incident et Faustin, résigné, prit place dans l'embarcation en ruminant son amertume.

Livre V

Les Facéties de la Siffleuse

Ce massif arrondi, ces épaisses feuillées
Ces massifs qui souvent, dans les longues veillées,
Fournirent aux conteurs de merveilleux récits,
Comme endroits de tout temps hantés par les esprits.

Joseph-Charles Taché
Le Braillard sur la montagne

CHAPITRE 17

Effroi et tourments

Il avait suffi d'un seul regard à Faustin pour savoir que jamais il ne vivrait en milieu industriel. Dans la ville des Trois-Rivières, où l'incessant vacarme des scieries menaçait de rendre fou tout homme sensé, régnait une malpropreté écœurante. Sur les lieux flottait une buée lourde et rance, miasme de l'acide détruisant le bois. Depuis trois ans, avait expliqué Baptiste, le monopole forestier avait été aboli, ce qui avait levé le principal obstacle à l'exploitation commerciale. Depuis, la course aux bois était devenue une véritable ruée vers l'or : tous les Anglais qui en avaient les moyens y investissaient, tant dans la pulperie ou la papeterie que dans le bois d'œuvre ou de sciage. Dans la petite ville des Trois-Rivières, les manufactures implantées incitaient les ouvriers à s'installer. La population avait quasiment doublé dans le temps de le dire.

Sur le Saint-Maurice, pareils à d'immenses planchers de madriers, flottaient les trains de bois, gigantesques regroupements de pitounes s'étalant sur trois cents pieds de long et soixante de large, subdivisés en petites cages reliées par des câbles épais. Les draveurs, en équilibre sur les troncs, sautaient de billot en billot et s'assuraient que rien n'entravait le trajet grâce à de longs manches garnis d'un crochet que Baptiste appelait des « cantouques ». En plein essor industriel, la ville s'était lancée dans des projets démesurés. Stupéfait, Faustin avait admiré le gigantesque pont de bois enjambant le Saint-Maurice pour rejoindre un lieu nommé « Le Cap » et sous lequel circulaient des *steamboats* crachant leurs nuages de fumée grise.

Occupé à admirer l'un de ces splendides navires modernes, Faustin fut hélé d'un sacre et s'écarta du passage d'un fier-à-bras pour éviter d'être bousculé violemment. Sans se soucier des éclaboussures qu'il projetait sur le jeune bedeau, le draveur marcha dans une flaque d'eau jaunâtre empestant la vomissure.

Loin au-dessus, Shaor'i survolait le quartier aux établissements de bois mal équarri qui s'élevaient sur la berge boueuse du Saint-Maurice. Faustin lui enviait la chance de pouvoir s'extraire des relents âcres du tabac bon marché et des alcools frelatés auxquels se mêlaient les odeurs corporelles des hommes de chantier qui, descendant avec la drave, revenaient d'un hivernement en forêt où l'hygiène se résumait à cracher dans ses paumes avant de saisir sa hache.

Partout dans les rues, les débris de bois jonchaient le sol, qu'il s'agisse de larges morceaux d'écorce tombés des pitounes ou d'amoncellements de bran de scie où la vermine prospérait sans se soucier de la pourriture qui s'y installait. Tournant le coin d'une ruelle de terre humide, Faustin buta sur une buchette restée immobile depuis assez longtemps pour que s'en échappent des armées de cloportes et de mille-pattes.

— 'Tention ! cria un ouvrier à travers une tempête de sacres en évitant de justesse d'assommer Faustin avec l'extrémité du billot qu'il portait sur son épaule.

Faustin se plaqua contre un mur, laissant passer l'homme et le partenaire qui supportait l'autre extrémité, puis grimaça quand il dut forcer pour s'arracher aux filaments de crasse huileuse qui maculait les parois du secteur.

Débouchant sur une grande place où étaient classés par essence et par taille des troncs empilés les uns sur les autres, Faustin vit enfin l'énorme carrure de Baptiste et la soutane noire du vicaire, tous deux occupés à s'entretenir avec l'un des ouvriers que le bûcheron semblait connaître. François se retourna vivement à son arrivée :

— Tu as mis un sacré temps pour acheter tes fichues balles de fusil !

Faustin écarta le sujet d'un vague geste de la main, jugeant inutile d'expliquer que le magasin général était si achalandé par les draveurs revenus des bois que manifester sa présence lui avait demandé plus d'une demi-heure. Bien entendu, il était tout aussi inutile d'ajouter qu'on lui avait effrontément volé son tour au comptoir plus d'une fois et que la stature imposante comme la mine patibulaire des « ouvrageux » l'avaient découragé d'insister sur l'importance de la politesse dans un lieu public.

Devinant peut-être la cause du retard de Faustin, Baptiste ramena la conversation sur son sujet premier.

— C'te route-là mène en ligne droite aux Forges, à c'que dit Lebel, expliqua-t-il en désignant l'ouvrier avec lequel il s'entretenait.

— Par-là, ajouta le nommé Lebel en pointant le doigt vers le fleuve, c'est le quai des Forges, où ils embarquent la fonte. Dans l'autre sens, c'est les Forges.

— Et c'est loin ? demanda Faustin.

— Pas tant, fit l'ouvrier, mais vous trouverez point charretier aujourd'hui. Y a rien qui s'embarque pis si c'est pas un charretier des Forges qui vous prend, ce s'ra personne.

— Et pour… *argh !*

Le reste de sa phrase mourut dans un hurlement de souffrance alors qu'une douleur cuisante venait de saisir Faustin au bas du mollet. L'ouvrier Lebel projeta aussitôt sa cantouque vers le jeune homme à la manière d'un javelot, lui effleurant le talon avant de se planter dans le sol. Un gémissement aigu se fit entendre et Faustin découvrit, à sa grande stupeur, un énorme rat brun empalé sur l'outil de drave.

— Surveille-toé, s'tie d'niaiseux ! jura Lebel avec sévérité mais sans colère. Les rats d'bois, icitte, sont crissement su' les dents.

L'ouvrier approcha de trois pas et jeta un œil à la plaie de Faustin. Avec un claquement de langue agacé, il ajouta :

— T'ira t'acheter un gin pour laver ça ou tu vas pogner du mal…

— Promis, assura Faustin en se disant qu'un sort de Shaor'i serait forcément plus efficace.

— Et pour les Forges ? demanda François alors que s'en allait l'ouvrier, interpellé par un confrère.

— Vous marcherez ! cria Lebel en s'éloignant, peut-être avec un peu trop d'empressement.

— On verra bien, coupa François en hélant un charretier qui, sortant d'une avenue, venait rejoindre la route des Forges.

L'homme stoppa sa jument et retira respectueusement son chapeau.

— Qu'est-ce qu'y a pour vot'service, mon père ?

— Les Vieilles Forges, mon fils, sont-elles à bonne distance ?

— Bin… c't'à dire que…

Le charretier déglutit bruyamment avant d'ajouter :

— Une lieue et demie, dans l'à peu près.

— Ayez la bonté de nous y mener, dit le vicaire en posant une pièce d'un cent sur le siège du charretier.

L'homme fixa la pièce, interdit. Puis, voyant que François s'impatientait, il la prit entre ses doigts et la renvoya au prêtre d'une pichenette.

— S'cusez, mon père, fit-il nerveusement. Pas question que j'aille aux Forges par les temps qui courent.

— Vous refusez le transport à un homme d'Église? le tança François avec autorité.

— C'pas la question, mon père. J'peux vous mener où ça vous tente, mais pas là. C't'une place qu'est pas chrétienne, sauf vot'respect.

— Vous dites? releva François en haussant un sourcil.

— Y s'passe des… affaires, par là-bas, marmonna le charretier avant de se raviser face à la mine réprobatrice du vicaire. J'peux toujours essayer d'vous approcher un peu, céda-t-il. P'têt que pour un prêtre ça va passer…

D'un signe de tête, il indiqua aux trois hommes de monter et, inspirant profondément, claqua les rênes à contrecœur.

◆

Au tout début, Faustin soupira d'aise en quittant les Trois-Rivières. L'air était plus respirable et le bruit s'atténua doucement. Mais bien vite, à mesure qu'ils s'éloignaient de la ville, la région devint étrange et désolée et il ressentit bientôt une sorte de malaise qu'il fut incapable de s'expliquer. Les dernières maisons avaient un aspect sordide, quelque peu délabré, les petits champs n'étant même pas encore labourés mais envahis par la fardoche. Le terrain se mit à s'élever et les arbres semblèrent tout d'un coup trop grands, étouffant tous les sons et enfermant les voyageurs dans un îlot de silence presque irréel. Quand les ombres des grands conifères commencèrent à voiler toute la lumière du soleil, le charretier se signa et sa bête hésita.

À peine achevaient-ils de gravir une petite pente que la jument renâcla nerveusement, tournant la tête à gauche et à droite avec inquiétude.

— Elle ira pas plus loin, mon père, déclara le charretier, lui-même manifestement plus nerveux qu'il ne voulait le laisser paraître. Passé c'te coin-citte, rien, ajouta-t-il en se croisant les bras.

— Permettez, je m'y connais bien en chevaux, proposa Faustin en ramassant les rênes.

À peine les eut-il claquées que la jument se cabra furieusement en hennissant, ses sabots de devant battirent l'air et elle banda ses muscles postérieurs pour tenter une ruade. Hors de lui, le conducteur reprit le contrôle de son attelage et permit à la bête de reculer, puis la laissa faire demi-tour et s'éloigner de cent verges.

— Batêche d'innocent! beugla l'homme en administrant une claque derrière la tête de Faustin. Si j't'ai dit qu'à l'avancerait pas, à l'avancera pas. Tu peux toujours prier l'bon Yeu, j'ter une poignée de copes ou virer tes brides à l'envers, y a rien qui va faire… de c'temps-citte, le chemin des Forges arrête les chevaux. Ça arrive des fois, pis faut s'y habituer… c't'une place qu'est point chrétienne, j'vous l'ai dit…

— Calmez-vous, mon brave, intervint François avec fermeté. Mon bedeau n'y est pour rien…

— J'vas vous dire, j'aurais cru qu'avec un prêtre à bord, p'tête bin que ça aurait pu marcher, mais…

Le vicaire ne prêtait qu'une oreille distraite aux paroles du charretier et il abrégea ses propos d'un geste de la main. Faustin remarqua les yeux étrécis de son ami et passa lui aussi à l'outrevision.

Sur l'herbe rendue grise, une large ligne noire traversait le sentier pour se perdre, des deux côtés, entre les arbres. L'épaisseur de l'aura goétique devait avoisiner les six pouces.

— Merde, laissa tomber Faustin, mais qu'est-ce que…

D'un geste, le vicaire intima à son bedeau de se taire.

— Nous descendrons ici, annonça François en sautant sur le sol, imité par ses compagnons.

— Aussi mieux, approuva le charretier.

— Merci de nous avoir avancés de ce bout de chemin, mon brave.

— S'cusez-moé, mon père, de pas pouvoir vous…

Faisant claquer les rênes, le charretier s'empressa de partir. Stupéfait, Faustin et ses compagnons observèrent l'homme s'éloigner à toute vitesse puis, résignés et appréhensifs, ils se mirent en route vers leur destination, en traversant d'un pas ferme l'aura goétique.

Dans un bruissement d'ailes, Shaor'i se posa et reprit forme humaine.

— *Awan*. Il y a une barrière de magie noire qui entoure toute la zone. J'ai déjà vu la même chose, en bleu. C'est un sortilège de mon peuple, destiné à éloigner l'envahisseur blanc d'un périmètre précis. Transposé en version noire, modifié pour repousser les chevaux, ça ne peut être l'œuvre que d'une personne.

— Nadjaw ?

— Précisément, confirma la jeune femme, la voix aussi froide qu'une pierre en hiver.

Inquiet, Faustin suivit ses compagnons sur l'allée de terre battue. Le village des Forges n'était qu'à quelques milles, mais il lui sembla que le trajet allait durer une éternité.

◆

Une souris prise dans un poing. C'était l'écrasante sensation qui étouffait Faustin.

Pendant plus d'une heure, ils avaient traversé l'oppressante forêt aux arbres trop grands et aux ronces épaisses, en suivant l'étroit sentier de charretier qui serpentait dans les bois comme une fissure dans une imposante muraille d'aiguilles de conifères et de ramures de cèdres.

Mais lorsqu'ils avaient franchi le pont délabré et pénétré dans le village des Forges, Faustin avait senti monter en lui une sorte de panique irrationnelle, pire encore que ce qu'il avait éprouvé dans la caverne aux lutins, et beaucoup plus difficile à justifier, cette fois. Sous le ciel grisâtre d'un temps pluvieux, où les volutes de fumée opaque montaient de grands bâtiments pour se mêler à un potage de nuages sales, les maisons se succédaient, toutes sordides et mal entretenues, toutes pareilles avec leurs murs couverts de la suie des charbonnières.

Seul trônait en retrait, blanc et immaculé, un impressionnant manoir aux proportions stupéfiantes, aux murs imposants et au toit altier percé de lucarnes, fier comme un grand seigneur se dressant devant ses sujets.

Bien que l'après-midi fût bien entamé, on ne voyait ni hommes dans les champs, ni bestiaux, ni enfants courant de-ci de-là. Les terres, malgré un printemps bien installé, n'avaient pas été labourées et paraissaient de dimensions étrangement restreintes. À peine entendait-on le hurlement occasionnel d'un chien, invisible dans la pénombre du ciel couvert. Le silence singulier, quasi surnaturel, semblait jeter un souffle glacé sur le petit regroupement de demeures.

Quelque part derrière son sternum, Faustin sentit une sorte de poids qui s'alourdissait à chaque pas. Une vive sensation d'angoisse et d'appréhension dont il ne pouvait déterminer la cause. Juste à côté de lui, il vit frissonner Shaor'i :

— *Awan*… il s'est passé ici quelque chose d'anormal.

— Je sais, répondit Faustin. Je le sens aussi.

Le bruit de volets qui claquaient ponctua leurs propos. Au loin, une dame âgée s'empressa de s'enfermer dans sa demeure alors qu'avançaient les nouveaux venus.

François crispa la main sur son bâton et se rapprocha de Faustin, l'air aux aguets. Quelques pas derrière eux, Baptiste jetait autour de lui des regards lourds d'incompréhension. Il tenait sa hache en posture défensive – ce qu'il ne faisait jamais dans un endroit habité – et scrutait les environs avec méfiance.

— Aucune idée de c'que vous r'sentez, mais c'te silence a rien d'normal icitte. C't'un village industriel pis y a pas un seul bruit d'ouvrage qui sort des bâtisses.

— Vrai, admit François. Quand Étienne Dubé travaille à sa petite forge, au village, on peut entendre ses martèlements à plusieurs verges. Alors une forge industrielle…

— J'haïs ça. *Check!* L'haut-fourneau marche même pas ! Y a pas d'flamme qui sort d'la cheminée ! On jurerait que l'village est mort.

Pourtant, il savait le village habité – il y avait même du linge pendu au-dehors –, mais c'était comme si les villageois l'avaient déserté… ou qu'ils se terraient tous dans leurs maisons.

Quand ils doublèrent une habitation encore plus délabrée que les autres, ils virent sur le perron à demi défoncé un homme obèse et malpropre au visage mangé par la barbe. Le grincement de sa chaise à bascule semblait soudain résonner à des lieues à la ronde. Se drapant dans son autorité cléricale, François s'adressa à lui :

— Monsieur, auriez-vous l'obligeance de m'indiquer la résidence de madame Leclerc, née Latulipe ?

Un grand rire gras et aviné fut la seule réponse de l'homme. Soufflé d'être ainsi traité, François reprit avec toute la froideur qu'il put rassembler :

— Monsieur, j'ai été ordonné prêtre par notre sainte Église et vous aurez l'obligeance de…

Sans même lui laisser le temps de finir, l'homme se dressa de son siège en ricanant :

— Perdez vot' temps, mon père ! L'bon Yeu est en cache, icitte…

Rentrant chez lui, il répéta encore en refermant la porte :

— En cache, qu'il est, l'bon Yeu…

Nerveux, ils se retournèrent en entendant des croassements de corbeaux Les couteaux de Shaor'i se matérialisèrent aussitôt dans ses mains alors que le vicaire pointait son bâton vers les volatiles s'éloignant nonchalamment. Des corbeaux ordinaires, constatèrent-ils avec soulagement.

Ils se tournèrent à nouveau lorsqu'une porte s'ouvrit avec grand bruit d'une maison voisine pour révéler une femme entre deux âges qui, le visage baigné de larmes, s'empressa de se jeter aux pieds de François en baisant le bas de sa soutane. Alors que Baptiste tentait en vain de la relever, la femme ne fit rien d'autre que de répéter stupidement :

— Le bon Dieu vous envoie, le bon Dieu vous envoie…

— Calmez-vous, ma fille, répondit le vicaire en reculant d'un pas.

Mais la femme ne cessait de pleurer, incapable d'ajouter un mot, et ce fut une autre femme qui arriva de la maison pour expliquer :

— Pardonnez, mon père. C'est que son plus vieux a été pris par l'beuglard pas plus tard qu'hier…

— Pis sa plus jeune a aussi été prise en son temps par un loup, renchérit un adolescent resté dans l'encadrement.

C'était une maison d'ouvrier toute simple, qui aurait été pareille à toutes les autres n'eût été le long crêpe noir cloué sur la porte qui semblait marquer la demeure d'un sceau funeste. L'étoffe flottant sinistrement dans l'air indiquait qu'un défunt était exposé là et, dans l'obscurité, elle semblait devenir une sorte d'ombre vivante.

La femme du foyer, celle qui s'était agenouillée, invita le vicaire et ses compagnons à entrer.

— Justine Leclerc, se présenta-t-elle.

Après que les nouveaux arrivants se furent présentés tour à tour, ils remarquèrent l'ambiance particulièrement lourde de cette veillée funèbre. Seul un silence angoissé planait sur la salle, une sorte de désespoir commun aux dizaines de visages inconnus qu'ils découvraient.

Personne ne semblait avoir touché aux victuailles disposées sur une grande table et les œufs, le pain, la graisse et la viande refroidissaient sans que quiconque ne songe à y goûter. Bien que n'ayant rien avalé depuis le matin, Faustin n'était guère tenté de se servir, quoi qu'en voulût la tradition.

La dépouille d'un jeune homme reposait dans un cercueil, visage tourné sur le côté, et personne parmi les invités n'y jetait le moindre regard. Le jeune mort semblait avoir été défiguré.

François se rendit auprès du corps et esquissa un lent signe de croix dans les airs. Il stoppa soudainement son geste pour scruter le visage, puis le corps entier du défunt, avant de se retourner vivement, les yeux agrandis de stupeur.

— Quel genre d'accident est arrivé à ce jeune homme ?

Pour toute réponse, la mère Leclerc éclata en sanglots bruyants. Deux autres femmes l'emmenèrent à l'écart et les hommes firent signe à leurs épouses de suivre leurs compagnes. Lorsque la porte de la grande pièce se fut refermée derrière elles, l'un des hommes prit la parole :

— Mon fils, m'sieur l'curé… il a été pris par le Malin. Y a rien à dire de plus.

Et avant même que François ne trouve quoi que ce soit à rétorquer, un autre homme ajouta :

— Les Forges, elles appartiennent au Diable depuis longtemps. Pis là, le Malin vient chercher nos jeunes, un après l'autre.

Le sifflement du vent, s'engouffrant à travers les interstices des volets mal fixés, était l'unique son audible. Pour éviter que la chaleur ne hâte la décomposition du corps exposé, on limitait la lumière à la seule flamme du petit cierge allumé sur la table. Tout autour, les hommes formaient un cercle serré, leurs visages fugitivement éclairés par la lueur blafarde.

Tous s'entre-regardaient, chacun espérant qu'un autre prendrait la parole. François alla soudain s'asseoir sur l'unique fauteuil rembourré de la maison. Patiemment, Faustin bourra sa pipe et, n'osant pas outrer ses hôtes en l'allumant à la flamme du cierge, gratta une allumette qui fit brièvement grandir les ombres avant de s'éteindre.

François attendit, jetant parfois un furtif regard à Shaor'i qui, très subtilement, étudiait les blessures du cadavre – autant que la chose fût possible à travers les vêtements funèbres.

Surprenant tout le monde, ce fut Baptiste qui brisa le silence.

— On entend pas un bruit aux Forges. Votre régent vous a donné du *free time* pour le deuil ?

En son for intérieur, Faustin approuva l'approche. Les ouvriers devaient être comme les cultivateurs : parler du travail les détendrait.

L'un des hommes renifla bruyamment et projeta une chique dans un crachoir.

— Si seulement, dit-il. Apparence que les travaux sont bloqués.

— C't'un orignal dans l'fourneau, ajouta un autre. C'est d'mauvais augure.

Faustin répéta, éberlué :

— Un orignal ?

— Pas l'gibier, benêt d'campagne ! L'bloc.

— Ah.

Baptiste précisa à son intention :

— Quand la fonte durcit dans un bloc pis qu'y faut toute casser pour r'prendre la job, on appelle ça un orignal.

— T'as jobbé en forge ? lança quelqu'un.

— En mine.

D'une voix douce mais ferme, avec calme et respect, le colosse s'adressa au père du défunt :

— J'ai fait les mines, la drave, les chantiers des Hauts, la traite dans l'Ouest pis dans l'Nord. J'ai vu bin des décès, m'sieur Leclerc. Des jeunes hommes, encore au printemps d'leur vie, qui s'sont fait faucher par un accident bête. C'est la vie, ça va avec l'ouvrage. Mais vot'gars, m'sieur Leclerc, si vous dites que c'est l'Malin qui l'a pris, c'est pas dans l'cours normal des choses. Faut que ça arrête. Le bon père Gauthier, juste là, d'mande rien qu'à vous aider. C'est trop tard pour vot' gars, mais ça pourrait être le dernier à mourir de c'te manière-là si vous acceptez d'parler… Mais c'est vous qui décidez.

Le silence retomba quelques secondes. Tous se tournèrent vers Leclerc qui, les yeux fixés sur la table, chuchota plus qu'il ne dit :

— J'veux bin parler… mais pour commencer par le commencement, faudrait qu'Étienne Mailloux conte son histoire à lui…

Un grand gaillard à la chevelure poivre et sel rétorqua d'une voix éteinte :

— Pour que j'conte mon histoire, mon Antoine, faudrait avant qu'Jules conte la sienne…

— Ce s'rait plutôt à Mailloux d'commencer, ajouta celui qui devait être le nommé Jules.

— Que voulez-vous tous dire ? demanda François avec une forte appréhension dans la voix.

— Que mon gars est pas l'premier, loin de d'là… expliqua Antoine Leclerc. C'est l'sixième depuis Noël. Pourtant, il l'savait bin que quand une fille disparaît…

— Ma fille s'était promise à son gars, le fils à Boivert, voyez-vous… intervint Mailloux.

— Non, je ne vois pas du tout, interrompit François. Vous voulez dire que six hommes ont déjà subi le sort du jeune Leclerc, et qu'en plus votre fille est portée disparue ?

— Pas juste ma fille, m'sieur l'vicaire. Huit filles depuis Noël.

— Neuf, coupa Leclerc. Neuf, si tu comptes mon bébé…

— Neuf, t'as raison.

Le silence tomba comme une pierre dans l'eau. Un à un, Faustin scruta les visages des hommes attablés. *Six hommes morts. Huit filles et un bébé disparus.* Tous les gens présents dans cette pièce devaient les connaître intimement. Le nommé Mailloux reprit la parole le premier.

— Tout a commencé à Noël dernier. On avait eu une belle veillée chez les Chaurette. Quand l'temps est venu pour partir, ma Josette était pus là. On l'a cherchée, mais même son cavalier savait pas où la trouver.

— Son cavalier, c'tait mon gars, précisa l'homme nommé Jules.

— Après une bonne heure, vous comprendrez qu'on s'est inquiétés. On a faite le tour des maisons, pis comme l'village est pas gros, ç'a pas été long. Ça fait qu'on a pris chacun not' fanal pis qu'on s'est mis à la chercher dans l'bois. P'tête qu'était sortie prendre l'air pis qu'à s'était écartée… On était là, à chercher comme des bons, toute la fin d'la nuit, pis encore après le l'ver du soleil… Quand midi a approché, on est rentrés. On s'est dit qu'on s'reposerait pis qu'on r'viendrait avec plus de monde pis des chiens…

— Mais mon gars, y voulait continuer, lui… y voulait trouver sa Josette. On l'a laissé faire… Bon Dieu, j'aurais jamais dû…

L'homme éclata en sanglots et Leclerc vint lui tapoter le bras. Mailloux poursuivit, la gorge nouée :

— On a jamais r'trouvé ma Josette… mais l'brave garçon à Jules, on l'a trouvé… mais trop tard. L'beuglard l'avait pogné.

— Le beuglard ? s'enquit Faustin.

— Beuglard, gueulard, braillard… appelle ça comme tu voudras, c'est l'suppôt du Malin ! Tu sais jamais quand tu vas l'entendre hurler, mais quand tu l'entends… un grand cri qui te prend à gorge, qui te fait trembler comme un enfant… reste juste à t'signer en priant pour que personne au village soit pris…

— Personne l'a jamais vu, l'beuglard… ajouta Leclerc. Mais on l'entend. Pis on sait c'qui fait…

— Si quelqu'un cherche une fille qu'a disparu, on finit par l'trouver mort…

— … toutes les os brisés, pareil comme un pantin pas d'ficelles…

— … pogné dans les branches d'un grand arbre, à dix pieds dans 'es airs…

— … accroché là comme une vieille bâche.

La flamme du cierge, grésillant dans la cire liquide, ajouta une sinistre ponctuation à la dernière réplique. Quelques hommes sortirent leur mouchoir, d'autres se réconfortèrent de gestes amicaux. Baptiste fumait pensivement, les sourcils froncés. À la demande silencieuse de Faustin, il fit signe qu'il n'avait jamais entendu pareille histoire. Décidé à en finir, Leclerc conclut :

— Avant-hier, la fille de Précourt a disparu. Personne l'a cherchée… on savait trop s'qui s'passerait. C'est toujours la même chose : une fille sort pour aller chez la voisine ou respirer l'air frais, pis à r'vient jamais. Ceux qui la cherchent s'font pogner par l'beuglard. Sauf que mon gars, lui, y'était pris d'amour. Y'est sorti avec son fusil pis son fanal, en pensant ramener sa blonde… on l'a trouvé accroché à un grand pin gris, pas loin d'la forge basse…

— Vous avez aussi parlé d'un bébé, monsieur Leclerc… insista François.

Leclerc ouvrit la bouche pour parler mais s'étrangla et, croisant les bras sur la table, se contenta d'y poser la tête pour pleurer. Un homme qui n'avait pas encore parlé expliqua :

— V'là deux mois, après l'souper, sa femme est allée mettre la p'tite au berceau dans leur chambre. Quand sont venus pour aller s'coucher, la p'tite était pus là.

Faustin et François se regardèrent. Il s'agissait très certainement de la fille illégitime de Rose Latulipe qu'on avait enlevée pour y réincarner la Corriveau.

— Vous n'allez pas nous laisser sans prière ? demanda soudain Leclerc, le ton suppliant.

— Bien sûr que non, dit aussitôt François, pris au dépourvu. Ensuite, mes compagnons et moi-même tâcherons de voir ce que nous pouvons tenter pour faire cesser ces ignominies.

François fit appeler les femmes pour qu'elles se joignent aux prières puis, d'un geste, il invita l'assemblée à s'agenouiller.

— … *nomine Patris, et Filii, et Spiritus Sancti.*

— *Amen.*

À genoux sur le plancher de pin, en cercle autour de François qui, drapé dans la dignité propre aux ecclésiastes, traçait dans l'air un grand signe de croix, les proches et voisins de la famille Leclerc se recueillirent, les yeux clos, au son de la prière consacrée aux morts.

— *De profundis clamavi ad te, Domine ; Domine, exaudi vocem meam. Fiant aures tuæ intendentes in vocem deprecationis meæ.*

Mal à l'aise, Faustin avait lui aussi adopté l'incon-
fortable posture. Certain qu'on ne le remarquerait
pas, il ouvrit les yeux et scruta la pièce. En dressant
bien le dos, il pouvait voir le corps déposé dans le
cercueil. Il frissonna en le contemplant.

Il savait que la tête du jeune homme était tournée
d'un côté afin que seule la partie non défigurée du
visage soit visible. Mais il y avait plus… Malgré les
vêtements sombres qui habillaient le mort et les efforts
manifestes qu'on avait déployés pour mettre une sorte
de bourre, Faustin devinait un creux inhabituel à la
poitrine, là où la cage thoracique avait été broyée. Et
si les jambes paraissaient à peu près normales, les bras,
qu'on s'était obstiné à replier en position de prière,
avaient des angles bizarres là où les os avaient été
brisés. Quelle horreur avait bien pu arriver à ce jeune
homme ?

— *Si iniquitates observaveris, Domine, Domine,*
quis sustinebit ? Quia apud te propitiatio est ; et propter
legem tuam sustinui te, Domine.

Soudainement, Faustin ressentit une sorte de vertige, comme si tout, sauf lui, s'était figé dans la pièce.
Avec lenteur, il jeta un regard circulaire.

Ces gens en prière qui ne bougeaient pas d'un
pouce… Le vicaire, droit comme un arbre, dont seules
les lèvres remuaient… L'irréelle immobilité de la
scène semblait là pour perdurer, encore et encore,
alors que le flot du psaume latin se noyait en syllabes
incompréhensibles et qu'une sorte de torpeur se glissait
dans l'esprit de Faustin, jusqu'à ce qu'y résonne une
voix comme le coup d'une cloche.

« *Soyez le bienvenu en votre fief, mon Prince.* »

Alarmé, Faustin retint de justesse un cri de surprise
et ne laissa échapper qu'un faible couinement. Tout

autour, la pièce semblait toujours aussi immobile et la voix de François débitait toujours son psaume.

— *Sustinuit anima mea in verbo ejus : Speravit anima mea in Domino.*

Sans quitter sa posture de prière pour ne pas attirer l'attention, Faustin tenta d'accrocher le regard de son ami, lequel eut un bref mouvement de tête interrogateur sans cesser sa récitation.

La seconde fois, la voix fut encore plus claire.

« *Il y a longtemps que je vous attends, mon Prince.* »

Sur sa nuque, Faustin eut l'impression qu'un hameçon se fichait dans sa chair, comme lorsqu'il avait utilisé le Calice des Moires ou qu'il avait perçu les dernières pensées de l'âme de Lady Elizabeth. Conscient qu'il ne pouvait interrompre la prière sans provoquer un scandale, il inspira profondément et, tentant de reproduire ce qu'il avait déjà fait avec l'esprit du père Bélanger, il émit :

« *Vous êtes le garçon Leclerc ?* »

Un petit rire tinta dans sa tête.

Non, se dit-il, *cet esprit est nettement féminin.*

« *Effectivement, mon Prince* », répondit la voix, en écho à ses pensées.

Elle perçoit ce que je pense ! réalisa aussitôt Faustin.

« *Bien entendu, mon Prince. C'est ainsi que fonctionne la transmission de pensées.* »

De plus en plus paniqué, Faustin fit un signe de tête insistant à François, qui fronça les sourcils et eut un haussement d'épaules exprimant son incompréhension. Inlassablement, il poursuivait :

— *A custodia matutina usque ad noctem, speret Israel in Domino.*

Dans l'esprit de Faustin, la voix reprit :

« *N'ayez crainte, mon Prince. Je ne compte point révéler votre présence aux larbins du Seigneur.* »

« *Cessez de m'appeler "mon Prince" ! Qui êtes-vous ?* »

« *Je suis celle qui a veillé sur le fief du Seigneur, mon Prince. Car je vous ai reconnu et je sais que Prince vous êtes.* »

« *Vous me confondez, qui que vous soyez !* »

« *Ah vraiment ?* fit la voix, indubitablement moqueuse. *Vraiment, Charles Dodier renommé Corriveau, dit Faustin Lamare, fils de l'Ensorceleuse de Pointe-Lévy et du Seigneur des Forges ?* »

La crainte ébranla Faustin.

« *Qui êtes-vous ? Où êtes-vous ?* »

« *Juste derrière vous, mon Prince.* »

Sans plus se soucier de la bienséance ni de la discrétion, Faustin se leva d'un bond et se retourna.

Dignement assis sur ses pattes postérieures, un chat noir croisa son regard en poussant un miaulement moqueur. Puis, prestement, il sauta sur la table, avança de trois pas et bondit par la fenêtre.

Là où il s'était tenu une seconde auparavant achevait de briller un diagramme arcanique.

Sans perdre un instant, Faustin se précipita, effaçant au passage le pentacle de la semelle de sa botte. Il eut le temps, à travers la fenêtre, de repérer à l'outrevision le félin et son épaisse aura noire avant que le chat ne disparaisse dans les fourrés. Vaguement conscient des regards outrés qui s'étaient tournés vers lui, Faustin bafouilla qu'il se sentait mal, fonça vers la porte et se lança à l'extérieur.

À peine entendit-il le froissement d'ailes de Shaor'i lorsqu'elle se posa, sous forme de harfang, sur un piquet de clôture non loin des fourrés. S'assurant d'un vif regard aux alentours que personne n'était témoin de la scène, Faustin chuchota :

— Ce chat… c'est une personne sous forme animale, tout comme toi.

Le harfang s'envola hors de vue. Faustin ralluma nerveusement sa pipe, sachant que si quelqu'un pouvait retrouver le félin, c'était Shaor'i et non lui-même. Cinq minutes plus tard, alors que la prière se poursuivait toujours à l'intérieur de la maison, la jeune Indienne lui réapparut sous sa forme humaine.

— *Awan!* Elle m'a échappé en s'engouffrant dans un terrier abandonné. Impossible de la repérer, à présent. Je me doutais aussi que cette chatte était une goétiste…

— Quand l'as-tu compris?

— Quand elle s'est précipitée dehors, j'ai remarqué le diagramme. C'est pourquoi je me suis esquivée à l'extérieur pendant que tu attirais les regards. Mais toi, comment as-tu su?

— Elle m'a… parlé. Dans mon esprit.

Une légère expression de surprise passa sur le visage de Shaor'i.

— Et qu'est-ce qu'elle t'a dit?

— Qu'elle me souhaitait la bienvenue. Qu'elle m'attendait. Elle me nommait « mon Prince » et, quand je lui ai demandé pourquoi, elle a cité le nom de mes parents…

Cette fois, la surprise de l'Indienne fut clairement visible.

— Tu lui as *demandé*? Tu veux dire que tu as tenu une conversation avec elle?

— Un bref échange…

— Monsieur Lamare! Tout va bien?

Le père du défunt arrivait au pas de course, l'air inquiet. François le suivait, marchant aussi rapidement que le permettait sa soutane. Shaor'i marmonna:

— Otjiera avait raison. Les événements de *Mi'Nigo* ont débloqué un potentiel spirite chez toi. Il faut généralement un long entraînement, ou des diagrammes complexes, si on agit à la manière des Blancs, pour émettre ses pensées.

— Tout va bien, monsieur Lamare ?

D'un signe de tête, Faustin rassura l'homme.

— Encore tes pointes au cœur, mon bedeau ? demanda François en arrivant lui aussi. Tu as eu le bon réflexe de sortir au grand air. La fenêtre n'aurait pas suffi.

Faustin saisit le prétexte au vol, toucha son cœur en simulant un air préoccupé. Le vicaire ajouta en se retournant vers Leclerc :

— Préparez-nous une chambre, mon bon Antoine. Il serait plus sage que nous dormions sous votre toit cette nuit, d'autant que je souhaite accompagner l'âme de votre fils de mes prières, le pauvre n'ayant pas pu recevoir l'extrême-onction.

— Et pour la d'moiselle ? demanda l'homme en désignant Shaor'i. J'peux laisser ma chambre pour vous, vot'bedeau pis vot'canotier, après avoir arrangé la chambre d'mon pauvre garçon pour moi pis ma femme, mais la d'moiselle ?

— Il y a de la place dans vos combles ?

— Bin sûr.

— Alors soit.

D'un geste plein d'autorité, le vicaire congédia Leclerc, qui s'empressa d'aller avertir son épouse, ravi d'héberger un homme d'Église sous son toit en période de deuil. Quand il fut suffisamment éloigné, François murmura :

— Faudra que vous m'expliquiez, tous les deux…

Hochant la tête, Faustin jeta un regard vers les fourrés. *Bon sang,* jura-t-il intérieurement, *qu'est-ce qui se passe dans ce foutu village ?*

Comme un écho dans un coin de son esprit, il lui sembla entendre un rire moqueur. Mais peut-être n'était-ce qu'une impression.

◆

Ni les prières ni les conversations ne languirent. Dès l'arrivée de la brunante, chacun s'empressa de saluer les Leclerc en leur présentant, pour la dernière fois, leurs condoléances. Plusieurs s'informèrent auprès de François s'il comptait donner une messe durant son séjour et, devant sa réponse négative, ils quittèrent la demeure par petits groupes.

Resté seul à discuter avec Leclerc, l'ouvrier répondant au nom de Mailloux réalisa subitement que la salle s'était vidée. Ravalant ses jurons en se souvenant *in extremis* de la présence du vicaire, il revêtit rapidement sa veste de lainage, posa son chapeau et salua d'un bref signe de tête.

À peine avait-il ouvert la porte pour sortir que se mit à retentir une longue plainte rauque qui résonna longuement dans l'air nocturne, à mi-chemin entre le mugissement et le rugissement, ressemblant peut-être au brame d'un cerf.

Alors qu'il avait déjà un pied au-dehors, Mailloux revint à l'intérieur et claqua fermement la porte. La mère Leclerc se bâillonna de sa main pour étouffer son gémissement d'effroi alors que son époux s'empressait de la serrer dans ses bras, où elle nicha sa tête pour pleurer. Le cri lugubre rejaillit deux ou trois fois, retentit en de longs échos, puis cessa aussi soudainement qu'il avait commencé.

— Qu'était-ce, Shaor'i ? demanda Faustin, ébranlé.

— *Awan,* je n'en sais rien…

— L'beuglard, répondit Leclerc en se signant.

— Il hurle toujours ainsi ? s'informa le vicaire.

— Toujours. Jamais aux mêmes heures, pas toutes les jours… mais si y'hurle, c'est qu'une autre fille va disparaître…

L'homme tenta de réprimer un frisson d'effroi et Baptiste s'approcha de lui.

— Ayez confiance, m'sieur Leclerc, dit-il en lui tapotant l'épaule. Le père Gauthier va s'occuper de c't'engeance, craignez pas.

— Que Dieu vous entende, m'sieur Lachapelle, marmonna l'ouvrier, guère rassuré.

— Mailloux, tu vas rester avec nous autres, intervint la mère Leclerc d'une voix éteinte. Pas question que tu sortes.

— Sûr que j'reste, acquiesça Mailloux.

Et alors que la femme Leclerc ouvrait le coffre de cèdre pour en sortir des draps, son époux décrocha du mur son fusil de chasse qu'il chargea et, plaçant une chaise face à la porte, s'installa pour une garde qui allait manifestement durer toute la nuit.

◆

On décida que Faustin dormirait avec le vicaire dans le grand lit des Leclerc et on installa à Baptiste une paillasse dans la même pièce. Shaor'i trouva vite ses aises dans les combles et, comme les Leclerc veilleraient le corps de leur fils toute la nuit, Mailloux put s'installer dans la chambre du défunt.

— Et alors… chuchota Faustin, sitôt qu'ils furent seuls, en s'assoyant sur le rebord du lit. Vous en pensez quoi ?

— Une mise en scène, de toute évidence, répondit le vicaire, manifestement blasé.

— Quoi? Une mise en scène? releva Baptiste, interloqué. Y a des gens qui sont morts, pis des filles qui
disparaissent…

— Je ne parlais pas de ça. Il y a un ou des meurtriers à l'œuvre, bien entendu. Mais ce beuglard, ces
dépouilles abandonnées dans les arbres, ce grand cri…
de la mise en scène pour terrifier et éloigner les villageois.

— Mais pourquoi tuer ces jeunes hommes? reprit
Faustin.

— Ça, nous le trouverons bien. Mais pour ce qui
est d'une créature mystérieuse qui hurle…

Quelques coups discrets à la porte firent taire les
trois hommes. Baptiste se leva pour ouvrir et dit aux
deux hommes:

— J'vais demander l'opinion d'la P'tite.

Le bûcheron ouvrit la porte sur Mailloux qui, visiblement angoissé, se tordait les doigts dans l'encadrement. Baptiste le salua, l'invita à entrer et ferma la
porte derrière lui.

L'ouvrier des Forges se dandina à gauche et à droite,
nerveux.

— Faut que j'vous parle, mon père, lâcha-t-il finalement. Du bébé. D'la p'tite fille des Leclerc. Je l'sais
comment qu'a l'est partie…

Mailloux sembla réprimer un tremblement, puis
s'agenouilla au pied du lit, face au vicaire.

— Je vous écoute, répondit très dignement François.

— Ça fait queuques mois. On s'en r'venait d'une
veillée, moi pis l'gros Maurice.

— Quelle veillée?

— Celle du Mardi gras.

François et Faustin échangèrent un regard lourd
de sens. L'Ordre du Stigma Diaboli avait donc agi

d'une façon beaucoup plus organisée et méticuleuse qu'ils ne l'avaient soupçonné. Au moment même où l'Étranger enlevait Rose Latulipe à Notre-Dame des Tempérances, certains de ses disciples s'acquittaient d'un plan secondaire. D'un hochement de tête encourageant, François incita Mailloux à poursuivre, lequel inspira longuement avant de reprendre:

— On passait par le grand chemin pis mon cheval, le Blond, s'est mis à être su'l' nerf. J'me d'mandais bin pourquoi quand, tout d'un coup, v'là Maurice qui montre le boisé du doigt en criant: « R'garde don', Jean! » Comme de faite, y avait une espèce de grande ombre. Su'l coup, j'ai cru que c'tait un gros chien, mais en r'gardant mieux j'ai vu que c'tait un loup. Faque j'ramasse ma hache – on sait jamais – pis v'là-tu pas que j'entends un bruit qui me fend le cœur.

— Qu'est-ce que c'était?

— Le son d'un bébé qui pleurait… J'vous jure, m'sieur l'vicaire, su' mon âme de chrétien: le loup avait un p'tit paquet de langes dans' gueule pis ça m'a pas pris de temps à comprendre que c'tait un bébé, créyez-moi…

— Nous vous croyons, monsieur Mailloux. Poursuivez.

Tremblant au souvenir, le villageois marqua un temps d'arrêt puis reprit:

— Ça fait que j'débarque d'la sleigh pis bin doucement, j'me mets à suivre les traces, assez proche pour pas perdre l'animal de vue, mais pas trop proche pour pas qui s'sauve. J'voulais pas qu'à s'fasse dévorer, c'te pauvre enfant… Après queuques minutes à m'enfoncer dans l'bois, j'ai vu que le loup venait d'déposer l'bébé sur une grosse roche. J'me dis « v'là ma chance », pis comme j'arrive pour me jeter sur l'animal avec ma hache, c'est là que…

— Que ?

— Faut qu'vous créyez, m'sieur l'vicaire. J'irais jamais mensonger à un homme d'Église, ça, vous pouvez m'crère…

— Je vous en prie, monsieur Mailloux, dit sèchement le vicaire. Reprenez votre récit.

Manifestement, narrer ces souvenirs demandait à Mailloux un réel effort. Hésitant, il finit par dire :

— J'allais me jeter su'l loup quand y s'est changé en homme.

Et, craignant encore d'être accusé de mentir, Mailloux ajouta :

— Je l'jure su' la tombe de ma bonne mère pis su' mon âme de chrétien.

Faustin posa une main rassurante sur l'épaule de Mailloux. François insista :

— Vous voulez dire que vous croyez avoir vu un loup-garou ?

— Vrai comme j'chus-là, m'sieur l'vicaire.

Mailloux frissonna violemment en pâlissant. L'air d'avoir l'âme au supplice, il conclut :

— Faque j'me suis sauvé. Un grand lâche, je l'sais, pis j'devrai en rendre compte au bon Dieu après ma mort, mais j'ai laissé l'enfant là, pis…

Sa voix se brisa et, silencieusement, Mailloux sanglota. Alors que Faustin tapotait le dos de l'homme d'un geste compatissant, François, lui, le pressa sans ménagement :

— Cet homme, que vous prétendez loup-garou… l'avez-vous reconnu ?

Mailloux hésita, terriblement mal à l'aise.

— … oui. J'oublierai jamais c'que j'ai vu, c'est gravé dans ma tête.

— Et qui était-ce ?

— Faut qu'vous créyez, m'sieur l'vicaire…

— Pour l'amour du Ciel, l'interrompit François avec impatience, je vous crois. Le Diable a mille façons de tourmenter les mortels. Alors dites-moi : qui était ce loup-garou ?

— Un… un bourgeois. Un de ceux… qu'est venu s'installer à Grand'Maison…

— Mais encore ?

— C'est… c'était… Jos… Jos L…

— Cela restera entre nous, monsieur Mailloux.

— Jos Légaré. Un homme de politique, à c'qui s'dit.

— Joseph Légaré ?

— C'est ça. C'est lui que j'ai vu. Faut que vous…

— J'ai déjà affirmé que je vous croyais.

Mailloux pleura de plus belle. Derrière lui, Faustin fit discrètement un signe de croix dans l'air à l'intention de François. Poussant un soupir irrité, le vicaire leva les yeux en signe d'impatience. Ce ne fut que lorsque Faustin répéta son geste pour la troisième fois qu'il céda :

— Tâchez de ne plus penser à ça, mon fils. Quant à votre peur devant cette engeance du Malin et à l'enfant laissé à son sort, votre réaction est plus que compréhensible.

Et avec un claquement de langue agacé, il ajouta :

— Je vous pardonne ce péché au nom du Père, et du Fils, et du Saint-Esprit…

— Amen, m'sieur l'vicaire, murmura Mailloux, le visage baigné de larmes de reconnaissance. Pis merci, du fond du cœur.

— Allez en paix, mon fils.

Sans un mot de plus, Mailloux se leva, puis il inclina poliment la tête pour quitter la chambre.

— Y a autre chose… dit-il avant de fermer la porte.

— Quoi donc, mon fils ?

— L'bébé des Leclerc… c'tait point la première disparue. La première, c'tait Kate Bell.

— Qui ?

— Kate Bell. J'peux point vous en parler, par rapport que ça date de l'époque de m'sieur Bell pis que j'étais encore un jeunot. Mais d'mandez à Leclerc d'vous présenter Édouard Tassé, pis lui, y va vous conter ça…

— Certainement, mon fils. Allez en paix, maintenant.

Silencieusement, l'ouvrier quitta la chambre. À peine eut-il fermé la porte que Faustin, outré, houspilla son ami :

— Calvaire, François ! Pourquoi t'a-t-il fallu tant de temps pour lui accorder le sacrement du pardon ? Tu ne voyais pas que le remords rongeait la conscience de ce pauvre homme ?

— Si je lui avais pardonné plus tôt, il n'aurait peutêtre pas déballé tout son sac. Maintenant, on sait que Légaré est celui qui a enlevé la fille de Rose et qu'il loge à la « Grande Maison ».

Sans se soucier des excuses du vicaire, Faustin insista :

— Et là, qu'est-ce que tu vas faire ?

— Explorer subtilement du côté de la Grande Maison, bien sûr…

— Non ! Je veux dire, pour les gens… Tout le village est terrorisé…

— Bien entendu. On le serait à moins.

— Parti comme c'est là, plus personne va sortir le soir, et encore moins la nuit. Le père Leclerc a affirmé qu'il dormirait avec son fusil chargé à côté de son lit. Il n'est sûrement pas le seul.

— Le temps calmera les choses.

— Si rien d'autre ne se produit, maugréa Faustin.

— Que veux-tu que j'y change ? Je suis dans le même cas que tout le monde, tu sais. Je ne peux qu'attendre et voir.

— Mon oncle aurait agi, *lui*, reprit Faustin avec amertume. Il aurait visité les paroissiens pour bénir leurs maisons, réciter des chapelets avec eux…

— De grotesques mascarades…

— Pas pour tous ces gens qui sont là et qui dormiront peut-être un peu mieux si un prêtre leur offre l'honneur d'une visite et la grâce de quelques mots rassurants.

— Calvaire, je ne vais tout de même pas me taper la tournée de tout le village des Forges !

— Mon oncle l'aurait fait !

— Écoute-moi bien, Faustin, dit lentement le vicaire en le regardant froidement dans les yeux. Ton oncle était un homme dévoué corps et âme à sa paroisse. Pas moi. Je ne suis pas un *vrai* prêtre.

— Lui non plus. Pourtant, il en assumait la responsabilité.

— Parce qu'il le voulait bien. Parce que c'était autant un homme de science qu'un homme de bonté. Je suis un *arcaniste*, Faustin. Un scientifique versé dans l'étude de la physique et de la géométrie. *Je ne suis pas* un guide spirituel. J'ai déjà assez de mal à bien vivre ma propre vie sans m'ingérer dans celle des autres. Cette robe noire, Faustin, ce bréviaire, ce rosaire… tout ça n'est qu'une parure utile. Elle me confère de l'autorité, un ascendant sur la majorité des gens, m'offre une protection contre les fouineurs, une justification pour la plupart des actes qui, si j'étais un simple habitant, attireraient immanquablement l'attention sur moi. C'est la seule raison d'être de ce… *costume*.

— Et tu te fiches des gens qui sont dupes de cette supercherie…

— Ce n'est pas que je me fiche d'eux. Ni que je refuse mes responsabilités. Je veux bien dire des messes, m'acquitter des confesses et des baptêmes… me charger du *travail* d'un prêtre. Mais ne me demande pas d'en avoir la vocation. C'est au-dessus de mes forces.

— Et pour tous ces gens qui vivent dans l'angoisse…

— Ils feront comme nous. Ils attendront que le temps accomplisse son œuvre. Et crois-moi, leur ignorance des dessous de l'histoire est une bénédiction bien plus efficace que toutes les simagrées chrétiennes.

« *Tiens tiens… il semble que les propos de votre ami vous troublent, mon Prince* », émit une voix dans la tête de Faustin au moment même où la porte s'ouvrait avec fracas pour laisser entrer Baptiste.

— Vot' chat noir est dans cour. La P'tite est en train d'le poursuivre sous forme d'oiseau.

« *Damnation!* jura la voix dans l'esprit de Faustin. *Et je n'arrive pas à la voir! Ces maudits rapaces peuvent traquer de si loin…* »

— Il n'y a pas un instant à perdre, déclara François en se précipitant vers l'extérieur.

— François, attends! lança Faustin en se jetant à sa suite. Le chat, il entend…

« *Je vous en prie, mon Prince. Êtes-vous certain de pouvoir lui faire confiance?* »

« *Sortez de mon esprit!* » hurla mentalement Faustin en traversant la grande salle où reposait le défunt.

« *Je m'y plais… votre esprit si réceptif au transfert de pensées… votre mère l'a fort bien modelé en vous offrant ses souvenirs… attention à la marche.* »

À la dernière seconde, Faustin leva le pied pour éviter de trébucher sur la petite marche au seuil de la porte menant à l'extérieur. Sur le chemin de terre battue, François était déjà loin devant, accompagné de Baptiste.

« *La marche… vous voyez par mes yeux ?* »

« *Il va sans dire, mon Prince. Croyez bien que c'est un honneur pour moi.* »

« *Cessez tout de suite ! Qui êtes-vous, à la fin ?* »

« *Le chat noir des Forges, bien sûr… mais vous pouvez m'appeler la Siffleuse.* »

L'effort de concentration avait forcé Faustin à ralentir sa course. Dépité, il constata qu'il avait perdu ses amis de vue.

« *Tout droit, mon Prince… vous distinguez ce grand pin gris ? Vos amis sont tout près… il s'en est fallu de peu que votre Indienne ne me saisisse dans ses griffes. Quelle garce ! Tout comme cette furie mariée au sorcier roux !* »

« *Nadjaw ? Elle est ici ?* »

« *À tout de suite, mon Prince !* »

Comme un fil qui se rompt, Faustin sentit le contact mental lâcher brusquement. Il ne tarda pas à atteindre le pin désigné par l'envahissante entité et y trouva le vicaire et le bûcheron en train d'écouter le rapport de Shaor'i.

— … passée à un cheveu de fermer mes serres sur son échine, pestait-elle avec une rage manifeste. À la dernière seconde, ce maudit chat s'est volatilisé !

— Téléportation ? demanda François, fort intrigué.

— Non. Je n'ai pas vu de diagramme. Probablement que le chat n'est qu'une effigie.

— Ce chat… intervint Faustin en finissant de rejoindre le groupe. C'est une femme. Elle se désigne elle-même par le sobriquet de Siffleuse.

— Comment le sais-tu ? demanda Shaor'i.

— Elle me l'a dit en esprit. Elle est entrée dans ma tête juste avant que Baptiste ne nous annonce que tu l'avais retrouvée. Elle nous espionne à travers mes yeux…

— *Awan !* Ça ne peut plus durer…

— En effet, approuva François. Mon frère, il est impératif de bloquer ton esprit contre les intrusions. Nous allons nous y consacrer sitôt rentré chez les Leclerc.

« *Et tu as suffisamment confiance en lui pour le laisser jouer dans ton esprit ?* » se moqua télépathiquement la voix de la Siffleuse.

« *Mille fois plus qu'en vous !* » hurla mentalement Faustin aussi fort qu'il le put avant de crier de vive voix, paniqué :

— Elle est encore là ! Elle n'arrête pas d'entrer et de sortir à son aise !

« *Damnation ! Vous pourriez être plus discret ! Maintenant il va vous imposer la Barrière de Saint-Damien…* »

— Calme-toi, Faustin, se précipita François en passant un bras autour de ses épaules. Assieds-toi sur cette pierre, je vais tracer un diagramme de Barrière de Saint-Damien, ça te protégera des intrusions jusqu'à ce que nous puissions faire mieux…

« *Et ça vous empêchera d'user de vos dons spirites, mais cela, il ne vous le dira pas…* »

« *La ferme !* » hurla de nouveau Faustin en s'efforçant de fixer ses pensées sur autre chose.

« *Posez-lui la question et je vous laisserai tranquille…* »

« *Ça suffit !* »

« *Demandez… vous n'avez rien à y perdre…* »

Le souffle rendu court par sa frustration envers cette Siffleuse, Faustin serra les dents en observant le vicaire parachever sur le sol le tracé d'un complexe diagramme arcanique.

— Dis, François… cette barrière… elle va empêcher la Siffleuse d'entrer…

— Bien sûr, confirma le vicaire en se relevant.

— Mais va-t-elle m'empêcher de me servir de mes talents spirites ?

Un masque de stupeur se peignit sur le visage de François qui admit, en balbutiant :

— Oui, malheureusement. D'ici à ce que nous trouvions une meilleure solution. De toute façon, tant que tu ne seras pas adéquatement entraîné, ça vaudra mieux ainsi.

« *Ah-ah !* triompha la voix de la Siffleuse. *Maintenant, balayez vite le diagramme du pied avant qu'il n'incante !* »

— Prononce la formule tout de suite ! le pressa Faustin. Elle ne veut pas sortir !

« *Quoi ? Mais vous ne réalisez pas que…* »

— *Ad iskan saïr soleima ibn adur, sikg salim daren-nar, vaden estera !* tonna la voix impérieuse de François.

Cette fois, plutôt qu'un fil, Faustin eut l'impression d'un énorme câble cédant subitement. Une violente migraine battit dans ses tempes alors qu'il était pris de vertiges. Baptiste s'empressa de venir le soutenir.

— Garçon, j'te ramène chez les Leclerc. Ça suffit pour aujourd'hui.

Trop étourdi pour rouspéter, Faustin se laissa porter par le colosse.

◆

Un claquement sec tira Faustin du sommeil et il se redressa dans son lit. Haletant, il regarda tout autour de lui. Un second claquement retentit aussitôt, puis un troisième. Faustin ne tarda pas à en découvrir la provenance : un volet mal fermé qui battait au vent.

Vêtu de son seul pantalon, il quitta le grand lit qu'il partageait avec François, contourna la paillasse qu'occupait Baptiste et se rendit à la fenêtre pour refermer le contrevent.

« *Dites-leur !* »

La voix, à mi-chemin entre un râle et un soupir, surprit Faustin en résonnant dans son esprit. Ce n'était pas celle du chat noir de la veille, mais une sorte de plainte rauque, clairement masculine.

Faustin se retourna quand il entendit un bruit à l'autre bout de la chambre. La porte venait de s'ouvrir d'elle-même, laissant pénétrer dans la pièce une sorte de brume grisâtre qui semblait ramper sur le plancher. Une volute couleur de fumée s'éleva de la nappe, s'étira à six pieds du sol puis adopta la forme d'une petite sphère laissant une traînée brumeuse derrière elle.

« *Dites-leur !* »

L'évidence frappa Faustin et il lui sembla reconnaître la présence comme on reconnaît une personne déjà entrevue.

« *Leclerc ! Vous êtes le jeune Leclerc !* » émit-il mentalement.

« *Dites-leur ! Dites-leur que les filles partent de leur plein gré !* »

« *Quoi ? Ces jeunes filles qui disparaissent ?* »

Semblable à un feu follet né du brouillard, la chose de brume voltigea autour de lui. Elle quitta ensuite la pièce et attendit juste devant la porte.

À pas de loup, Faustin suivit l'âme qui ne reposait pas encore en paix. Il la laissa le guider vers le cercueil où était allongé le corps du jeune Leclerc. Juste devant priaient le père et la mère du défunt. Ceux-ci ne semblèrent pas remarquer la présence de Faustin, pas plus qu'ils ne remarquèrent la brume qui couvrait à présent la totalité du plancher.

La chose vaporeuse flotta doucement au-dessus du cercueil.

« *Les filles ne sont pas enlevées,* reprit l'âme du trépassé. *Elles partent! Je les ai vues, toutes autant qu'elles sont, dans la chapelle des Forges, là où se terre le beuglard… j'ai suivi ma promise à travers les arbres anciens et j'ai vu les sabbats qu'on y donne… elles se vendent au Diable et en portent la marque sur le bras…* »

« *Le Stigma Diaboli!* » s'exclama mentalement Faustin.

« *Je l'ignore,* reprit le défunt avec l'équivalent psychique d'un haussement d'épaules, avant de passer du coq à l'âne : *Ma mère n'est pas ma mère, vous savez. C'est ma belle-mère.* »

« *Je sais* », dit Faustin en jetant un œil vers les parents en prière qui n'avaient toujours pas esquissé le moindre geste.

« *Et ma sœur n'est pas ma sœur.* »

« *Je le sais aussi. C'est la fille secrète de la nièce de votre mère.* »

« *Ce n'est pas de ça qu'il s'agit. Ce que je veux dire, c'est que ma sœur n'est plus qu'un corps.* »

« *Un autre esprit l'habite, c'est vrai. Celui d'une femme morte il y a très longtemps.* »

« *Et morte une seconde fois il y a très peu de temps…* »

« *C'est vrai. Qu'attendez-vous de moi ?* »

« *Dites-leur. Dites-leur que les filles partent de leur plein gré… et empêchez de nuire celle qui a pris possession du corps de ma sœur.* »

« *C'est précisément pour ça que nous sommes ici, jeune Leclerc.* »

Doucement, très doucement, la brume se retira de la pièce. L'espèce de volute de fumée qu'était l'esprit du défunt descendit vers la dépouille et s'enfonça dans le torse du cadavre comme une pierre coulant dans l'eau.

Alors le cadavre se redressa en hurlant :

— DITES-LEUR !

◆

En sueur, Faustin s'assit dans le lit. À ses côtés, François dormait paisiblement et, sur sa paillasse à terre, Baptiste ronflait comme un poêle. Un claquement sec attira l'attention de Faustin. Il fouilla la pièce du regard et découvrit la source du bruit : un volet mal fermé qui battait au vent.

C'est alors que son rêve lui revint à la mémoire.

Ébranlé, il se leva et marcha jusqu'à la table de chevet, plongea les mains dans le cruchon d'eau qu'on y avait laissé et s'aspergea le visage.

Qu'est-ce que c'était que ce cauchemar ? pensa-t-il en revoyant la scène onirique. Il songea un instant à réveiller le vicaire, puis se ravisa. Cela pouvait attendre à demain.

Il revêtit sa chemise sans prendre le temps de la rentrer dans son pantalon, enfonça ses pieds nus dans ses bottes qu'il négligea de lacer et ramassa sa pipe et sa boîte à tabac qui traînaient sur la table de nuit.

Encore troublé par sa vision, il choisit de passer son sabre à sa ceinture.

Sans un bruit, il quitta la chambre, traversa la pièce où reposait le corps du fils Leclerc devant lequel priaient les parents endeuillés et sortit au-dehors.

La température avait chuté avec le coucher du soleil. Mises à part quelques fugitives lueurs qui jaillissaient d'entre les volets des maisons les plus proches, la nuit était d'un noir opaque, presque étouffant. On pouvait deviner, dans les chaumières, les familles qui tentaient de dormir normalement malgré les sombres manifestations des derniers mois – Faustin pouvait presque percevoir la frayeur des enfants au moment d'aller au lit, la lourde crainte des mères et la silencieuse angoisse des pères, comme si les émotions avaient rempli l'air d'un effluve d'inquiétude.

Lentement, Faustin contourna la maison des Leclerc. Le silence de la nuit et l'air frais lui firent du bien. S'assoyant au pied d'un grand orme, il bourra sa pipe et craqua une allumette. La première bouffée l'aida d'abord à se calmer mais, lorsque la fumée se mit à monter doucement, il fut secoué du même frisson que provoque une ombre fugitive après une veillée de contes. Comme il aimait peu être entouré de brume grisâtre après le rêve qu'il venait d'avoir, il vida sa pipe sur le sol et écrasa le tabac gâché.

Le hululement d'un hibou attira son attention. Shaor'i se laissa tomber d'une branche et atterrit gracieusement à ses côtés.

— Tu devrais être couché, dit-elle simplement.

— J'ai eu un rêve étrange, lui confia Faustin. Je n'arrive pas à me l'enlever de la tête.

— Raconte…

En quelques phrases, Faustin résuma sa vision. Shaor'i l'écouta attentivement avant de commenter.

— Probablement un contact de l'outremonde. Il devient impératif que tu apprennes à contrôler ta réceptivité…

— Le défunt parlait d'une chapelle.

— Il n'y en a pas dans le coin. J'ai survolé le village plus d'une fois. D'ailleurs, les Leclerc affirment qu'il n'y a ni prêtre, ni église, ni aucune marque chrétienne autour des Forges. Tu as vu comment la mère Leclerc a réagi quand François est arrivé.

— Alors pourquoi a-t-il dit ça ?

— Va savoir…

La jeune femme semblait pensive. Faustin allait lui demander ce qui la préoccupait quand elle murmura :

— J'ai pris ma décision. *Najiwsgeieg*. Nous irons à la pêche.

— Quoi ?

— N'est-ce pas ce que tu m'as demandé ? Viens !

D'un bond, elle se leva et courut vers la grange. Sans comprendre, Faustin se leva à son tour et tenta de la suivre. Lorsqu'il atteignit le bâtiment, il chercha l'Indienne dans la noirceur d'encre.

Aucun son ne l'avertit quand un coup de pied le percuta au sternum. Faustin sentit ses pieds quitter le sol et il heurta durement la terre humide. À peine eut-il le temps de comprendre ce qui venait de se passer qu'une poigne ferme l'attrapait par l'encolure, le relevait de force et le plaquait contre le mur de la grange des Leclerc.

— Ainsi tu veux apprendre à pêcher ? chuchota Shaor'i en approchant son visage du sien.

— Quoi ? glapit Faustin, encore sonné par sa chute.

— N'est-ce pas ce que tu as affirmé ? Pour nourrir un homme, ne lui donne pas de poisson…

Faustin réalisa enfin à quoi l'Indienne faisait allusion.

— Tu vas m'apprendre à me défendre ?

En un éclair, il sentit l'une des petites mains le saisir par la ceinture et l'autre par le col ; une seconde plus tard, après avoir fendu l'air, il culbutait de nouveau sur la terre humide. Dans le noir, il entendit les deux couteaux de Shaor'i siffler en sortant de leurs étuis.

Il ne s'était même pas encore redressé qu'un des couteaux le frappait au torse par le pommeau.

— Tu es déjà mort, cracha dédaigneusement l'Indienne.

— Je n'étais pas prêt… tu ne m'avais même pas averti…

— *Aueiea'*. L'homme qui voudra te tuer attendra le moment où tu seras le moins prêt et ne t'avertira certainement pas. Debout !

— Shaor'i, je suis encore sous le coup de ma vision…

— Tant mieux. Tu auras aussi peur quand tu te battras, sinon davantage…

— Shaor'i…

— Debout ! *Ji'nmu'qamigsit !* Ou je reviendrai sur ma décision !

Derechef, Faustin obtempéra. Le plat d'une lame lui percuta la joue comme une gifle.

— Deux fois mort, commenta Shaor'i. Et tu n'as toujours pas dégainé.

Un courant d'air indiqua à Faustin que l'Indienne venait de se pencher pour ramasser la lame qu'elle avait lancée. Aussitôt, il bondit à l'écart, dégaina le sabre qu'il tenait du fils Sewell et essaya de se mettre en posture défensive. Vainement, il tenta de repérer l'Indienne dans l'ombre.

Elle fondit sur lui par-derrière et lui planta le pommeau d'un couteau entre les omoplates, l'autre dans le bas du dos, avant de claquer du plat de ses lames les flancs et la partie vulnérable entre les côtes, puis de lui piquer vivement la nuque.

— Neuf fois mort. Pathétique…

— Je n'apprendrai jamais comme ça, souffla Faustin. Laisse-moi une chance…

— Je t'en ai laissé deux douzaines depuis tout à l'heure…

— Mais…

— *La ferme !*

Impitoyablement, elle se jeta sur lui sans lui laisser aucun répit. Par une série de moulinets et de pointes, Shaor'i le harcela tant et tant que Faustin dut lui tourner le dos et fuir de plusieurs enjambées.

Aussitôt, ce fut le silence complet de la nuit. À l'affût du moindre son, sabre au clair, il fit lentement un tour sur lui-même, en espérant repérer un mouvement.

Shaor'i surgit de l'ombre en lui posant un couteau sur gorge et plantant le manche de l'autre entre ses côtes. Elle chuchota à son oreille :

— Ce ne sont que des plumes…

Vivement, elle retira ses lames et lui jeta un coup de pied au ventre qui le força à s'accroupir. Sans se laisser émouvoir, l'Indienne lui gifla la joue avant d'ajouter :

— Des plumes… chaque attaque est une plume flottant devant toi. D'un souffle léger mais ferme, la plume est déviée… et non *évitée*.

Étourdi et souffrant des coups récents, Faustin se remit debout avec difficulté.

— Ça suffit, Shaor'i… je n'ai pas ce qu'il faut pour…

— Trop tard.

Du revers de la main, elle le frappa de nouveau au visage. Faustin renifla, certain qu'il saignait du nez. Une troisième gifle l'atteignit à la tempe, lui faisant presque perdre l'équilibre. Il entendit la quatrième arriver et eut le réflexe de reculer la tête. Shaor'i pesta.

— On *dévie* une plume, on ne l'évite pas…

Ses yeux s'étant légèrement accoutumés à l'obscurité, il parvint tout juste à repérer le coup de poing que l'Indienne venait de lui décocher. Vivement, il s'écarta et entendit son adversaire grogner d'irritation.

J'ai pourtant évité le coup… songea Faustin avant de réaliser : *Mais je ne l'ai pas fait dévier…*

Un nouveau coup de poing siffla dans sa direction. Prestement, Faustin leva son sabre… et entendit le tintement métallique du couteau de l'Indienne contre son arme.

— Il était temps, laissa tomber Shaor'i avec mépris.

Faustin ouvrit la bouche pour parler… et un coup de genou l'atteignit au ventre. Toussant et cherchant son air, il entendit l'Indienne ajouter :

— Reste maintenant à recommencer. Aussi souvent qu'il le faudra pour que cela devienne aussi instinctif que respirer.

Hochant la tête, Faustin avala l'air par grandes bouffées et se redressa. Pour être presque aussitôt rejeté au sol, de nouveaux coups ne tardant pas à pleuvoir.

— Défends ta vie ! insista Shaor'i, qui semblait mal contenir sa colère.

— Mais… ce n'est pas… pour vrai…

— Ça peut le devenir, si tu persistes…

Une estocade particulièrement violente frappa Faustin au bras, une douleur cuisante lui remontant jusqu'à l'épaule. *Elle se servait du tranchant de la lame!* Faustin tenta de localiser l'Indienne qui tourbillonnait autour de lui, l'air de danser... et au moment où il leva le sabre, sûr de l'avoir repérée à l'ouïe, il reçut un dur coup de coude dans le dos qui lui fit à nouveau perdre l'équilibre...

Rageur, Faustin se releva. *Maudite garce... tu vois dans l'obscurité avec tes sales yeux de harfang...* Saisi d'une idée subite, il cessa de bouger. *Attends un peu, la Sauvagesse...*

Un sourire aux lèvres, Faustin étrécit ses yeux à deux minces fentes. Dans le voile grisâtre de l'outrevision, la silhouette de Shaor'i se détacha distinctement comme un éclat d'azur.

Désormais, je te vois aussi. Feignant de chercher, Faustin alla dans une direction opposée, se servant de sa vision périphérique pour repérer l'approche de l'Indienne... qui s'arrêta à trois pieds de lui.

— Pas une mauvaise idée, l'outrevision... d'autant que ceux qui risquent de s'en prendre à toi seront soit des sorciers, soit des créatures existant grâce aux arcanes, telles que les wendigos ou les loups-garous... tous auront une aura, ce qui devrait t'aider à garder ton attention sur l'essentiel...

À la fois stupéfait et fâché d'avoir été aussi facilement percé à jour, Faustin bafouilla :

— Comment tu...

— Tu me l'as dit toi-même : ce changement dans ton attitude, le frottement de tes pieds, la modification de ta démarche, mieux orientée... le soupir de soulagement, tes épaules qui ont raidi à mon approche, signe que tu me voyais arriver... qu'importe. Tu y as pensé toi-même, c'est l'essentiel. Assis, maintenant.

— Quoi ?

— Serais-tu sourd en plus d'être aveugle ?

Trop fourbu pour questionner davantage, Faustin obtempéra.

— Pas ainsi, s'impatienta Shaor'i. Les jambes à plat sur le sol et repliées, les genoux écartés.

— En tailleur ?

— Appelle ça comme tu voudras, mais fais-le.

Sitôt qu'il eut pris la posture exigée, l'Indienne s'adossa derrière lui. À travers la moiteur de leurs vêtements trempés par l'effort, il pouvait sentir la fine musculature dorsale de la jeune guerrière. Il ne parvint pas à réprimer un frisson, perçut aussitôt le raidissement des épaules de Shaor'i derrière lui et entendit clairement son grognement agacé.

Dos à dos, ils restèrent ainsi, silencieux pendant plusieurs minutes, jusqu'à ce que Shaor'i commence à émettre une sorte de vrombissement semblable à un *mmmm…*

— À toi, ordonna-t-elle, la voix glaciale.

— Qu'est-ce que…

— C'est une autre forme d'apprentissage. Cesse de penser.

Inspirant profondément, Faustin tenta d'imiter le bourdonnement produit par l'Indienne. Alors que le son s'éteignait, Shaor'i prit la relève. Ils se relayèrent ainsi jusqu'à ce que, lentement, une douce torpeur s'empare de l'esprit de Faustin.

◆

Le premier assaut avait été un coup de pied au sternum. Faustin le revoyait sans peine. Pourtant, dans l'obscurité, il n'avait rien vu. Mais, son imagination s'alliant à sa mémoire, il parvenait à une parfaite visualisation des instants précédents. Comme si la scène s'était déroulée en plein jour, il revoyait, figée dans le temps, la jambe fuselée de Shaor'i, une seconde avant que son pied ne percute son torse. Le mépris que révélait ce premier assaut était terriblement humiliant. Eût-il eu son sabre dégainé qu'une simple flexion de poignet lui aurait permis de trancher d'un coup l'artère fémorale. Toutefois, s'il avait manié un couteau, c'est le tendon d'Achille qui aurait été le plus facile à atteindre.

Et s'il avait brandi son sabre vers l'artère de la jambe ? Shaor'i aurait esquivé sans problème. Comment ?

À sa visualisation se surimprima le souvenir du combat de l'Indienne contre le marin Giuliano dans les ruelles de Québec, deux mois auparavant. Pour protéger sa cheville d'un vicieux coup de couteau, Shaor'i s'était jetée vers l'arrière, se pliant comme un pont, puis avait fait un saut périlleux en lançant l'une de ses lames. Pourquoi ?

Pour se donner quelques secondes et reprendre une bonne posture, évidemment. Et la lame lancée s'était fichée dans un mur de bois – idéal pour la récupérer sans s'accroupir.

Donc, s'il avait eu le sabre au clair au moment où l'Indienne l'avait frappé au sternum, elle aurait usé de ce mouvement. Un quart de tour vers la gauche aurait protégé Faustin du couteau lancé – ou vers la droite ? Quel couteau aurait-elle lancé ? Shaor'i semblait ambidextre au combat, mais dans la vie quotidienne…

…d'autres souvenirs se surimplantèrent : Shaor'i tenant sa gourde, Shaor'i ramassant un bout de bois sur le sol, Shaor'i grignotant un hard tack…

…gauchère ! D'ailleurs son bras gauche était légèrement, très légèrement plus musclé. Une évidence,

maintenant que Faustin y repensait. Pourquoi ne l'avait-il pas remarqué avant ?

Donc, en supposant que Faustin eût dégainé son sabre au bon moment, qu'il eût tenté d'atteindre l'artère fémorale, que Shaor'i se fût pliée vers l'arrière et eût lancé l'une de ses lames… c'eût été laquelle ?

Celle de la main droite, bien sûr. Elle devait garder sa bonne main armée jusqu'à ce qu'elle…

… Non. Elle aurait projeté la lame de gauche, pour augmenter ses chances d'atteindre sa cible et, se relevant, elle aurait fait passer l'autre couteau de droite à gauche.

Donc comment aurait-il esquivé ? En tournant d'un quart de tour vers la droite et en laissant passer la lame à côté de lui. Mais ainsi, dans cette posture, son sabre se serait retrouvé vers l'arrière et il aurait exposé son flanc vulnérable… astucieux…

… la meilleure riposte aurait alors été d'attaquer d'estoc, la lame parallèle à son abdomen, la pointe prête à parer une attaque vers son côté désarmé…

… et ainsi…

Tout un combat imaginaire se déroula dans l'esprit de Faustin. Puis un second, en explorant une possible alternative dans les mouvements. Puis un troisième, un cinquième, un dixième, jusqu'à ce que Faustin en perde le compte, jusqu'à ce qu'il eût l'impression d'avoir visualisé, décodé, analysé toutes les variantes possibles de ce qu'aurait pu être le combat s'il avait dégainé son sabre au premier assaut.

Puis il recommença en supposant que ce n'était qu'au second assaut qu'il avait dégainé. Et ainsi de suite, pendant un infini moment, pendant une parcelle d'éternité, alors qu'en son esprit s'accumulait l'expérience de centaines de combats simulés.

◆

— Éveille-toi, Faustin.

Une voix qui aurait dû être dure mais qui était cette fois d'une grande douceur. Shaor'i.

Faustin pouvait encore la sentir derrière lui, son dos appuyé contre le sien. Émergeant de l'espèce de léthargie dans laquelle il était tombé, il cligna plusieurs fois des yeux. Il faisait beaucoup plus clair et l'aube achevait de céder la place au petit jour. Tout en essayant de chasser son apathie, il tenta de se remémorer ce qui venait de se dérouler dans son esprit. Il lui fut impossible de se rappeler les détails mais, comme lorsqu'on parvient à se ressaisir d'un songe après l'éveil, il put se souvenir de l'essentiel de sa transe.

— J'ai… j'ai l'impression… d'avoir rêvé d'une centaine de combats. Tous semblables et tous différents.

— Tu en as sûrement visualisé bien davantage, chuchota l'Indienne en se relevant, souriante.

Sans quitter sa posture, Faustin demanda :

— Qu'est-ce que c'était, Shaor'i ? Ce bourdonnement… ça me rappelle les mélopées d'Otjiera quand il m'a fait passer à l'état de feu follet…

— C'est la même chose. De longs chants, des mélopées, des bourdonnements, jusqu'au point de générer les vibrations désirées et d'activer un effet arcanique. Les formules des Blancs ne sont que des raccourcis, calculés à l'aide de vos sciences pour obtenir les mêmes vibrations en moins de temps. Du moins, c'est ce qu'Otjiera m'a expliqué.

— Mais ce sortilège… qu'était-ce ?

— Une façon de te guider. De t'accompagner. Que ton esprit accomplisse en quelques heures ce qu'il aurait normalement fait en plusieurs mois.

— Tu veux dire… que tu es entrée dans mon esprit, malgré la barrière de François ?

Le visage de Shaor'i se ferma et ses traits se durcirent.

— Non. Je veux dire que nous sommes entrés en communion et que nous nous sommes rencontrés… pour que mon expérience puisse te guider. Mais je suppose que cela se situe hors de ta compréhension. *Mo gisi nsetenos.*

Lui tournant le dos, l'Indienne adopta sa forme de harfang et s'envola à tire-d'aile, laissant Faustin dans un profond état de perplexité. Un éclat métallique attira son regard – son sabre, resté sur le sol.

D'un geste précis, il ramassa l'arme et la repassa agilement dans sa ceinture, sans même avoir à regarder.

CHAPITRE 18

Édouard Tassé

Des bruits à la cuisine éveillèrent Faustin, qui s'étira en grimaçant, fourbu de l'entraînement de la nuit avec Shaor'i.

Il était rentré à l'aube naissante, peu après que l'Indienne l'eut quitté en s'envolant pour rejoindre les combles, là où on lui avait installé un lit. Veillant d'abord à rester silencieux, il avait ouvert la porte avec délicatesse et retiré ses bottes pour marcher à pas de loup. Quand il s'était rendu compte que la faible plainte qu'il entendait était les sanglots étouffés du couple Leclerc resté près du cercueil, il était allé s'agenouiller à leurs côtés, avait récité un chapelet avec eux puis s'était levé en tapotant maladroitement l'épaule d'Antoine.

À présent que la lumière du soleil traversait les minces rideaux, Faustin remarqua que Baptiste n'était pas sur sa couche, de toute évidence éveillé depuis longtemps. Sortant du grand lit qu'il avait partagé avec François, Faustin posa un regard sur le visage prématurément vieilli de son frère adoptif. S'habituerait-il un jour à ces rides, à ces cheveux blonds à présent mêlés d'argent ? Faustin maudit l'injustice. Lui-même ne vieillirait que fort lentement – il dépasserait sans aucun doute les deux cents ans, si ce que lui avait dit l'Étranger sur l'île d'Orléans était vrai.

Dans son sommeil, les traits du vicaire se durcirent et François se mit à marmonner, puis il s'éveilla en se redressant, tourna vivement la tête, jeta des regards perdus en se demandant de toute évidence où il se trouvait.

— Du calme, François… murmura Faustin en souriant. On est aux Vieilles Forges, tu te rappelles ? Chez les Leclerc…

— Mon bâton…

Rejetant violemment les draps, François inspecta frénétiquement le lit, l'air paniqué.

— Mon bâton ? répéta-t-il sèchement.

— Appuyé sur le bord de la porte. Il était tombé du lit quand je suis rentré, cette nuit. Figure-toi que Shaor'i a commencé à m'enseigner à me défendre…

François ne prêta pas la moindre attention aux propos de Faustin et se précipita vers l'espèce de crosse qu'il avait rapportée de sous l'église de Saint-Laurent.

— Y as-tu touché ? s'enquit autoritairement François.

— Forcément, s'amusa Faustin. Comment veux-tu qu'il se soit rendu là autrement ?

— N'y touche jamais ! cria le vicaire.

Tout sourire quitta le visage de Faustin. À la cuisine, les bruits avaient cessé brièvement, mais reprirent aussitôt quand on eut reconnu la voix de François. Heureusement, on ne poserait pas de question à un prêtre sur le ton avec lequel il s'adressait à son bedeau.

— Allons manger, dit François avec un geste autoritaire signifiant qu'il n'y avait rien à ajouter.

Ravalant ses commentaires, Faustin obtempéra.

◆

On fit, ce matin-là, un déjeuner faste avec les victuailles restées de la veillée au corps. Le regard vide, l'air absente, Justine Leclerc coupait en fines tranches le porc salé qu'elle frit avec quelques pommes de terre. Elle les servit à ses invités avec des miches de pain et de la graisse de lard figée pour les tartiner.

Dans un coup de vent, Shaor'i descendit des combles et passa entre eux. Fronçant le nez avec dédain, elle s'empressa de sortir sans même dire bonjour.

— Elle n'aime pas l'odeur de la viande de porc, expliqua Faustin en se gardant de préciser que ladite odeur rappelait à l'Indienne celle de la chair humaine.

Antoine Leclerc haussa les épaules, le visage inexpressif, en jetant de temps à autre un regard au cercueil qui reposait encore dans la pièce. Il avait offert à François le meilleur siège avant de ramasser distraitement une tranche de pain qu'il avait grignotée sans beurre ni graisse. Sans se soucier des miettes qui étaient tombées sur le plancher, il alla se planter à deux pas de la dépouille de son fils.

— Tu devrais manger un peu plus, mon homme, l'incita son épouse en s'approchant de lui pour poser la main sur son bras.

Pour toute réponse, Leclerc soupira avec bruit.

— M'sieur Stuart a été bin bon de te donner ta journée d'hier, reprit sa femme, mais là faut qu'tu manges si tu veux tenir aujourd'hui…

Toujours silencieux, Leclerc revint à table où, s'assoyant, il porta à sa bouche le contenu de son assiette sans paraître y trouver la moindre saveur.

Faustin déglutit avec difficulté. Lui aussi avait ressenti le même vide, la même souffrance sans larmes,

lorsque son oncle avait trépassé le soir du Mardi gras.
Il se remémora la brûlure dans la gorge et le sentiment
de porter du plomb dans le ventre.

Avec douceur, la porte s'ouvrit et Baptiste pénétra
dans la maison. Silencieusement, il s'installa à table et
remplit méthodiquement son assiette, hochant la tête
quand la mère Leclerc lui proposa une autre portion
d'un geste discret. Quand il eut avalé jusqu'aux dernières miettes de son repas, il se tourna vers Antoine
et lui déclara :

— J'ai fini de fendre le bois. Euh… j'ai croisé la
P'tite. Elle m'a dit qu'elle avait vu des gars tenir un
affût aux abords d'la forêt.

Leclerc sortit de son apathie en s'étonnant quelque
peu.

— Elle a fait vite, pour se rendre jusque-là et revenir… me semble qu'elle est sortie v'là quek' minutes…

— Elle 'a p'tête remarqué hier, toussa Baptiste pour
masquer son malaise.

Faustin songea que Shaor'i devait avoir survolé la
zone, peut-être à la recherche du chat noir de la veille.

Leclerc répondit au bûcheron :

— C'est Éloi Terrault pis ses gars. Y surveillent
l'beuglard, pour le peu que ça change. Depuis six
semaines qu'ils tiennent l'affût pis y z'ont rien vu.

L'homme resta silencieux avant d'ajouter, amer :

— Au moins, y font quelque chose, eux autres.

— J'aimerais les rencontrer, intervint François en
sirotant le thé que la mère Leclerc venait de lui verser.

— Suffira de m'accompagner aux Forges, mon
père. Les gars s'ront ravis de vous voir.

— Et le nommé Tassé, également.

— Édouard ? Y s'ra là, pour sûr… mais, sauf vot'
respect, j'suis pas certain qui va vouloir jaser…

— Je saurai le convaincre, Antoine.

Nonchalant, Leclerc haussa les épaules et se rendit compte que son thé refroidissait. Il le vida d'une traite et se leva.

— Dans ce cas, mon père, si vous voulez bin m'suivre, on va aller à la Haute…

◆

La première chose qui revint à la mémoire de Faustin, au moment où ils entrèrent dans la haute-forge, fut ce sermon que son oncle avait donné contre les dangers de la damnation éternelle. Alors âgé de treize ans, Faustin avait été terrifié par les évocations de flammes rugissantes, de bruits de chaînes, de démons martelant les damnés et de chaleur suffocante.

Si un endroit sur terre pouvait ressembler aux Enfers mythiques, c'était forcément là où ils se trouvaient. Dans le bruit des masses frappant la fonte et des chaînes faisant glisser les cuves, le métal en fusion coulait comme les légendaires ruisseaux de lave infernaux. Dans un bâtiment d'épaisse maçonnerie où les rares carreaux étaient maculés de suie, la seule lueur était celle des étincelles rougeoyantes qu'il fallait éviter de fixer.

Forcés de travailler malgré l'inquiétude qu'on lisait sur leurs traits noircis, tous ces ouvriers trimaient machinalement, les yeux éteints, pareils à des corps sans âme. Ils coulaient la fonte, manipulaient les outils, déplaçaient le matériel comme s'ils avaient été autant de pièces d'un engrenage humain. Sous le bruit assourdissant des poulies grinçantes, pas un homme ne pipait mot, l'air de craindre qu'une terrible nouvelle ne les attende à leur domicile une fois leur quart de travail passé. Mal à l'aise, Faustin marchait en suivant Baptiste et François.

— Ce sont eux, père Gauthier, indiqua Leclerc en désignant une équipe de travail.

Trois hommes étaient occupés à jeter de grandes pelletées de charbon dans un immense fourneau. L'un d'eux posa sa pelle, retira sa casquette et inclina poliment la tête.

— J'm'appelle Éloi Terrault, mon père. C'est grand honneur d'avoir un prêtre aux Forges.

— Heureux de vous connaître, monsieur Terrault. Monsieur Leclerc m'a vanté votre vigie.

— Sauf vot'respect, not'surveillance a point empêché les filles de partir, ni l'beuglard de tuer des hommes.

— Dieu seul sait, rétorqua François. Peut-être votre présence a-t-elle découragé quelques assauts supplémentaires.

Terrault haussa les épaules, l'air de n'y croire qu'à demi. Il dit pourtant :

— Si vous pouviez nous bénir, moé pis mes gars, p'tête qu'on aurait plus de chances d'éloigner le Malin.

Discrètement, Faustin donna un coup de coude dans le flanc de son ami. Un peu sèchement, François invita les trois charbonniers à se mettre à genoux, fit un grand signe de croix et cita :

— *Veillez*, est-il écrit dans l'Épître de saint Pierre, *car votre partie adverse le Diable rôde comme un lion rugissant cherchant à vous dévorer. Résistez-lui, fermes dans la foi, sachant que c'est le même genre de souffrance que la communauté des frères supporte, répandue…*

Une cacophonie interrompit soudainement les pieuses paroles :

Bon ouvrier, voici l'aurore
Qui te rappelle à tes travaux ;
Ce matin, travaillons encore,
Le soir sera pour le repos !

Outré du manque de respect, Faustin se retourna et vit, non loin des soufflets, six hommes trinquant allègrement. Ceux-ci remarquèrent aussitôt qu'ils avaient interrompu une prière, mais loin de s'en soucier, le plus grand d'entre eux reprit avec du défi dans la voix :

Tout seul on s'ennuie à l'ouvrage,
Pour l'abréger on le partage,
À ton aide chacun viendra !

— C'est Édouard Tassé, déclara l'un des ouvriers comme si cela suffisait en guise d'explication.

— Un bon *foreman*, le meilleur, j'dirais, ajouta Éloi Terrault. Mais plus porté sur le cruchon que sur la prière.

— À croire qu'il pourrait boire du métal en fusion, tant il trinque, compléta un dernier homme.

Faustin détailla ledit Tassé. C'était un homme gigantesque, peut-être aussi grand que Baptiste et sûrement beaucoup plus lourd, considérant l'énorme ventre qu'on pouvait deviner malgré son tablier de cuir. Essuyant la suie qui maculait ses énormes moustaches poivre et sel, Tassé inspira profondément pour entonner la fin de sa chanson :

Les compères sont toujours là !
Force, bravoure et courage,
On en viendra toujours à bout, maudite Viarge !

Les ouvriers laissèrent leur besogne pour se signer, outrés que leur *foreman* eût osé blasphémer en présence d'un homme d'Église. Nullement impressionné, le colosse Tassé croisa ostentatoirement les bras, en levant un sourcil frondeur.

François se tourna lentement, un étrange sourire aux lèvres.

— Tassé, dites-vous ? Alors c'est l'homme que je suis venu voir…

Édouard Tassé cria de l'autre côté de l'atelier :

— J'ai point commerce avec des hommes en robe noire, c'est moi qui te l'dis !

En quelques enjambées, alors que tous s'écartaient sur son passage, l'homme fort des Forges vint se planter devant le vicaire. Il dépassait de plus d'une tête les six pieds de François.

— Tu veux m'confesser, l'père ? Juste pour l'péché d'luxure, t'en as jusqu'à demain soir !

Faustin manqua de s'étrangler d'indignation. L'homme *tutoyait* un prêtre ! Même François, qui manifestement avait escompté se servir de son autorité ecclésiastique, sembla brièvement déstabilisé. Il parvint quand même à exiger d'un ton sévère :

— Parlez-nous donc de Kate Bell, monsieur Tassé…

Kate Bell ! La première disparue des Forges ! Avide d'en savoir plus, Faustin fixa le contremaître qui, sourire narquois aux lèvres, répondit sans ambages :

— Un homme d'Église qui vient me d'mander mon savoir ! Pis tu penses que j'vas te dire ça d'même…

— Vous connaissiez mademoiselle Bell, oui ou non ?

— Si j'la connais… pour sûr ! Mais va pas penser que j'vas parler gratis… y doit t'rester queuques piasses que les Leclerc t'ont données pour tes simagrées au-dessus du cercueil de leur gars…

— On ne rémunère pas un envoyé du Seigneur pour donner la bonne parole, monsieur Tassé…

En son for intérieur, Faustin admira l'assurance de son ami. Édouard Tassé était terriblement impressionnant. Jugeant que la situation risquait de dégénérer, Baptiste avança de deux pas pour se rapprocher du vicaire. Amusé, Tassé se tourna vers le bûcheron et dit :

— Ou bin on règle ça entre hommes forts. T'as l'air d'un bon *bully*, toé, t'as toute du bûcheron… Un p'tit bras d'fer, toé contre moé, t'en penses quoi ?

— Des jeux d'gamins, rétorqua Baptiste avec mépris.

— Ah ouin ? releva Tassé en plantant son regard dans celui du bûcheron. Ça s'rait pas qu't'es certain de perdre ?

— J'ai rien à prouver à personne.

Tassé fit encore un pas, son visage à six pouces de celui de Baptiste.

— Crédieu, j'te comprends… personne a jamais réussi à m'avoir…

— Tant mieux pour toé, coupa le bûcheron avec désinvolture.

— Même le Diable, y m'a pas eu. Parce que j'me suis déjà pogné contre l'Diable en personne, tu sauras…

— Tiens donc… à Pointe-Lévy, y a un nommé Jos Violon qui prétend la même affaire…

Malgré la précarité de la situation, Faustin ne put s'empêcher d'émettre un gloussement. Jos Violon, le conteur de Pointe-Lévy, le plus fieffé histoireux des deux rives…

Hélas, Édouard Tassé entendit le rire.

— Pis toé, l'chicot ? gronda-t-il en se tournant devant Faustin. À marcher dans les jupes du curé, tu dois être son engagé ?

— Son… son bedeau, précisa Faustin d'une voix blanche, jetant la tête vers l'arrière pour regarder le contremaître en face, qui se tenait maintenant devant lui.

— Pis ça bûche-tu fort, un garçon d'ferme, avec du fumier su ses bottes au lieu d'la cendre ? Ça bûche-tu assez pour un bras d'fer, ou ça s'prend pour un seigneur comme Sa Majesté l'coupeur d'arbres ?

D'une simple bousculade, Tassé envoya Faustin percuter le mur, trois pieds derrière lui. Faustin tenta un pas pour s'écarter quand le contremaître le prit de vitesse et le poussa à nouveau contre la paroi.

— Trop chieux pour se conduire comme un homme, hein ? ricana Tassé en avançant les doigts pour l'empoigner par la chemise.

Son geste fut aussitôt stoppé par la main de Baptiste, qui se referma sur son poignet.

— Ça va faire, Tassé… dit posément Baptiste.

Très suffisant, Tassé tenta de se dégager. Son sourire disparut quand il se vit incapable de s'extraire de la poigne du bûcheron. Inspirant bruyamment, Tassé grogna en tirant d'un grand coup, sans davantage parvenir à retirer la main que Baptiste retenait sans bander le moindre muscle.

Tout air de défi quitta alors le visage du contremaître et une vague expression de panique se peignit sur ses traits. Baptiste lui fit un clin d'œil avant d'ajouter :

— C'est pas grande politesse de refuser de parler au curé…

Avec un sourire, il lâcha le poignet de Tassé. Réalisant ce qui venait de se produire, ce dernier s'empressa de vociférer autour de lui :

— Qu'est-cé qu'vous avez à niaiser d'même, vous autres ? Y'a-tu *encore* un orignal dans l'fourneau ou les Forges sont-tu supposées être en arrêt ? Vous voulez que j'rapporte votre fainéantise à m'sieur Stuart ?

Dans un brouhaha de paroles étouffées, de bruits d'outils et de sons de chaînes, les ouvriers, qui avaient cessé toute activité pour se rapprocher de l'altercation, reprirent leur travail avec célérité.

Et Baptiste ajouta, avec un geste large de la main pour montrer qu'il balayait l'incident de sa mémoire :

— On va jaser dehors, Tassé ?'

Le contremaître se contenta de hocher la tête en marmonnant :

— On va aller au vieil entrepôt.

◆

Au sein du grand bâtiment de bois rond s'amoncelaient outils et pièces de fonte, mais surtout une grande quantité de caisses de bois empilées les unes sur les autres. Tassé marcha vers le mur du fond, où elles formaient une véritable paroi, et tira vers lui une boîte carrée de cinq pieds de côté. À la grande surprise de tous, il s'accroupit pour passer par l'ouverture et disparut derrière les caisses.

S'empressant de le suivre, les compagnons constatèrent qu'un espace de dix pieds de large avait délibérément été préservé entre le mur du fond et les caisses. On avait aménagé l'endroit en posant un demi-tonneau en guise de table et en accrochant un fanal à un gros clou carré. Un jeu de cartes traînait sur le sol, de même que plusieurs cruchons de terre cuite et une boîte à tabac.

Sur le mur, on avait épinglé une page du journal *Le Canadien* et on avait encerclé, au bas d'une colonne, un entrefilet d'un bout de charbon. « Grand Combat », annonçait le journal. Faustin s'en approcha pour mieux lire et la voix grave de Tassé énonça :

— *On nous annonce qu'un prétendant des Trois-Rivières défiera le 8 mai prochain sur la grand-place*

de Québec le champion des hommes forts Joseph
Montferrand, dit « Jos », dans une lutte homérique
selon les règles de ce sport et sous la surveillance du
shérif. Le défiant, répondant au nom d'Édouard Tassé,
est réputé être d'une force herculéenne. Les specta-
teurs sont attendus en grand nombre et l'organisateur
prie ces dames de bien vouloir s'abstenir en raison
de la sensibilité bien connue du sexe faible.

Puis, avec un sourire, il ajouta :

— J'ai d'mandé à c'qu'on me l'lise jusqu'à temps
que j'le sache par cœur.

— Vous vous êtes vraiment opposé à Montferrand ?
souffla Faustin, impressionné.

— J'tais supposé. On m'avait juré trente piastres
si j'gagnais. Mais la veille au soir, j'avais bu plus que
d'raison, pis au matin, j'tais trop à terre pour me rendre
au *fight*.

François fit un « tsk » agacé et alla s'asseoir sur
le seul tabouret des lieux.

— Tirez-vous une bûche, c'est l'cas d'le dire, lança
Tassé en désignant quelques bouts de rondins réservés
à cet effet.

Faustin et Baptiste obtempérèrent et le vicaire décida de presser l'ouvrier.

— Et alors ? Vous nous parlez de Kate Bell ?

Tassé but une longue rasade au goulot d'un cruchon.
Après un rot sonore, il retira sa casquette d'ouvrier,
passa une main dans ses cheveux rares et raconta :

— Catherine, son vrai nom, Catherine Poulin par
rapport qu'elle portait le nom de sa mère. Mais c'était
comme qui dirait la fille illégitime de m'sieur Bell pis
lui il l'appelait Kate. Pis nous autres, dans nos chaumières, on l'appelait Kate Bell.

— Ce monsieur Bell était ?

— L'ancien régent des Forges. Celui qu'était là depuis cinquante ans, avant l'arrivée de m'sieur Stuart.

François hocha la tête, invitant Tassé à poursuivre.

— C'était en 45. Les Forges allaient pus trop ben. Les affaires baissaient pas mal. J'pense qu'on produisait à perte. Y en a beaucoup qui pensaient que les Forges allaient fermer. Pas moé. J'y croyais pas. Parce que Kate, la servante de m'sieur Bell…

— Vous avez prétendu qu'il s'agissait de sa fille, interrompit François.

— Sa fille, pour sûr. Pensez donc qui s'en vantait pas. Mais il l'avait engagée comme servante à Grand'Maison, ça lui donnait une bonne position. C'est de même que l'Diable l'a vue pour la première fois…

— Le Diable ? releva Faustin.

— Ça pouvait pas être quelqu'un d'autre. Un grand seigneur vêtu en noir, au beau parler, qui jetait comme qui dirait une manière d'ensorcellement autour de lui.

L'Étranger, bien entendu, pensa Faustin. Il demanda alors :

— Cet homme, depuis combien de temps rôdait-il aux Forges ?

— C'tait la première fois que j'le voyais. Mais si tu l'arrais vu, tu m'comprendrais. C'tait comme si c'était un prince… on se sentait comme écrasé devant lui. Moé, j'étais à Grand'Maison, c'te jour-là. M'sieur Bell avait affaire à moé par rapport à la production qui baissait. Quand c't'étranger-là – l'Diable, j'vous l'jure ! – est arrivé, y'était accompagné d'un grand rouquin, laid comme deux péchés mortels collés ensemble, pis d'une Sauvagesse. Ces trois-là pis m'sieur Bell se sont renfermés dans l'grand bureau pis moé, j'pensais qu'était question de céder les Forges, faque j'ai écouté à travers la porte.

— Et quels propos tinrent-ils ? demanda François, fort intéressé.

— De payer une partie des dettes de m'sieur Bell en échange de Kate. L'Diable en noir la voulait comme servante à lui, parce qu'à descendait des Poulin…

— Qu'est-ce à dire ?

Presque gêné, Tassé fit un maladroit signe de croix avant de poursuivre.

— Les Poulin… j'veux dire, la lignée d'la Poulin, la Voyante des Trois-Rivières. Celle qui possédait les terres d'alentour avant des vendre au Diable. Autour des années 10, à c'que j'ai entendu conter, la Poulin pis m'sieur Bell ont eu des problèmes, pis comme la Poulin approchait les cent ans, elle a vendu ses terres au Diable plutôt que d'voir m'sieur Bell les ramasser à sa mort. La Poulin avait une nièce, qui a eu des filles. Kate en descendait pis ça intéressait franchement l'Diable…

Faustin resta songeur, son esprit possédant des clés dont ne disposait pas Tassé pour interpréter l'histoire. L'Étranger, de toute évidence accompagné de Gamache et de Nadjaw, avait demandé de prendre à son service Catherine Poulin, alias Kate Bell, descendante d'une certaine Voyante des Trois-Rivières… Faustin frissonna et, jetant un regard à ses compagnons, il vit que tous en étaient venus aux mêmes conclusions. Kate Bell avait servi de réceptacle à son ancêtre, tout comme Rose Latulipe l'avait été pour la Corriveau, deux mois auparavant…

— J'saurai jamais pour quoi faire qu'la p'tite Kate intéressait l'Diable. Mais j'peux vous garantir, sur mon honneur de *foreman*, que c'est d'même que ça s'est passé, pis que j'touche pus jamais une bouteille si j'mens.

— Et pour ce qui est du beuglard, qu'en pensez-vous ?

— C'te bête-là, c'est l'chien d'garde du Diable. La sorcière Poulin, vous savez, quand elle a vendu les Forges au Diable, bin lui, y nous a laissé son beuglard pour guetter son avoir. S'y commence à prendre des femmes, bin c'est pour faire comme avec la p'tite Kate. Quant aux imbéciles qui courent l'beuglard, y z'ont c'qui mérite. On défie pas l'Diable sans châtiment…

Tassé vida une autre lampée de son alcool à même le goulot et s'essuya de la manche. François ajouta :

— Une dernière chose, monsieur Tassé. Y a-t-il déjà eu une chapelle au village ?

Tassé jeta un regard étonné au vicaire, puis éclata d'un grand rire gras.

— T'es dedans, l'père !

Le rire de l'ouvrier devint encore plus tonitruant face à la mine contrariée de François. Baptiste croisa les bras en signe d'impatience et Tassé s'empressa d'ajouter :

— Sérieusement, l'père ! C't'entrepôt, c'tait une chapelle, avant. Comme on a pas d'curé pis que, de toute façon, l'gros du monde icitte est point pratiquant, la chapelle a été revirée en entrepôt par les bourgeois.

— Et rien d'autre ? Même il y a longtemps ?

Le rire de Tassé se mua en toux et l'homme se racla la gorge avant de cracher une épaisse boule de mucus sur le plancher. Se rinçant le gosier avec le contenu d'une flasque qu'il gardait sous sa chemise, il reprit :

— Y avait une autre chapelle, dans l'temps de la vieille Poulin, proche de son manoir. C'était une cha-pelle familiale, mais de temps en temps y avait des jeunettes qu'étaient invitées le temps d'un service.

— Et elle a été abandonnée ?

— Nah. À l'a été enterrée.

Tassé éclata à nouveau de rire et François acheva de perdre patience :

— Écoutez, Tassé. J'en ai plein le dos de...

— Enterrée, qu'à l'est. À cause qu'était au pied d'une colline argileuse ousque des grands érables de dix pieds de large poussaient. Y avait de l'argent à faire avec ça. Mais quand m'sieur Bell a voulu les couper, la Siffleuse a pas voulu.

Faustin fut si surpris qu'il en oublia de respirer un instant.

— Vous avez dit *la Siffleuse* ?

— Certain. C'est comme ça que les vieux surnommaient c'te mécréante de sorcière Poulin. Toujours à siffler comme un chat effarouché quand à s'fâchait. Pis pour siffler, à n'a sifflé un coup. La chicane a duré des années pis pour finir, quand la Siffleuse est morte de sa belle mort, m'sieur Bell a agi à sa tête...

Ainsi, pensa Faustin, la Siffleuse était la dame Poulin ? Alors, le chat noir des Forges, celui qui lui avait parlé en esprit, ce serait... elle, la Voyante incarnée dans le corps de Kate Bell ? Ça paraissait logique, hélas...

De son côté, François en était resté au but premier de leur discussion.

— Quel est le rapport entre cette dispute de coupage d'arbres et la chapelle ? demanda-t-il.

— Le printemps d'après, quand la neige a fondu, y a eu un glissement de terrain. Pas de racines pour la retenir, la colline de glaise a coulé comme du beurre pis a enterré la p'tite église d'un coup.

Tassé claqua des doigts pour appuyer ses propos.

— J'aimerais voir ces lieux, monsieur Tassé, affirma François, visiblement intrigué.

L'ouvrier lui jeta un air ébahi.

— Jamais dans cent ans. Même pas pour une terre. C'te place-là est hantée, j'vous jure, pis c'est pas un prêtre, ni un *bully*, qui va me traîner là.

Le ton catégorique ne laissant aucune place à l'argumentation, Baptiste intervint :

— Comment qu'on s'y rend, d'abord ? Le chemin est-tu encore franc ?

— Y l'est, de c'que j'en sais. Passé l'village, vous approchez la pinède, pis là y a un genre de chemin pavé qu'les herbes ont pas encore toute mangé… c'est par là. Mais j'vous jure, c't'une place à sorciers, c't'endroit-là. Les ruines du manoir Poulin, c'est hanté.

— Nous en jugerons par nous-mêmes, coupa François.

Il tapa ses cuisses et se leva d'un bond.

— Eh bien, vous êtes censé être à l'ouvrage et nous vous retenons. Bonne journée, monsieur Tassé.

Sans adresser un regard de plus à l'ouvrier, François quitta la cachette, vite suivi de Baptiste et de Faustin qui repensait aux propos de Tassé : cette Siffleuse, et l'Étranger qui avait des vues sur les Forges depuis longtemps… dans un aussi petit village, des ragots devaient forcément circuler. Il proposa soudainement :

— Il doit bien y avoir une taverne ou un magasin général par ici. Je suppose que de nous tous, je serais le plus apte à attirer les confidences des gens du village.

— Tu irais te renseigner au sujet du manoir ? demanda François.

Faustin hocha la tête en guise de réponse.

— Excellente idée. Essaie d'avoir un peu plus d'indications sur la localisation exacte. Je profiterai de ce temps pour étudier.

Sans plus attendre, Faustin se dirigea vers la place centrale.

◆

Le grand magasin des Forges, comme n'importe quel magasin général du Bas-Canada, était le point de rendez-vous des flâneurs et des badauds. Si ce magasin-ci était beaucoup plus vaste et offrait, en plus des provisions ordinaires, tout l'attirail de fonte dont pouvait rêver une femme au foyer, la fonction sociale de la boutique, à savoir servir de haut lieu des commérages, était la même ici que partout ailleurs.

Néanmoins, l'ambiance qui caractérisait généralement ces commerces avait été contaminée par l'inquiétude généralisée. Déjà à cette heure, les ménagères auraient dû se presser au comptoir où s'alignaient les petits demiards de mélasse, les boîtes de thé ou les sacs de sucre du pays. Les époux ou les fils aînés, après avoir jeté sur leur épaule l'une des poches de farine empilées dans un coin, auraient rêveusement contemplé les paquets de tabac importé. Quant à leurs enfants, ils auraient porté leur convoitise sur la plus haute étagère, où étaient gardés dans d'énormes pots de verre les sucres d'orge, les fruits confits, les *bourzagues* et les *paparmanes*.

Or, bien qu'une dizaine d'hommes fussent rassemblés là – tous couverts de suie, indiquant que leur *shift* venait de s'achever –, on n'entendait pas la moindre plaisanterie, la moindre boutade ni le moindre rire. Même le gros chien gris, étendu près du feu, semblait préoccupé. Pensifs, les ouvriers sirotaient un alcool clair que Faustin identifia, lorsqu'on lui passa un verre, comme du whisky blanc largement étendu d'eau.

— Ton nom, demanda le magasinier en ouvrant un grand livre.

— Faustin Lamare.

Fronçant les sourcils, l'homme scruta les pages à deux reprises avant de dire :

— T'es trop nouveau pis t'es pas encore dans le livre. C'est trois quarts. T'es sur l'ardoise de qui ?

— Y'habite chez Ti-Toine Leclerc, lança quelqu'un que Faustin se souvenait d'avoir vu aux funérailles.

Le magasinier trempa sa plume et s'apprêtait à écrire lorsque Faustin intervint :

— Hé ! Mais je vais payer !

Joignant le geste à la parole, il sortit un sou qu'il posa sur le comptoir. Les ouvriers rassemblés hochèrent la tête d'un signe approbateur et le magasinier empocha prestement la pièce en rajoutant une larme d'alcool dans le verre de Faustin pour compenser le quart de cent en surplus.

La clochette de la porte tinta et Éloi Terrault, l'homme de la vigie, entra dans le magasin en retirant sa casquette.

— Une boîte de thé, lança-t-il en passant le seuil.

— Noté, répondit le magasinier sans lever les yeux de son livre.

— Vas-tu veiller c'te nuite itou ? demanda un des ouvriers, impressionné.

— Certain, confirma Terrault. L'père Gauthier, qu'est venu aux Forges hier, m'a béni avec mes gars. Pour sûr qu'on va veiller.

— Parlant de veiller, reprit Faustin en saisissant la perche, le père Gauthier souhaite prononcer quelques prières à l'entrée du chemin menant à l'ancien manoir. On nous dit que le chemin est encore visible, mais pourriez-vous nous l'indiquer un peu mieux ?

Un silence gêné tomba sur l'assemblée et Éloi répondit après un court délai :

— Pour sûr que ça peut pas nuire, une bénédiction dans c'te coin-là. Paraît que c'est hanté. C'est de par là qu'on entend hurler l'beuglard, la plupart du temps.

— C'pas dur à trouver, ajouta un ouvrier. Dépassé l'village, proche de la pinède, vous allez voir les ruines d'une vieille porte de clôture en fer forgé. C'est là. Le chemin est encore clair.

— Enfoncez-vous pas trop loin, j'vous dis, reprit Terrault. C'pas une place ousqu'y fait bon d'aller…

La clochette tinta à nouveau et la conversation mourut aussitôt. Un homme aux cheveux foncés, richement vêtu, entra dans la boutique, son visage affichant une expression de contrariété. Faustin reconnut aussitôt le devin du Stigma Diaboli : Joseph Légaré, qui, selon l'ouvrier Mailloux, avait adopté la forme d'un loup pour enlever la fille illégitime de Rose.

— Avez-vous reçu mes sels de cadmium ? s'enquit Légaré sans ambages.

— Rien, monsieur… répondit l'homme derrière le comptoir, intimidé. C'pas une demande fréquente…

— Je dois peindre, comprenez-moi. Il me faut ces pigments. *Maintenant.*

Légaré frappa le comptoir du poing. Près de l'âtre, le vieux chien se mit à grogner. De son côté, Faustin s'effaça derrière les ouvriers et tourna le dos, en feignant de contempler une marmite de huit pintes.

— J'comprends, monsieur Légaré, reprit le magasinier, fort mal à l'aise. J'ai dû commander à Montréal et avec les troubles qui s'passent…

— Alors, faites venir de *Québec !*

Légaré hurla le dernier mot et le chien se dressa sur ses pattes, montrant les crocs, prêt à bondir. Le peintre le fixa dans les yeux et gronda à son tour – aussitôt le molosse recula dans un coin en couinant.

— Ce s'ra fait, monsieur Légaré. J'passerai la commande aujourd'hui pis elle partira avec la diligence du Chemin du Roy.

Sans ajouter un mot, Légaré lui tourna le dos et sortit en claquant la porte derrière lui. Pendant un moment, personne n'osa briser le silence et on put entendre le bruit d'une pluie naissante frapper les carreaux et le toit.

Ce fut finalement Éloi Terrault qui déclara:

— Ces bonhommes-là qui vivent dans Grand' Maison, c'est pas commode…

— Ça s'prend pour des seigneurs, rapport que ça côtoie m'sieur Stuart, ajouta quelqu'un.

— Monsieur Stuart s'entoure de gens qui vous sont inconnus? demanda Faustin, content de pouvoir regarder autre chose que sa marmite.

— Pour sûr, confirma Terrault. M'sieur l'père Gauthier devrait y faire son tour pour savoir s'qui s'passe, en supposant qu'il aille du temps. Y a un grand roux, chez m'sieur Stuart, qu'on dit marié avec une Sauvagesse… pis c'te Légaré-là, c'est du drôle de monde.

— Le père Gauthier s'y intéressera, j'en suis certain, fit Faustin en hochant la tête. Il doit d'ailleurs m'attendre. Bonsoir, messieurs.

Levant la main pour renvoyer les saluts mimés ou prononcés, le jeune homme quitta la boutique, pressé de rapporter ce qu'il avait appris. La pluie commençait à tomber avec davantage de force et, rabattant sa veste sur sa tête, il se mit à courir en direction de la maison des Leclerc.

Un choc soudain contre ses chevilles le fit trébucher. *Une jambette*, réalisa-t-il en s'affaissant sur le sol. Derrière lui, il sentit une poigne solide le saisir par le collet et le forcer à se relever. Sentant la panique monter en lui, il se retourna.

Shaor'i.

— Reste immobile, ordonna-t-elle.

◆

Longtemps, très longtemps après, Faustin n'avait toujours pas bougé d'un pouce. De cela, il en était certain, dépendait la suite de sa formation.

Depuis combien de temps la pluie tombait-elle ? Depuis combien de temps écoutait-il le son des gouttes s'écrasant dans les flaques d'eau boueuse qui s'étendaient à ses pieds ?

Depuis combien de temps était-il immobile sous l'averse, ses vêtements trempés de part en part, les cheveux dégoulinant sur son visage et mouillant le morceau d'étoffe que l'Indienne avait noué en bandeau autour de ses yeux ?

Une heure ? Deux ? Dix ?

Ç'aurait pu être une année. Ou cent. Ou même l'éternité. Il n'avait pas quitté sa posture et attendait patiemment. Shaor'i lui ferait signe. Il pouvait percevoir sa présence, tout près de lui. Sentir l'odeur du cuir de sa tunique. Deviner son regard sombre qui l'évaluait, à l'affût de la moindre faille dans son attitude.

Et pendant ce temps, alors même qu'il reconstituait mentalement son environnement, Faustin anticipait le combat. Il le vivait d'avance, comme il avait vécu en esprit mille autres combats au cours de la nuit précédente. Il avait tout, absolument tout anticipé. Il avait prévu la moindre éventualité.

Tout, sauf ce que lui dit soudainement l'Indienne :
— Danse avec moi.

Et elle lui retira son bandeau. Malgré le ciel couvert de nuages et le soleil couché depuis peu, il dut cligner des yeux, ébloui par la lumière ambiante. À peine remarqua-t-il la présence de la petite Indienne dans son dos. Ce fut lorsqu'elle y appuya ses épaules qu'il s'en rendit compte.

Derrière lui, elle esquissa un pas. Il ne la vit pas, mais il put, au son, deviner ce qu'elle faisait. Lui qui avait des milliers de fois revu mentalement les postures que Shaor'i adoptait au combat, il sut aussitôt reproduire le même pas, en miroir. Quelque chose en lui le convainquit que sa mentor venait d'esquisser un sourire de satisfaction.

— La Danse *saokata* s'exécute au rythme de ton adversaire. Jamais plus lentement, jamais plus rapidement.

— *Saokata* ? releva Faustin.

L'Indienne resta silencieuse un moment avant de répondre.

— Ça ne se traduit pas. *Saokata* désigne à la fois les couteaux que je porte, le style de combat qu'on m'a enseigné, l'Éternel Silence et la philosophie de vie qui y est liée.

— C'est du micmac ?

— C'est un mot beaucoup plus ancien que la nation micmaque.

Derrière lui, Shaor'i esquissa deux autres pas que Faustin devina et imita sans les voir. Leurs esprits étaient toujours liés. Cette fois, il était assez attentif pour le ressentir. Ce n'était pas un contact de communication comme il en avait eu malgré lui avec la Siffleuse ; c'était quelque chose de différent, un contact de… communion.

De symbiose.

Il perçut encore son sourire. Elle devait avoir senti ses réflexions et en être satisfaite. Silencieusement, elle se déplaça de deux pas de côté et deux devant.

Sans décalage, sans la moindre hésitation, Faustin l'imita.

Il sut qu'elle allait se mettre à courir. Au même pas que l'Indienne, il franchit l'espace qui les séparait de la clôture de bois et ils bondirent, avec un synchronisme parfait, pour se poser chacun sur l'un des poteaux.

En même temps que Shaor'i, il sauta avec agilité sur le sol.

— Ton silence n'est pas le bon, dit-elle froidement, soudainement fermée.

Elle venait de dénouer le lien mental qui les unissait – elle allait le mettre à l'épreuve, de cela Faustin fut certain.

— Mon... silence ?

— Le combattant *saokata* affronte ses adversaires en jouant sur l'Éternel Silence comme le musicien joue d'un instrument à cordes. Tu dois écouter le silence, savoir en déceler les degrés, apprendre à y répondre adéquatement.

S'efforçant de ne pas laisser transparaître son incompréhension sur ses traits, Faustin tenta de méditer ces paroles. Indulgente, l'Indienne ajouta :

— Il y a le silence résigné de la proie acculée qui contemple sa mort inéluctable. Le silence lourd du petit rongeur, immobile dans sa cachette, qui attend que le danger soit passé. Le silence mortel du prédateur qui s'apprête à fondre sur sa proie. Il y a le silence âpre que produit l'absence de tout être vivant et le silence tranchant du mépris ; le silence serein de l'homme en quiétude, le silence pieux de l'homme en prière, le silence empoisonné de la haine refoulée ou le silence doux de l'amour inavoué. Et cent autres.

Faustin inspira profondément. Il n'y avait jamais songé, mais cela avait du sens. Il existait effectivement des centaines de silences. Tous avaient leur… texture. Leur densité. C'était difficile à exprimer en mots, mais il comprenait.

— Tu dois laisser glisser ton âme sur toute cette gamme de silences, reprit la jeune femme. Ils doivent transcender ton essence afin que tu saches en jouer avec virtuosité. Face à l'ennemi craintif, tu dois répondre par un silence puissant, impérieux. L'ennemi trop sûr de lui sera déstabilisé par un silence plein de sérénité. Ton ennemi est une note à laquelle tu dois fournir un contrepoint. Lorsque l'harmonie sera parfaite, tu seras invincible.

La pluie semblait vouloir diminuer d'intensité, mais Faustin n'y prêta guère attention. Il savait que ce que l'Indienne lui expliquait allait être crucial pour la suite. S'il ne réagissait pas correctement, elle cesserait de lui enseigner.

Et Faustin devrait éternellement compter sur elle, François ou Baptiste pour assurer sa défense. Il serait éternellement un fardeau.

Le silence, donc. Quel silence pouvait avoir Shaor'i face à lui? Parfois du mépris, parfois une sorte d'irritation refoulée contre son inexpérience. Mais pas cette fois. C'était le silence du maître laissant cogiter son élève.

Et quel silence la déstabiliserait en guise de réponse? Celui qui ferait de lui l'opposé d'un élève. Et il revit le forgeron Dubé, dans un silence plein d'assurance, plonger une pièce de fer dans l'eau froide au pied de son enclume; Madeleine repriser en trois coups de fil le coude d'une chemise ; son oncle monter en chaire avant d'entreprendre un sermon ; Baptiste guider le canot par d'habiles flexions du poignet sur son aviron.

Le silence du maître exerçant son art, concentré mais sûr de lui. Au plus profond de lui, Faustin alla puiser ce silence qu'il adoptait lorsqu'il sculptait le bois, lorsqu'il soignait son cheval ou lorsqu'il jouait aux dames.

Alors, d'un geste vif, précis, il dégaina son sabre qui siffla dans l'air. Sans même y penser, il adopta la bonne posture.

Une ombre de sourire effleura le visage de Shaor'i.

— Ton esprit est enfin ouvert, annonça-t-elle avant de fondre sur lui.

Avec un hurlement de rapace, l'Indienne tenta de le poignarder au ventre. Faustin avait anticipé l'assaut. Le couteau de Shaor'i rencontra la lame de son sabre avec un tintement métallique. Prestement, Faustin fit un quart de tour sur lui-même, abaissa son arme pour protéger son flanc découvert en arrêtant ainsi un second coup, puis s'accroupit vivement pour en éviter un troisième. Il se leva en fendant le vide, força l'Indienne à reculer, para un coup dirigé vers sa gorge et plongea au sol pour esquiver le couteau lancé vers son épaule.

Stupéfait, il cessa alors tout mouvement, réalisant ce qui venait de se passer, restant à genoux sur le sol. Il ne ressentait ni fierté ni satisfaction. Juste le sentiment d'avoir fait ce qu'il devait faire.

Shaor'i vint s'agenouiller devant lui.

— Relève-toi, mon ami. Tu as encore beaucoup à apprendre.

Hochant la tête, Faustin se releva et reprit sa posture de combat.

◆

La pluie avait cessé depuis un bon moment. Fourbu, Faustin était allongé sur le dos dans l'herbe mouillée, les bras en croix. Combien de combats avait-il vécus mentalement, cette fois ? Il lui était impossible de les dénombrer.

Assise en tailleur tout près de lui, Shaor'i lui tournait le dos. Elle déclara soudainement :

— Tu ne seras jamais un grand guerrier, Faustin.

Ce n'était pas un ton méprisant ni navré. Juste une simple constatation. Faustin se redressa.

— J'ai pourtant l'impression d'avoir énormément progressé au cours des vingt-quatre dernières heures, répliqua-t-il.

— Pour les fondements, oui. Et cela uniquement parce que j'ai accepté de guider ton esprit pour que tu puisses assimiler les bases en quelques heures. Mais tu n'as pas ce qu'il faut pour être un grand guerrier. Tes mouvements n'ont aucune grâce et tu es trop vieux, beaucoup trop vieux pour apprendre.

Shaor'i bondit sur ses pieds et se mit en route, jugeant le sujet clos. Faustin s'empressa de la rattraper pour lui demander :

— Et quel âge avais-tu, toi, lorsque tu as commencé ?

La jeune femme resta songeuse une longue minute, au point que Faustin crut qu'elle avait décidé d'ignorer la question. Pourtant, elle finit par dire :

— Entre trois et quatre ans, je pense. Otjiera suppose que je devais avoir dans ces âges-là quand il m'a trouvée.

— Trouvée ?

— Je m'étais éloignée de chez moi et je m'étais
égarée en forêt. C'était l'hiver, durant *punamujuiku's* –
le mois de janvier. Il y avait eu une tempête et il faut
croire que les gens de mon village n'avaient pas réussi
à me trouver. C'est ce qu'Otjiera a déduit, car il n'a
jamais pu retrouver ma famille. Quand Otjiera m'a
découvert, sur la branche d'un chêne, on était en automne…

— En *automne* ? Tu viens de me dire que tu t'étais
égarée en janvier !

— Otjiera m'a trouvée en octobre.

— Tu veux dire qu'à quatre ans tu as survécu neuf
mois en forêt ? réalisa Faustin, incrédule.

— Plus ou moins, soupira l'Indienne, très lasse. Peu
importe.

Elle esquissa un vague geste de la main pour éviter
la question puis ajouta :

— Tout ce que je voulais dire, c'est que j'avais tout
au plus quatre ans quand Otjiera a décidé de m'enseigner la *saokata* et que déjà là, il était trop tard
pour que j'atteigne le niveau de maîtrise de mes pré-
décesseures… Nadjaw, par exemple.

Il y avait du venin dans les derniers mots de Shaor'i,
mais Faustin comprit qu'elle dirigeait le poison contre
elle-même. L'Indienne resta silencieuse un moment
avant d'ajouter :

— J'ai guidé ton esprit pour qu'il se remémore son
instinct de combat. Désormais, le reste t'appartient.
Je ne peux rien t'enseigner d'autre : tu es trop âgé et
trop malhabile, ta coordination n'est pas adéquate et
même si tu m'as étonnée en saisissant aussi rapidement
le concept des divers silences, reste que tu as l'esprit
beaucoup trop corrompu par le mode de vie moderne
pour concevoir ce qu'implique réellement la *saokata*.

Tu as les bases qu'il te faut pour ne pas te faire tuer par le premier adversaire venu, et peut-être même pour résister au second... mais n'en demande pas davantage.

— Tu devais t'en douter, non ?

La jeune femme hocha la tête.

— Alors qu'est-ce qui t'a convaincue de me former quand même ?

Shaor'i posa sa main fine sur l'épaule de Faustin et murmura :

— Je me suis rappelé un jeune Blanc qui a osé braver le rituel du feu follet sans la moindre formation, qui a tenté une divination à bord d'une chasse-galerie et qui a tenu tête à l'Étranger en allant l'espionner dans le manoir où étaient rassemblés les plus puissants goétistes. Lorsqu'on t'en donne la possibilité, tu affrontes le danger. D'où l'intérêt de t'apprendre à pêcher.

Puis, esquissant l'un de ses rares sourires, elle conclut :

— Assez discuté. Une dure journée nous attend demain.

Faustin ne put s'empêcher de sourire à son tour.

CHAPITRE 19

Le domaine des Poulin

Les herbes et les ronces manifestaient une luxuriance anormale telle qu'on en voit rarement en terres défrichées, même dans une chaude et humide atmosphère après une averse printanière, comme c'était le cas. Les herbes montaient haut, peut-être trop haut pour que leur croissance soit naturelle, tout comme les érables noueux, manifestement plusieurs fois centenaires, dont le diamètre devait avoisiner les huit pieds et dont les branches se rejoignaient pour créer un dôme végétal empêchant les rayons du soleil de traverser. Un ruisseau dont l'eau n'avait pas scintillé sous la lumière depuis des décennies coulait doucement sous un pont âgé qui, en son temps, avait dû être une somptueuse œuvre de charpenterie. Les rambardes avaient été travaillées pour imiter du lierre courant de chaque côté de la passerelle ; à présent, de vraies vignes, coriaces et noirâtres, s'y mêlaient pour y croître.

Faustin réprima un tremblement en mettant le pied sur le pont. Certes, ce dernier était encore solide, puisqu'il avait résisté au poids de Baptiste qui avait insisté pour passer le premier. Néanmoins, ce ponceau abandonné au cœur d'un bois profond, là où les arbres semblaient n'avoir jamais été inquiétés par la

moindre hache, avait quelque chose de menaçant.
Quand il eut traversé et qu'il découvrit, sur le sol, des
traces d'une ancienne route de petites pierres carrées
que la mousse humide et les feuilles putréfiées n'étaient
pas parvenues à voiler totalement, il éprouva l'étrange
sentiment que dormait dans l'antique domaine Poulin
quelque chose qui ne souhaitait guère être éveillé.

Même s'ils n'en disaient pas un mot, ses compagnons partageaient la même impression. Dans son obstination à marcher le premier, hache au poing, Baptiste
ne faisait qu'exhiber son appréhension. François paraissait encore plus distant, pensif et renfermé qu'il
ne l'avait été depuis son retour. Quant à Shaor'i, elle
avançait doucement, s'attardant souvent derrière
pour ensuite rattraper le groupe en quelques rapides
enjambées. Pas plus que les autres, elle n'arrivait à
exprimer son trouble, mais laissait souvent courir ses
doigts le long du tronc des arbres, comme si elle eut
pu lire quelque message dans le motif de l'écorce.

L'endroit avait dû jadis être un terrain somptueux,
et quelques vestiges en témoignaient çà et là ; toutefois, la nature ayant partiellement recouvré ses droits,
chaque objet connu prenait un air sinistre. Un banc
de pierre, à présent couvert de mousse, évoquait davantage un autel païen érigé à un esprit forestier ; cette
statue d'ange, à demi enfouie dans la terre meuble,
ressemblait désormais à une immonde gargouille émergeant de terre pour se repaître des passants.

À vol d'oiseau, ils ne devaient pas être très éloignés
du village des Forges qu'ils avaient quitté après le
repas du midi. Pourtant, il semblait à Faustin qu'ils
marchaient depuis des heures. L'ancienne route qu'ils
suivaient était tortueuse et serpentait tant à travers la
forêt qu'il était impossible d'estimer la distance réelle
parcourue.

La sensation d'un souffle glacé sur sa nuque fit crisper le dos de Faustin. Un esprit, constata-t-il sans toutefois parvenir à s'habituer à sentir la présence des défunts malgré l'accumulation des expériences des derniers jours.

— Je l'ai senti passer, moi aussi, lui affirma Shaor'i sans détourner les yeux de l'arbre qu'elle examinait.

— Senti quoi ? demanda François en se retournant.

— Un défunt, répondit Faustin en se massant vigoureusement le cou pour chasser la désagréable impression.

— Je suppose qu'il y en a plusieurs dans les environs, commenta le vicaire. Ceux qui ne reposent pas en paix tendent à hanter les maisons abandonnées, histoire de simuler une existence mortelle. Dans un village comme celui des Forges, où chaque demeure est occupée, ces ruines éloignées doivent constituer une sorte de havre.

— C'est c'qui rend les arbres pis les fardoches de même ? demanda Baptiste.

— Pas du tout, intervint Shaor'i. De ce que j'en perçois, le sol ne gèle pas de l'hiver, sur ce domaine. Ces érables ne se sont jamais endormis, de cela je suis certaine. Il suffit de les écouter pour le constater.

— Les écouter ?

— Crois-moi sur parole, Baptiste. La nature est altérée par les arcanes, ici. Et je déteste ça. Ce n'est pas suffisant pour que les arbres gardent leurs feuilles à l'année, mais assez pour les rendre aussi perturbés.

— Des arbres… perturbés ? répéta le bûcheron.

— Regarde.

Shaor'i plongea la main parmi les herbes et en extirpa un énorme insecte noir, long comme le petit doigt, avec des antennes démesurées.

— Un longicorne noir, identifia François. C'est un insecte tout à fait normal.

— Et c'est normal d'en trouver un alors que la neige vient tout juste de fondre ? On ne devrait pas en voir avant *nipniku's…* le mois de juin.

Avec douceur, elle reposa l'insecte là où elle l'avait ramassé.

— Quelque chose ici altère le cours du temps, conclut-elle. Et de façon permanente, à en croire la croissance des arbres et… regardez !

Quelques verges plus loin, presque totalement dissimulés par la végétation, se dressaient les vestiges d'un moulin à eau de taille modeste.

Le bâtiment était situé le long de ce qui avait dû être jadis une riviérette mais qui tenait à présent davantage du bourbier. L'étage du bas, en pierres humides et moussues, était coiffé d'un bâtiment de planches rendues noires et visqueuses par les intempéries. L'énorme roue à eau s'était depuis longtemps effondrée, mangée par la moisissure et la mousse grise.

Avec précaution, Baptiste ouvrit la porte menant à l'intérieur et toussa en respirant les miasmes de l'humidité et des champignons qui attaquaient le bois depuis des décennies. D'un signe de tête, il indiqua que la voie était libre.

Faustin pénétra dans le moulin délabré en prêtant attention aux crochets qui terminaient des chaînes énormes et se demanda comment ils parvenaient à tenir encore, pendus à des murs aussi pourris. Le toit était percé de nombreux trous par lesquels les pigeons étaient entrés faire leurs nids. Les sacs de jute, depuis longtemps réduits en charpies par la vermine, traînaient près de la grande meule et s'ils avaient déjà contenu de la farine, elle avait été mangée par les lointains ancêtres des mulots qui fuyaient présentement devant leur intrusion.

— Un moulin d'même, loin du village, c'est dépareillé, observa Baptiste.

— Il s'agissait probablement d'un moulin privé, commenta François en observant d'un œil critique l'échelle menant aux combles.

D'une vive secousse destinée à tester la solidité de l'installation, le vicaire fit trembler l'échelle qui s'effondra en gros morceaux vermoulus.

— Si c'est un moulin privé, on ne doit pas être bien loin du manoir, déduisit Faustin. On achemine pas sur des lieues ce qu'on fabrique pour soi.

— Encore curieux, coupa Baptiste. Quand t'as de l'argent à jeter au feu... bin des richards veulent point voir c'te genre de bâtisses-là de par leurs fenêtres...

Un craquement sinistre, suivi d'un *torvisse!* bien senti, fit stopper vivement le bûcheron dont le pied venait de traverser les lattes du plancher. Avec une agilité surprenante pour un homme de sa corpulence, il bondit vers l'arrière.

— C't'endroit-là est juste bon à abattre, décréta-t-il.

— Je doute même que les poutres soient encore bonnes, commenta Faustin en scrutant le toit.

Le vacarme de pièces de bois qui éclataient en esquilles les interrompit soudainement.

— À terre! hurla Shaor'i en se jetant au sol.

L'énorme meule du moulin fendit l'air comme la balle d'un fusil de chasse, ne laissant à Faustin et à ses compagnons que le temps de plonger hors de sa trajectoire avant qu'elle ne passe à travers le mur du fond. Une chaîne énorme, aux anneaux gros comme le poing, s'éleva au-dessus du sol en tournoyant. Baptiste se releva en hurlant, ramassa une poutre brisée et la

projeta dans les maillons qui s'y emmêlèrent avant
de retomber sur le plancher avec bruit. Un minot dé-
colla à son tour du sol et le bûcheron, se jetant en
travers de son chemin, frappa de toutes ses forces avec
sa hache, fendant le tonneau avant qu'il n'atteigne
l'un de ses compagnons.

Faustin étrécit aussitôt les yeux, passant au voile
gris de l'outrevision qui lui révéla une masse noire qui
flottait vers le gigantesque crochet du monte-charge.

— Baptiste ! hurla-t-il. Le tire-sacs !

Le colosse se retourna pour apercevoir le grappin
de vingt livres quittant son câble et traversant l'air en
tournoyant. À la dernière seconde, il souleva en guise
de bouclier une petite table dans laquelle la griffe de
fer alla se planter.

— Shaor'i, Baptiste ! Rapprochez-vous de Faustin !
cria le vicaire, bâton dressé vers la masse noire.

D'un saut arrière, l'Indienne fut auprès des deux
hommes. Baptiste les rejoignit en courant, évitant au
passage une poulie projetée dans sa direction.

— *Kesh-indira al-mestareün ibn lamedir sadn
karesh !* vociféra François.

La lueur d'un diagramme brilla à travers l'étoffe
de sa soutane. Une caisse de bois quitta le sol et fusa
vers les compagnons, mais elle éclata à trois pieds
d'eux en percutant un mur invisible. Tenant son bâton
de la main gauche, le vicaire fouilla maladroitement
dans sa soutane et sortit son bréviaire, qu'il lança à
Faustin.

— Dernière page ! cria-t-il. Le sort qu'on a utilisé
pour l'esprit du père Bélanger !

— J'peux pas ! Y a ta barrière dans mon esprit !

Le mur du moulin par lequel était passée la meule se
fendit de nouveau, l'énorme disque de pierre revenant
en sens inverse pour s'écraser contre la paroi magique

et se briser en gros morceaux. À l'outrevision, Faustin vit la masse noire de l'esprit frappeur contourner le dôme de brume argentée, l'air de chercher une faille.

François crispa les traits sous l'effort mental, puis se retourna vers l'Indienne.

— Shaor'i ! Tu peux tenir le mur ?

L'Indienne s'agenouilla, ferma les yeux et inspira profondément. Elle écarta les bras en expirant et fronça les sourcils sous la concentration. Sous la vision arcanique de Faustin, le mur passa d'une teinte d'argent à bleutée.

— Je le tiens, murmura doucement Shaor'i. Dépêche-toi.

François sortit vivement une craie, traça un diagramme sur le plancher de pin et incanta :

— *Ad iskan saïr soleima ibn adur, sikg salim daren-nar, vaden estera !*

Dans son esprit, Faustin eut la sensation d'une serrure qu'on déverrouille. Une vague de froid lui parcourut l'échine et il put sentir avec beaucoup plus d'acuité la puissance de l'esprit qui les attaquait.

Les deux plus gros morceaux de la meule brisée quittèrent le sol et frappèrent le mur. Un pli soucieux barra le front de l'Indienne.

— François... chuchota-t-elle, l'air absente. *Awana'qiei...* je vais échapper le sort...

— *Kesh-indira al-mestareün ibn lamedir sadn karesh !*

Expirant bruyamment, l'Indienne rouvrit les yeux et se releva. Elle semblait vidée de ses forces. Le vicaire ordonna :

— Faustin ! Fais-le maintenant ! Dépêche-toi !

D'autres objets frappèrent le mur arcanique, mais Faustin ne s'en préoccupa guère. Sur le plancher, à

l'aide de la craie laissée par François, il recopia à la
va-vite le complexe diagramme illustré dans le bréviaire. Au centre du pentacle, il posa le Calice des
Moires et, s'entaillant la paume du fil de son sabre,
il incanta à son tour :

> *Ad-esra !*
> *Sakim seran sanem,*
> *Id lameb ibn ganersta-ishek lamir !*
> *Nazad isk ! Nasad isk !*
> *Ektelioch !*

La souffrance lui déchira tant le corps que l'esprit.
Il eut l'impression que son ossature tout entière allait
être broyée. Serrant les dents pour garder sa concentration, il banda sa volonté et décocha son lien spirite
vers la masse noire, qui s'immobilisa aussitôt.

« *RETIRE-TOI !* » somma Faustin de toutes ses forces,
de tout son esprit, de toute son âme, projetant son
vouloir vers le défunt afin de le contraindre, de le
dominer, de l'écraser…

Comme la flamme d'une chandelle sous une vive
bourrasque, l'esprit se dissipa. La douleur qui vrilla
alors le corps de Faustin fut si intenable qu'il sentit le
monde vaciller autour de lui. Quelqu'un, quelque part,
se précipita pour le soutenir alors qu'il s'effondrait.

◆

Un parfum de sauge. Ce fut la première sensation
qu'il éprouva lorsque la souffrance commença à se
dissiper. Entrouvrant les yeux, il distingua de longs
cheveux noirs et soyeux effleurant ses joues.

Shaor'i.

— *Logowultieg*, murmura-t-elle en s'adressant à
quelqu'un d'autre que lui. Nous sommes chanceux.
Son cœur bat normalement.

Il sentit les doigts de la jeune femme relâcher la légère pression qu'ils exerçaient sur sa jugulaire.

Péniblement, il tenta de bouger. Tous les os de son squelette le firent souffrir en même temps.

— Doucement, p'tit frère, murmura la voix rassurante du vicaire.

— François…

Faustin tenta de se redresser. Un bras solide vint lui soutenir le dos.

Baptiste.

— François… répéta Faustin alors que tout son corps l'élançait. J'ai… j'ai l'impression d'avoir été piétiné par un cheval…

— C'est normal… je pense.

— *E'e,* laissa tomber Shaor'i. C'est tout à fait normal.

Faustin expira avec difficulté. Comme si quelque chose le serrait de très près. Portant la main à sa poitrine, il sursauta.

Les deux premiers boutons de sa chemise avaient sauté et, sur sa peau dénudée, il découvrit une dense pilosité… lui qui avait toujours eu le torse glabre. S'inspectant de plus près, il vit que les manches de sa chemise cousue sur mesure par Madeleine s'arrêtaient désormais à la moitié de ses avant-bras.

De plus en plus décontenancé, il tenta de se relever. Tout son corps protesta et, pour lui éviter de chuter, Baptiste le supporta de nouveau. Alors Faustin serra les dents et se redressa.

Ce n'est pas que Shaor'i soit soudainement *encore* plus petite qui ébranla le plus Faustin. Ni que Baptiste, derrière lui, semblât un peu moins grand. Ce qui le heurta le plus, ce fut de regarder François directement dans les yeux sans avoir à lever la tête. À peine deux pouces les séparaient désormais.

Baissant le regard, Faustin vit que sa chemise trop courte dévoilait le bas de son ventre qui, lui aussi, avait gagné en pilosité. Son pantalon s'arrêtait aux chevilles et ses bottes lui semblaient si serrées qu'il eut aussitôt envie de les délacer.

Horrifié, il tenta de faire un pas et manqua de trébucher. Toujours derrière lui, Baptiste le retint de justesse et l'aida à se rasseoir.

— François… qu'est-ce qui… ? marmonna-t-il en massant ses épaules endolories… épaules qui lui semblaient soudainement trop larges.

— Du calme, Faustin. C'est normal. Ça *devait* arriver un jour ou l'autre, c'est juste qu'on ne l'avait pas réalisé. Tu t'es… dépassé.

Se dépasser. Le terme désignait généralement un arcaniste dont les séquelles du contrecoup avaient outrepassé les limites de son espérance de vie, comme cela avait été le cas pour son oncle. Sauf qu'il n'était pas question de mort, cette fois…

— Une poussée de croissance, intervint sèchement Shaor'i. Ne me dis pas que tu ne sais pas ce que c'est ?

— Quoi ? gémit Faustin, incrédule.

— Du calme, p'tit frère. À ce qu'on en sait, tu avais un corps âgé de seize ans, alors c'est normal…

Horrifié, Faustin baissa à nouveau les yeux sur son corps soudainement plus grand et plus massif.

— Mais ce n'est pas mon corps ! cria-t-il, sentant une irrépressible panique monter ne lui. Ce n'est pas moi ! Je ne suis pas moi !

— Arrête ! Je te dis que…

— Ce n'est pas moi !

La poigne solide de Shaor'i lui serra subitement l'avant-bras.

— Au contraire. C'est toi, tel que tu devrais l'être depuis déjà plusieurs années. C'est ton corps de ce matin qui était anormal. Celui-ci est accordé à ton âge.

— Ce n'est… soupira Faustin, effaré.

— *E'e*. C'est toi.

Abasourdi, Faustin se prit la tête à deux mains. Tous ses membres l'élançaient. Le vicaire lui offrit un moment pour respirer, puis vint s'accroupir devant lui.

— Écoute-moi, Faustin. Tu es né deux ans avant l'exécution de ta mère, donc probablement en 1761. Selon ce que l'Étranger t'a dit sur l'île d'Orléans, ton vieillissement a stoppé dès ta naissance et ce, pour plus de soixante ans. Tu es resté bébé tout ce temps. Ça va jusque-là ?

— Bien sûr. Tu crois vraiment que je n'ai jamais pensé à tout ça ces deux derniers mois ?

— Très bien. On sait aussi que tu as commencé ta croissance vers 1827, alors que ton oncle venait tout juste de se faire confier ta garde par l'Ordre et, par conséquent, tu as grandi normalement pendant environ seize ans. Ensuite, ta croissance doit s'être arrêtée en 1843 et, jusqu'à aujourd'hui, tu as vécu sur un autre soixante quelques années de « crédit ». Six années de cette longévité accrue ont été vécues de 43 à 49. Puis tu as exécuté le rituel de feu follet avec Otjiera, et ta divination en pleine chasse-galerie, alors que la marionnette magnétique nous poursuivait. Considérant que tu l'as fait à la hâte sans avoir la moindre formation, les contrecoups ont dû être énormes. Ajoute à ça ton transfert de souvenirs à ta mère sur l'île d'Orléans, ton contact avec le père Bélanger et celui que tu as eu avec l'esprit de tout à l'heure…

— … j'ai dépassé mes années de longévité accrue, comprit Faustin.

— Et tu as repris ton vieillissement là où tu l'avais laissé à seize ans. Le sort de tout à l'heure a dû te drainer quelques années et ton corps a terminé sa croissance d'un seul coup. Te voilà dans un corps d'homme, Faustin. Et tu vieilliras normalement jusqu'à ce que ce corps ait trente-deux ans…

— … puis soixante nouvelles années s'offriront à moi.

Le ton de François devint dur.

— Regarde-moi, Faustin. Regarde les rides qui sillonnent mon visage, regarde le gris dans mes cheveux. On ne joue pas impunément avec les contrecoups. Il n'y a pas de retour en arrière possible. Et même si ta durée de vie promet d'être exceptionnellement longue, ce n'est pas une raison pour la dilapider. C'est fini pour toi, les arcanes. À moins d'être en danger de mort, je ne veux plus te voir user de magie, compris ?

Serrant les poings, Faustin réprima sa frustration. Encore une fois, François allait le couver. Dans un coin de son esprit, il entendit soudain la voix de la Siffleuse qui le narguait :

« *Et de quel droit décide-t-il de ce que vous pouvez faire ou non avec votre talent, mon Prince ?* »

« *La ferme !* » cria-t-il intérieurement avant de croasser, la gorge nouée :

— Je refuse ! Ça n'a aucun sens ! Pourquoi ne serait-ce pas moi qui assumerais l'essentiel des contrecoups ?

Impassible, le vicaire laissa froidement tomber :

— Peut-être qu'un jour il faudra que ce soit le cas. Prie toutefois pour que ce ne soit jamais nécessaire. J'ai juré sur la tombe de ton oncle de te protéger. Les arcanes se meurent, et toi, tu es…

— Je suis quoi ? Un garçon de village, c'est ça ?

François saisit Faustin par les épaules en le secouant violemment.

— Espèce d'imbécile ! Tu ne veux pas comprendre, c'est ça ? Tu ne veux pas voir qu'après la chute du Stigma Diaboli, et quand moi je ne serai plus, il ne restera que toi ? Que tu as la possibilité de vivre des siècles – pas des décennies, des *siècles* – et de permettre aux arcanes de ne pas disparaître ? Calvaire, Faustin, ne vois-tu pas le potentiel qui s'offre à toi ? En préservant ta longévité, c'est tout un pan des connaissances humaines que tu préserves de l'emprise du temps !

— Pour faire comme l'Étranger, c'est ça ?

— Pourquoi pas ? lança sèchement François en lui tournant le dos. Puis, plus doucement, il reprit : Pourquoi pas le faire en usant de méthodes plus convenables, plus saines ? Un nouvel ordre théurgique…

— Et pour ça, tu es prêt à dilapider ta longévité à toi, alors que moi, je ressens à peine le passage du temps…

Le vicaire se retourna vers lui, l'air résolu.

— Oui. Pour ça, je suis prêt à ce sacrifice.

Sans ajouter un mot, François ramassa son bâton, qu'il avait laissé appuyé contre un mur du moulin. Il le fixa un moment avec une drôle d'expression, comme si son contact le répugnait, puis quitta les ruines du moulin, le bûcheron à sa suite.

Partagé entre la colère et le désarroi, Faustin se redressa et inspecta à nouveau son corps. Comment réagirait Madeleine en le voyant ? Sûrement moins fortement que face au vieillissement prématuré de François, mais tout de même… Et les gens du village ? Impossible de leur expliquer… il devrait s'exiler pour un temps. Au moins six mois. Bien sûr, en revenant, on lui dirait qu'il avait pris du coffre, mais plusieurs jeunes paysans, au retour de leur premier hiver de chantier, changeaient pareillement… au pire, on trouverait cela inusité et sa croissance irait rejoindre la saga des historiettes du village, entre le pékan qui s'était caché dans le clocher de l'église et la rémission de la mère Duval, miraculeusement guérie des fièvres après que le médecin l'eut jugée perdue.

Quant à François… il devrait discuter avec lui. Cela s'imposait. Résolu, Faustin s'étira dans tous les sens, le corps endolori. Avec un claquement de langue agacé, Shaor'i, restée avec lui, se tourna dans sa direction :

— Tu crois être capable de marcher jusqu'au manoir Poulin ?

— Je me sens courbaturé de partout, mais ça devrait aller, avoua-t-il.

L'Indienne s'approcha et posa sa main délicate sur le torse de Faustin. Sitôt qu'elle eut fermé les yeux, il sentit une chaleur bienfaisante l'envahir et dissiper doucement ses douleurs. De soulagement, il inspira profondément.

Le parfum de sauge lui revint. Il semblait émaner des cheveux de la jeune femme. Faustin eut un petit sourire en constatant qu'elle n'atteignait désormais que la hauteur de son épaule. Elle était si petite qu'il aurait pu poser son menton sur sa tête s'il l'avait voulu.

S'il l'avait osé.

L'Indienne retira sa main aussi vivement que si elle s'était brûlée, dévisageant Faustin avec dédain.

— *Awan !* N'y pense jamais, gronda-t-elle, du fiel dans la voix.

— Que… mais… je n'ai rien dit, bégaya Faustin, terriblement mal à l'aise.

— Ton rythme cardiaque en a dit bien assez, répliqua Shaor'i avant de se détourner, écœurée.

D'un geste vif, elle poussa Faustin vers l'arrière. Maladroit dans son propre corps, il chut brutalement dans les débris. L'Indienne s'approcha.

— Tu n'as plus aucune conscience réelle de ton propre corps. Tu ne seras jamais capable de combattre ainsi : ta poigne a changé, ta main occupe plus d'espace sur la garde de ton sabre, tes bras sont plus longs, tes muscles plus forts. Tout, absolument tout est à réajuster. Nous n'avons pas autant de temps que je le voudrais, mais cela devrait suffire.

— Quoi ?

— Ferme les yeux, ordonna Shaor'i en lui posant les mains sur les tempes.

◆

Obscurité. Des vibrations.

De l'espace, la possibilité de se mouvoir un peu. Conscience.

« Je suis », conçut mentalement Faustin.

Quelque chose était avec lui. Une présence.

Elle l'emplissait totalement, comme un fluide emplit un contenant. Une présence qui habitait son corps comme une enveloppe, désagréable sensation d'être étranger chez soi – ou, plutôt, de ne pas être chez soi. Une impression de disharmonie.

Soudainement, la présence implosa, se concentra dans la poitrine de Faustin. Il perçut les battements de son cœur, la circulation de son sang souillé devenant du sang aéré, l'irrigation du corps tout entier.

La présence coula au rythme du sang, se manifesta plus spécialement dans ses bras, dans ses mains.

Les doigts de Faustin s'agitèrent comme ceux d'un pianiste jouant sur son instrument.

La présence revint au cœur, coula le long des jambes, revint de nouveau au cœur, monta à la tête, s'y fixa.

Comme une succession de visions fugitives, Faustin prit conscience de tous ces gestes qu'il effectuait des dizaines de fois par jour sans les maîtriser, par automatisme. Des gestes presque mécaniques, à la merci de ses humeurs et de ses états d'esprit.

La présence se fondit en lui, se mêla, se fusionna.

Il eut soudainement conscience de chaque parcelle de son anatomie, de chaque fibre de ses muscles.

La présence, c'était lui. Ce corps, c'était le sien.

Puis tout se dissipa. Il ouvrit les yeux.

Lumière.

Quand il s'éveilla, il était seul dans les ruines du moulin. Précautionneusement, il se leva: son champ de vision modifié par sa nouvelle taille ne le déroutait plus du tout. Posés sur une vieille caisse, il remarqua les vêtements de rechange de François. Il se dévêtit, n'eut aucune surprise en revoyant ce torse large et velu, comme s'il en avait toujours été ainsi. Il remarqua au passage les vergetures qui sillonnaient ses épaules, marques d'une croissance trop rapide.

Son corps et son esprit s'étaient harmonisés, comprit-il en finissant de s'habiller.

Avant de sortir pour retrouver les autres, il prit le temps de jeter un œil aux ravages causés par l'hostilité du défunt. En y repensant, Faustin était stupéfait de la facilité avec laquelle il s'était imposé à l'esprit frappeur. Il y avait eu un contrecoup surprenant, mais celui-ci devait arriver un jour ou l'autre. Il commençait à mieux concevoir ce que François évoquait en parlant de son « potentiel ». Apparemment, la plupart des théurgistes ne dépassaient jamais un certain degré de maîtrise, mais lui était déjà allé plus loin que bien des arcanistes dans le spiritisme, une discipline fort peu répandue. Et encore, il ne commençait qu'à effleurer ses capacités ; compte tenu de sa longévité accrue, les possibilités qui s'offraient à lui avaient de quoi faire frémir.

Des pas lourds s'approchèrent et Baptiste vint poser une main rassurante sur son dos.

— Surpris par tes propres forces ?

— Oui, avoua Faustin sans gêne. C'est la première fois que j'utilise vraiment mon don pour le spiritisme sans être guidé par François.

— T'oublies la voyance dans la chasse-galerie.

— Ce n'était pas la même chose. À présent, je me rends compte que je peux accomplir avec facilité des choses qui sont totalement hors de portée de la plupart des arcanistes.

— Pis t'a peur que ça t'échappe ?

Faustin hocha la tête.

— T'auras juste à faire attention, répondit le colosse. Pas plus dur que ça.

— Facile à dire pour toi, marmonna Faustin.

Le regard de Baptiste devint soudainement plus mélancolique.

— T'sais, j'devais avoir autour de quatorze ans quand j'me suis rendu compte que j'tais pas mal plus fort que les autres gars d'mon village. J'tais déjà grand – j'tenais ça d'mon père, y paraît.

— Il paraît ? Tu ne l'as pas connu ?

— J'ai eu un père, Pierre Lachapelle, l'second mari d'ma mère. Déjà à trois ans on m'appelait le Baptiste à Lachapelle. À la longue, on m'a donné du Lachapelle tout court. Mais de l'homme qui m'a conçu, j'sais pas grand-chose, à part qu'était fort comme un bœuf pis que c'tait un nommé Bourgeois. Mon père nourricier, lui, était pas des plus riches pis m'a amené sur ma première drave à douze ans. J'ai coffré, tu comprends. Un jour j'me suis rendu compte que j'tais devenu plus fort que les autres gars de par chez nous… mais j'me battais jamais parce ma mère me l'avait fait jurer, faque deux-trois imbéciles se sont mis en tête que j'étais un lâche.

— Toi, un lâche? J'ai peine à croire qu'on ait pu penser ça de toi.

— Y en a pourtant un qu'en était certain. Chamberland, son nom. M'a pas lâché pendant des semaines, à me picosser à chaque veillée, à me relancer à chaque défi. Un jour que j'contais fleurette à une fille de mon goût, c'te pauvre niaiseux d'Chamberland est passé derrière pour lui pincer une fesse… faque j'ai perdu mon sang-froid.

— Et tu t'es battu avec lui?

— Pas vraiment. On peut pas appeler ça se battre. Y a eu juste un coup de poing.

— Et il s'est enfui?

Baptiste inspira profondément avant de répondre.

— Non. Il est mort.

Faustin resta figé, incapable de dire quoi que ce soit. Son ami poursuivit:

— J'me rappelle parfaitement. Le coup est parti sans que j'y pense. Y a eu un bruit sec. Chamberland est tombé pis s'est jamais relevé. Y avait des témoins qui ont pris ma défense, qu'ont dit que j'avais défendu une femme pis que l'décès était un accident. Le juge de paix aimait bin mon père nourricier faque j'ai été quitte avec la loi… mais pas avec ma conscience. J'ai passé mon temps à bourlinguer à gauche pis à drette.

Tellement que ma blonde s'en est tannée pis en a marié un autre.

Baptiste resta silencieux une bonne minute, les yeux rivés sur l'horizon, manifestement perdu dans ses souvenirs. Quand il reprit la parole, ce fut pour chanter :

Adieu cruelle amie
Qui brisa mon destin !
Je vais passer ma vie
Dans les pays lointains,
Et Baptiste Lachapelle
Grâce à toi et pour toujours,
Vivra dans la tristesse,
Sans joie et sans amour.

Sa voix se brisa sur le dernier vers et l'homme fort essuya prestement la larme qui perlait à son œil droit. Après s'être raclé la gorge, Baptiste ajouta :

— Après ça, j'me suis mis à m'comporter comme un chiot pis à avoir peur d'moé-même. J'ai lâché la drave pis j'me suis fait coureur des bois, un métier qui d'mande d'la ruse, de l'endurance pis de l'audace, mais pas tant d'muscles. Personne savait pour ma force. J'avais caché ça en dedans de moi-même... jusqu'à temps qu'un bon ami, ton oncle, soit en danger. J'ai encore éclaté pis c'est passé bin proche qu'un autre mécréant meure. J'ai compris une affaire : tu peux pas passer ta vie à avoir peur d'la force que t'as en toi. Si tu passes ton temps à t'en sauver, à pas t'en servir, t'apprendras jamais à la contrôler. Pis l'jour où tu vas éclater... j'aime mieux pas y penser. T'es mieux de t'servir à bon escient de c'que t'as, ou ça va t'échapper.

Tournant le dos à Faustin, le bûcheron conclut :

— François pis la P'tite nous attendent. Prends encore une minute pis viens-t'en.

Quand Baptiste fut hors de vue, Faustin se repassa mentalement la discussion. Le colosse avait raison : il ne pouvait plus ignorer sa force. Son succès face au revenant lui donnait davantage confiance en ses aptitudes. Ajoutant à cela que Shaor'i lui avait « préparé » l'esprit pour qu'il puisse manier son sabre, il se découvrait peu à peu une assurance qu'il n'avait éprouvée jusqu'alors qu'en vivant son existence de garçon de village, et cela avait quelque chose de rassurant.

Faisant une boule de ses vieux vêtements, il s'empressa d'aller rejoindre ses compagnons.

◆

Non loin du moulin, la végétation redevenait dense. Bien que l'eau boueuse de la petite rivière agonisante dégageât une odeur fétide, elle semblait toujours propre à l'irrigation du sol, les hautes herbes et les arbres noueux poussant jusqu'à des tailles surréalistes.

Du sol jaillissaient d'étranges émanations, une sorte de vapeur aux effluves maladifs, à la fois subtile et presque phosphorescente, qui restait suspendue dans l'air humide avant de se diluer en formes vagues.

En vain, Faustin tenta de ne pas comparer cette croissance atypique avec la sienne. Malheureusement, peu importe où il posait les yeux, tout semblait trop grand. Les verges d'or, épaisses comme le pouce, atteignaient plus de six pieds. Au bout de tiges énormes, les quenouilles avaient la taille et le diamètre de l'avant-bras de Faustin. Les insectes rampaient le long des troncs pourrissant qui jonchaient la terre et, à travers l'épaisse nappe de brouillard qui voilait maintenant presque totalement le sol, d'étranges lueurs verdâtres conféraient un aspect inquiétant au paysage.

— *Foxfire*, énonça François avec la prononciation tout approximative de ceux qui ne parlent pas un mot d'anglais. Une phosphorescence du bois pourrissant. C'est un phénomène très rare.

— Ça ne semble pas l'être ici, remarqua Faustin en scrutant les environs.

Aussi loin que le regard pouvait porter, des masses luisantes détonnaient à travers le linceul gris du brouillard. Sur les troncs noirs des érables géants s'amoncelaient des milliers de taches émeraude.

Baptiste leva le bras pour arracher l'une des masses.

— Des… des champignons qui brillent !

— *Omphalotus illudens*, identifia cette fois le vicaire. Ces champignons luisent naturellement et, s'il est rare d'en voir autant, cela n'a rien d'anormal.

— Et ça, coupa Shaor'i mi-inquiète, mi-irritée, tu trouves ça normal ?

D'immenses essaims de lucioles clignotaient parmi les arbres. En plein mois d'avril, ces mouches à feu qu'on ne voyait qu'en été étaient plus nombreuses que les moustiques autour d'un marais.

— Non, effectivement, accorda François. Mais ne disais-tu pas que l'hiver ne semble pas avoir d'emprise ici ?

Sans daigner répondre, Shaor'i dégaina ses couteaux et poursuivit son avancée. Faustin décida de la suivre de près et il éprouva un mélange de satisfaction et d'irréalité en parvenant à la rejoindre en quelques enjambées grâce à sa nouvelle taille.

Dans un silence lourd, les compagnons marchèrent lentement le long du sentier pavé que l'herbe ne masquait pas tout à fait. Au sein de cette forêt vaporeuse, lucioles, champignons et *foxfire* rendaient les bois aussi éclairés que si des chandelles avaient été placées à intervalles réguliers; toutefois, les reflets que prenaient les choses dans cette lumière aberrante généraient une ambiance inquiétante. Les quatre eurent l'impression d'avoir mis les pieds dans un endroit surnaturel.

À travers les érables géants poussaient quelques saules pleureurs titanesques. Le long de leurs rameaux tombants s'accrochaient les mouches à feu, comme d'énormes grappes clignotantes. Alors que les insectes ne l'avaient jamais dégoûté, Faustin frissonna en secouant sa chemise où s'étaient posées quelques lucioles.

En passant sous un saule illuminé, Shaor'i chuchota dans sa langue, à l'intention de Baptiste:

— *Nipugtug elien wela'gw na gloqowejg ulnmiates.*

— J'suppose que tu t'trouves drôle, P'tite?

L'Indienne eut un vague sourire qui s'effaça aussitôt alors qu'elle indiquait, à travers le brouillard, une lueur plus grosse que les autres.

— *Angweiasultigw!* Attention!

— Un fi-follet! reconnut le bûcheron.

À la manière de la flamme d'un fanal qu'aurait tenu un homme ivre, l'éclat verdâtre voletait de façon erratique puis, comme s'il venait de remarquer leur présence, il flotta en ligne droite vers le grand saule et se mit à tournoyer autour d'eux. Il resta ainsi quelques secondes puis s'en retourna d'où il était venu.

— Un sorcier qui vient de nous repérer? s'inquiéta Faustin.

— Oui et non, répondit François. À en voir la couleur, ce feu follet n'a plus de corps depuis longtemps. Celui qui s'est projeté dans cette forme s'est égaré et son corps est mort sous un contrecoup trop important. L'esprit de ce malheureux est condamné à l'errance et a probablement sombré dans la folie depuis longtemps.

— Y'avait l'air de v'nir nous observer, commenta Baptiste.

— C'est probable. Les feux follets ne voient que par l'outrevision. Nos auras d'arcanistes ont dû l'intriguer.

Faustin s'abstint de commenter. C'était la seconde fois qu'il voyait un feu follet égaré depuis qu'il avait lui-même tenté cette expérience, pendant laquelle neuf heures lui avaient paru n'être que quelques minutes. N'eût été de sa longévité accrue, c'est dans un corps d'homme âgé qu'il serait revenu à la conscience. Voir des feux follets errants le mettait mal à l'aise.

C'est à ce moment qu'il distingua, sous l'un des plus grands saules et à travers les branches tombantes auxquelles s'agrippaient les mouches à feu, une sorte de petit monument circulaire. Celui-ci mesurait tout au plus dix pieds de diamètre. Sous son toit en coupole, qui reposait sur une rangée de colonnes, trônait la statue d'un homme à l'apparence sévère, drapé dans une sorte de toge, serrant contre lui un livre qu'il tenait de la main gauche tout en portant à hauteur d'yeux la cornue qu'il avait dans la main droite.

— Le frère Roger Bacon, commenta François en déchiffrant les mots latins gravés dans le socle de la sculpture. Ce fut l'un des fondateurs des arcanes modernes.

— Je croyais que c'était Albert le Grand ? releva Faustin sans grand intérêt.

— Albert le Grand a fondé l'Ordre Théurgique et posé les premiers postulats, mais c'est le frère Bacon qui a été l'un des premiers à théoriser une magie scientifique.

Peu intéressé à recevoir un cours d'histoire, Faustin haussa les épaules et fit mine de passer son chemin. François s'attarda quelque peu :

— Trouver une statue de Bacon sous un monoptère indique qu'on devait prendre les arcanes très au sérieux, par ici.

— Monoptère?

— C'est le nom qu'on donne à ce genre de petit temple circulaire. J'ai l'impression que le domaine Poulin devait abriter un cercle arcanique, en son temps. Je m'étonne toutefois de ne pas en avoir entendu parler : si un regroupement d'arcanistes avait existé du temps du Collège, j'aurais au moins dû lire un entrefilet à ce sujet…

— François! appela la voix de Baptiste, non loin de là. Y a des tombes, par icitte!

Les allées étaient vastes et l'herbe avait envahi moins qu'ailleurs les dalles de pierre. Au plus profond des terres boisées du domaine des Poulin, le cimetière privé offrait une profusion de monuments funéraires et d'épitaphes. Chacune des pierres tombales portait le symbole du Stigma Diaboli. Juste en dessous, les pierres étaient couvertes d'une écriture illisible.

— C'est quoi, cette écriture? demanda Faustin, intrigué. Du grec?

— Non. Ni du sanskrit, ni de l'hébreu. Ça ressemble un peu à l'araméen, mais ce n'en est pas non plus. Ce n'est ni une langue que j'ai étudiée, ni une que j'ai déjà vue écrite.

Sans s'attarder davantage, le groupe avança parmi les colonnes brisées, les plaques de bronze verdies et les couvercles de marbre fermant les nombreux caveaux. Leurs pas les entraînèrent à travers un groupe de sépultures sur lesquelles semblaient veiller deux sculptures représentant des loups dressés sur leurs pattes postérieures. Chaque tombe portait la même écriture étrange, voilant l'identité des trépassés.

La végétation devint bientôt plus clairsemée et, entre deux immenses saules auxquels les lucioles s'agglutinaient par grosses grappes, apparut une statue de marbre blanc de facture exquise, si lisse et réaliste que le drapé des vêtements semblait sur le point de frémir au vent. Il s'agissait d'un homme au port altier et au visage racé dont les longs cheveux étaient noués d'un ruban.

— *Awan*, murmura Shaor'i en serrant les poings. Est-ce bien…

— Oui, confirma François. C'est bien l'Étranger. Ou un homme lui ressemblant à s'y méprendre.

— Non, trancha Faustin. C'est bien mon père.

— L'fi-follet ! lança Baptiste en montrant une lueur.

Pareil à un petit météore d'émeraude, le feu follet émergeait d'entre les arbres et fonçait vers la sculpture. Juste avant de l'atteindre, il virevolta tout autour de l'homme de marbre, semblable à un papillon de nuit autour d'un fanal, puis s'éteignit subitement comme la flamme d'une chandelle qu'on aurait soufflée.

Une douleur soudaine élança dans la nuque de Faustin, lui arrachant une plainte étranglée, puis disparut presque aussitôt.

— Qu'est-ce… qui s'est… passé ? gémit-il en se tournant vers le vicaire.

— Je n'en ai aucune idée, répondit François en se rapprochant. Les feux follets ne disparaissent pas comme ça… et toi, qu'as-tu senti ?

— Une douleur dans la nuque, comme si on m'y avait planté un hameçon… exactement comme les fois où j'ai coupé prématurément le contact avec un défunt…

Ébranlée elle aussi, Shaor'i ajouta :

— C'était comme si… le feu avait tenté d'appeler à l'aide… avant d'être aspiré par la statue.

— Exactement, confirma Faustin. Tu l'as senti aussi ?

— Sûrement pas avec autant d'acuité que toi…

François jeta un regard méfiant à la sculpture et marmonna quelques mots qu'il fut le seul à comprendre. S'étant éloigné, Baptiste les appela subitement :

— L'manoir !

◆

Quand Faustin avait entendu le contremaître Tassé parler d'un « manoir », il s'était imaginé une prestigieuse demeure comme celle des Sewell, à Québec, ou tout au plus à un grand bâtiment comme la Grande Maison dans le village des Forges.

Or, c'était presque un château qui se dressait devant eux, tant le bâtiment était démesuré. L'édifice en pierres des champs était composé d'un vaste corps de logis rectangulaire à trois étages – trois et demi si l'on comptait les combles percés de lucarnes, sans oublier le sous-sol et les deux tours octogonales qui se dressaient de chaque côté. Chaque étage possédait douze fenêtres, et le toit à croupes, couvert de plaques d'ardoise, indiquait qu'il se trouvait un promenoir sur son sommet tronqué.

Rejetant la tête vers l'arrière, Faustin réprima un frisson. Quelle famille pouvait donc avoir vécu sur ces terres ? Une dynastie suffisamment puissante pour contrôler l'industrie des Forges pendant longtemps, en plus de pratiquer les arcanes à un point tel que de tout le territoire environnant émanait la goétie ? Quelle famille pouvait avoir assez de fortune pour faire construire un castel aussi impressionnant ?

Le grandiose de la vision s'estompa quelque peu quand ils approchèrent et constatèrent l'état des lieux.

Le toit, percé en de multiples emplacements, laissait entrer le vent. La plupart des fenêtres n'avaient plus de vitres et avaient été condamnées par des planches que le temps avait couvertes de moisissures. Les poutres de soutènement devaient avoir cédé en quelques endroits, car la base du bâtiment s'était en partie affaissée.

Comme pour protester devant l'intrusion, la porte de la grille grinça quand Baptiste l'ouvrit. Le suivant de près, Faustin passa la clôture de fer forgé que les intempéries avaient rouillée et que les rosiers, retournés à l'état sauvage, couvraient à demi. Leurs fleurs noires, larges comme la main, étaient aussi en avance sur la saison que le reste de la flore environnante.

Du jardin, il ne restait que des herbes folles et des ronces épaisses comme le doigt qui envahissaient le terrain. Presque entièrement mangée par le lierre, la statue en marbre d'un lion trônait au centre d'un bassin d'eau stagnante et nauséabonde, l'air d'un gardien accablé par le poids d'une tâche qu'il savait inutile.

Silencieux, ils longèrent l'allée. Baptiste ouvrait la marche, hache au poing, alors que Shaor'i et François restaient derrière Faustin. Peu à peu, alors qu'ils traversaient les rangées d'arbres ornementaux aussi gigantesques que ceux de la forêt, ils purent apercevoir le manoir dans toute son immensité.

La porte principale, à deux battants, devait avoir été jadis une magnifique pièce d'ébénisterie. À présent vermoulue, elle était si fragile que Baptiste dut la pousser délicatement pour éviter qu'elle ne s'effondre.

Avant de passer le seuil, Faustin se surprit à regretter de ne pas avoir pu contempler l'édifice au sommet de sa gloire. Il évoquait à présent quelque seigneur des temps anciens, agonisant mais toujours vivant, quoique oublié de tous depuis longtemps.

Le hall était immense. Si les tapis exotiques avaient été depuis longtemps attaqués par la moisissure, les meubles d'essences rares étaient relativement en bon état. Pour l'avoir vu auparavant sur des orgues d'église, Faustin reconnut la sombre couleur de l'ébène ainsi qu'une autre essence, celle-là rougeâtre, qu'il avait déjà remarquée chez les Sewell.

Toutefois, l'essentiel de son attention se dirigea vers le plafond, où trônait un lustre immense aux innombrables chandelles. Si la poussière et les fils d'araignées en voilaient désormais l'éclat, l'exquise facture de l'œuvre de cristal était toujours aussi impressionnante.

De lourdes tentures couvrant les fenêtres forcèrent le groupe à marquer un bref arrêt, le temps que Baptiste extirpe de son paqueton un fanal et une fiole d'huile. Lorsqu'il eut allumé la lanterne, il la tendit à Faustin afin de garder les deux mains sur sa hache.

— J'aime point c'te place, avoua-t-il. On jurerait qu'y a rien de normal, par icitte, tant dehors qu'en dedans. On s'crérait au Mont à l'Oiseau…

— Je préfère encore le Mont, avoua Shaor'i qui n'avait pas rengainé ses couteaux depuis qu'ils avaient pénétré sur les terres du domaine.

— Cherchons une bibliothèque, décida le vicaire. Nous y trouverons peut-être des chroniques familiales ou des documents légaux nous donnant des informations sur la chapelle ensevelie.

La pièce contiguë était un immense salon dont les divans de velours pourpre avaient été éventrés par la vermine et vidés de leur bourre. Un âtre de pierre gigantesque s'élevait contre un mur et non loin se trouvait un clavecin ouvragé qui, malheureusement, n'avait guère échappé aux ravages du temps. Alors que son âme d'artisan du bois était absorbée dans la contemplation de l'instrument, Faustin sentit le vicaire lui tirer violemment la manche.

— Faustin! ordonna-t-il. Éclaire le tableau!

Machinalement, Faustin obtempéra… et eut le souffle coupé. Au-dessus de l'âtre se trouvait un portrait de belle facture immortalisant les traits d'un homme qu'il ne connaissait que trop bien.

L'Étranger.

Dans le coin inférieur droit, l'artiste avait signé d'un « *É.R.* » et ajouté:

Sieur F. Poulin de Francheville
Circa Anno Domini 1730

— Poulin de Francheville… murmura Faustin. Se peut-il qu'il s'agisse là de son véritable nom?

— Peu probable, fit François en secouant la tête. Le père Bélanger nous avait montré un portrait de l'Étranger peint par un certain frère Luc datant de 1670 alors que ce tableau date de soixante ans plus tard. Il s'agit probablement d'une fausse identité.

Jugeant inutile de s'attarder, le groupe poursuivit son exploration des lieux. Quand ils découvrirent le massif escalier de chêne à la rampe de fer forgé, ils décidèrent de le gravir.

◆

Sur le mur opposé à la porte se trouvait une grande fenêtre rectangulaire. Une oppressante odeur de chanci émanait de l'épais rideau de velours à demi dévoré par la moisissure. Les six autres murs de la vaste pièce octogonale étaient couverts des rayonnages de ce qui avait dû être une vaste bibliothèque. Les rayons de bois rendus gris par le temps et grugés par la vermine étaient désormais vides, à l'exception de quelques livres négligemment abandonnés.

Dans un coin s'entassaient des caisses en bois neuf. Alors que Faustin s'en approchait pour les détailler, il entendit Baptiste commenter :

— Quelqu'un est venu tout ramasser v'là pas long-temps. Y a pas d'poussière sur les tablettes.

Hochant la tête, Faustin éclaira les caisses de son fanal et put y lire, tracé sur le bois : *Renaud, Magasin du Palais, Québec*.

— Sûrement a-t-on déménagé les ouvrages ayant de la valeur à Québec, répondit Faustin. Au manoir Sewell, sans doute. Je me souviens d'avoir entendu le shérif dire que les derniers ouvrages de goétie y avaient été transportés.

— À l'exception de ceux qui se trouvent dans mes catacombes, précisa François.

— *Tes* catacombes ? releva Shaor'i un peu sèche-ment.

— Comme dernier descendant de Lavallée, il s'agit de mon héritage, non ?

— Lavallée avait laissé la Pierre Manquante à Otjiera, je te ferai remarquer…

— Pis ça, c'est quoi ? interrompit Baptiste, mani-festement désireux de couper court à une discussion inutile.

— Un pentacle… s'exclama François en se préci-pitant vers le montant d'une bibliothèque. Faustin, éclaire-moi ! ordonna-t-il en fronçant les sourcils.

La lanterne révéla un diagramme composé de lo-sanges bizarrement imbriqués au sein d'un cercle. Du peu que Faustin connaissait de la géométrie arcanique, il devait s'agir d'un sortilège basé sur le feu. François confirma son observation.

— Les vibrations de la formule, concentrées par de tels diagrammes, agitent les groupements d'*atomos* du support. On a dû graver ce pentacle il y a longtemps, afin de détruire la bibliothèque si jamais elle risquait de tomber dans des mains adverses.

— J'pense pas, coupa le bûcheron. L'bois du dessin est trop clair.

— Ce qui signifie que les intempéries n'ont pas eu le temps de faire tourner le diagramme au grisâtre et que la gravure est récente, ajouta Faustin.

— Il y a un symbole identique sur plusieurs autres montants, constata Shaor'i.

— Alors ceux qui sont venus piller cette bibliothèque désiraient effacer leurs traces mais ne l'ont pas encore fait, conclut François.

Faustin posa le fanal sur un guéridon et alla s'asseoir dans un fauteuil de lecture poussiéreux le temps de reprendre son souffle, car même à l'aise dans son nouveau corps, il s'épuisait rapidement. Souhaitant laisser entrer un peu de lumière, Baptiste tira l'épais cordon des rideaux qui, victime du temps, se rompit sous la tension. Avec un claquement de langue agacé, Shaor'i franchit la pièce en trois enjambées, empoigna l'étoffe de ses deux mains et donna un coup sec. Le rideau tomba sur le sol en soulevant un nuage empestant la moisissure, arrachant des éternuements à la jeune femme et au colosse.

Profitant de la clarté, François inspecta nonchalamment les livres dédaignés par ceux qui avaient vidé les lieux.

— Quelque chose d'intéressant ? lança Faustin.

— Des vétilles. *Psychologia vera,* de Böhme, *Basilica chymica,* d'Oswald Croll… n'importe quel apprenti de dix ans a déjà lu ça plusieurs fois. Quoique… celui-ci pourrait peut-être te servir.

Faustin se leva et prit le livre que le vicaire lui tendait. C'était un lourd volume à reliure de maroquin et aux pages de vélin. Bien qu'usé par de fréquentes lectures, l'ouvrage semblait encore en bonne condition. Les mots sur la couverture étaient illisibles, mais la page titre était en parfait état.

— Pierre Le Loyer, y lut Faustin à haute voix. *Discours & Histoires des Spectres, Visions & Apparitions des Esprits*.

— Le premier ouvrage qu'un bon spirite devrait lire, commenta François avec un sourire.

— J'y jetterai un œil, répondit Faustin sans conviction en glissant le livre dans son sac à dos.

— R'gardez ça ! s'exclama Baptiste en sortant un énorme rouleau qu'il étala sur une table.

Il s'agissait d'une carte de la région, dessinée à la sanguine avec énormément de soin. Les forêts étaient représentées par d'innombrables petits arbres et la rose des vents, à elle seule, devait avoir demandé de nombreuses heures de travail. Juste en dessous, on pouvait lire dans une calligraphie soignée : *Fief et domaine de Francheville, 1739*.

Une petite flèche pointait par-delà les limites de la carte en indiquant « Fief Saint-Étienne ».

— Le Saint-Maurice est juste là, indiqua François sur la carte. Ici, ce sont les Hauts-Fourneaux. Et ce bâtiment, nommé *Château-Neuf*, est probablement la Grande Maison qu'occupe actuellement l'administrateur Stuart.

— Par conséquent, ajouta Faustin en posant l'index sur un bâtiment à l'écart, ce *Vieux-Château* est probablement le manoir où l'on se trouve présentement.

— Exactement. Et ici, poursuivit François en posant à son tour un doigt sur la carte, il s'agit probablement de la chapelle privée des Poulin, située juste au pied de cette vaste colline qui s'est effondrée le printemps suivant l'abattage des arbres qui s'y dressaient.

— Et ces lignes noires, demanda Faustin en suivant des traits sinueux qui parcouraient la carte, que représentent-ils?

— D'anciens chemins, je suppose… regarde, il y en a un qui relie la chapelle au manoir.

— Pantoute, intervint Baptiste. J'en ai vu, des plans d'même, du temps que j'travaillais dans une mine. C'est des tunnels, ça. Pis les p'tits chiffres au-dessus des lignes, c'est la profondeur en pieds.

— Des tunnels?

— Les Forges doivent bin prendre leur fer quelque part… mais ceux-là, y doivent pus servir, ou bedon la place grouillerait d'ouvriers…

— Pourquoi relier la chapelle au manoir par un tunnel?

— Va savoir… c'qui compte, c'est qu'on peut l'atteindre de même, ta chapelle!

— Mais évidemment! s'exclama le vicaire. Elle peut bien avoir été ensevelie sous des tonnes de glaise, sa cave risque d'être intacte! Et le tunnel qui part d'ici est numéroté d'un six…

— Six pieds sous terre, c'est trop proche d'la surface pour être un tunnel de mine.

— Un passage secret, alors. Qui doit partir de la cave sous nos pieds et rejoindre le sous-sol de la sacristie.

— Cela expliquerait que les filles disparues puissent se trouver dans la chapelle… conclut Shaor'i. Ainsi, il suffirait de… *Karà!*

Avec un geste, l'Indienne intima le silence. De sous leurs pieds s'élevaient des sons fort incongrus dans un manoir abandonné.

Des notes de clavecin.

D'un bond, Shaor'i fut à proximité de l'escalier et se jeta au-dessus de la rampe pour atterrir à l'étage inférieur. Sans perdre une seconde, Faustin se précipita à sa suite mais en dévalant les marches, ses compagnons sur les talons... pour trouver l'Indienne pétrifiée d'incrédulité devant la vision d'une fillette d'environ quatre ans assise derrière le clavecin.

— Mère... murmura Faustin, médusé.

Dans le corps prématurément vieilli de l'enfant illégitime de Rose Latulipe, la tête légèrement rejetée vers l'arrière, celle qu'on avait surnommée l'Ensorceleuse de Pointe-Lévy laissait courir ses doigts sur le clavier d'ivoire d'où jaillissaient maintenant des harmonies complexes.

Sans se soucier le moins du monde de la présence des autres, la fillette abritant l'âme de la Corriveau prit le temps de terminer sa pièce et, un vague sourire aux lèvres, se leva doucement pour s'éloigner de l'instrument. Elle ne cilla pas le moins du monde quand Shaor'i dégaina ses lames et, restant à prudente distance des compagnons, elle lança d'un ton moqueur :

— *Prœludium numéro 1 en do majeur*. Ça te plaît, fiston ? C'est le premier morceau du *Clavier bien tempéré* de Bach.

— Mère... répéta Faustin en ne sachant que dire de plus.

— La négresse m'a enseigné... Elizabeth... elle jouait merveilleusement... Personnellement, je trouvais que ça suffisait à lui conférer une certaine utilité, mais l'Étranger ne l'entendait pas de cette oreille...

Comme une clochette d'argent, le rire enfantin de la Corriveau jaillit dans le silence, amusée du jeu de mots.

— Dame Corriveau, intervint François en faisant un pas vers l'avant, est-ce l'Étranger qui vous envoie ?

— Oh ! Mais tu portes le bâton d'Ariane Lavallée ! Je n'ai pas eu l'honneur de connaître son père, le Sorcier de l'île, mais sa fille m'était bien connue et…

— Dame Corriveau ! Est-ce, oui ou non, l'Étranger qui…

— Qui d'autre ? lança comme un couperet la voix de la fillette, soudainement basse et étrangement mûre. Ne sommes-nous pas tous ses pantins ? N'ai-je pas moi-même reçu des pantins en paiement de mes services, afin de prostituer mon esprit en le bourrant de sortilèges tout comme j'ai prostitué mon corps de poulinière pour engendrer ce bâtard qui…

— Mère ! hurla Faustin, mortifié.

— Il suffit, Charles ! J'ai des pantins à t'offrir…

Sitôt qu'elle eut prononcé ces mots, des bruits de grattements contre les cloisons se firent entendre. Les sons furtifs de petites griffes, pareils au bruit d'une pluie drue sur un toit, produisirent un vacarme assourdissant en descendant du plafond pour converger vers le sol.

Lorsqu'il vit la première silhouette qui jaillit de sous le plancher, Faustin crut à un très gros rat. Et même lorsque les êtres minuscules se mirent à surgir par dizaines, il lui fallut du temps pour comprendre ce qu'il avait sous les yeux.

C'est en voyant le corps de la petite Indienne se mettre à trembler violemment que la panique s'empara de lui et qu'il réalisa que ce qui grouillait sous ses yeux étaient de minuscules wendigos qui, créés à partir de cadavres de *mah oumet*, formaient un essaim d'affreux diablotins.

Quelque part entre le cri d'un harfang et le rugissement d'une hystérique, le hurlement qui jaillit de la

gorge de Shaor'i n'avait rien d'humain. Avant même
que l'œil ait pu percevoir son mouvement, elle fondit
sur la fillette et lui enfonça ses couteaux dans les
tempes jusqu'au manche.

Un sourire moqueur sur les lèvres, l'effigie se dissipa.

Poussant un nouveau cri, encore plus effroyable
que le premier, Shaor'i fit demi-tour, projeta son pied
vers l'avant en se débarrassant de sa botte et frappa
au vol l'un des êtres non morts.

Le diablotin fut broyé par le pied nu de la jeune
femme qui, doté de trois longs orteils à l'avant et d'un
autre à la place du talon, se referma comme une serre
en écrasant la petite cage thoracique.

Les yeux fous, le visage déformé de tics, Shaor'i
exécuta un saut périlleux pour atterrir en plein cœur
de l'essaim. D'un coup vif, elle poignarda la créature
qui venait de lui bondir au visage, tourna sur elle-
même pour transpercer celle qui grimpait à son dos,
laboura le sol des longues griffes noires recourbées
qu'elle avait à la place des ongles pour pulvériser
dans ses serres les non-morts qui tentaient de la saisir
aux chevilles.

Après un troisième hurlement, cette fois-ci indis-
cernable d'un hurlement de rapace, Shaor'i se lança
dans une sorte de ballet mortel où les mouvements
s'enchaînèrent les uns après les autres, presque indé-
celables à l'œil nu, alors que les diablotins bondis-
saient sur elle pour être déchiquetés en vol.

Une autre succession de grattements jaillit le long
de la cheminée et une autre masse de *mah oumet*
déferla dans la pièce en surgissant de l'âtre. Baptiste
frappa de sa hache, coupant en deux la première
créature et, alors que son arme restait plantée dans le

plancher de bois, plusieurs petits êtres coururent le long de son bras pour lui sauter sur les épaules et labourer son dos de leurs griffes.

Serrant les dents pour se forcer à garder son calme, Faustin passa à l'outrevision. Les petites taches noires s'agitant sur la carrure grise du colosse devinrent des cibles plus accessibles et, faisant le vide dans son esprit, Faustin retrouva le type de silence qu'il prenait juste avant de tirer une perdrix.

Sans réfléchir, il dégaina son sabre, frappa d'estoc la tache noire la plus proche de la gorge de son ami, tourna sur lui-même en tuant du tranchant trois créatures dont l'alignement lui sembla évident puis fit tourner la garde dans sa main et transperça d'un coup vers l'arrière le diablotin qui allait lui sauter sur le dos.

À peine vit-il le regard reconnaissant du bûcheron quand il revint à sa vision normale et qu'il entendit François aboyer :

— Faustin ! Baptiste ! Sautez sur la table !

Imitant le bûcheron, Faustin bondit sur le meuble au moment où le vicaire brandissait son bâton qui semblait vibrer violemment. La crosse, s'abattant sur le sol, généra une onde de choc qui ébranla la pièce, puis les clous s'arrachèrent du plancher à la vitesse de carreaux d'arbalètes, empalant au plafond les dizaines de diablotins qu'ils transpercèrent.

Sous leurs pieds, Faustin et Baptiste sentirent les clous s'enfoncer sous la table ; quant à Shaor'i, qui avait bondi pour atteindre le clavecin, elle poursuivait sa danse macabre en tuant de façon hystérique tous ceux qui s'élançaient vers elle.

Brandissant à nouveau sa crosse, cette fois vers le plafond, François incanta d'une voix forte et claire. Une lueur émergea d'entre les lattes du plafond et

Faustin se souvint à la dernière seconde du pentacle gravé sur la bibliothèque.

— À terre! cria-t-il en plongeant sous un meuble.

Le plafond explosa dans un torrent de flammes qui incinéra les créatures empalées avant de s'abattre sur ceux qui étaient toujours au sol. Du clavecin, quelques petits wendigos ayant échappé à la furie de Shaor'i bondirent dans leur direction. Plissant les yeux, Faustin vit détonner les quatre taches noires sur le fond gris. Deux diablotins furent tranchés d'un même geste, le troisième transpercé de la pointe du sabre. Quant au dernier, il s'effondra avant de toucher le sol, foudroyé par un trait à l'aura bleutée : un des couteaux de l'Indienne qui, hors d'haleine, venait d'achever les derniers diablotins.

Toutefois, Shaor'i n'avait toujours pas terminé son ballet mortel.

Hystérique, sa respiration saccadée entrecoupée de cris et de gémissements, l'Indienne poignardait sans s'arrêter les cadavres inertes de ce qui avait déjà été des *mah oumet*. Ce fut Baptiste qui la rejoignit en trois vives enjambées, la retourna vers lui en la saisissant par les épaules et, sans la moindre crainte face aux yeux fous et aux traits déformés de la jeune femme, dit tout doucement :

— C'est fini, P'tite. Tu les as libérés. Y reposent en paix, à c't'heure. C'est fini…

Secouée de spasmes, Shaor'i poussa un dernier hurlement qui se mua en sanglot puis, laissant tomber ses couteaux sur le sol, enfonça son visage dans le large poitrail du bûcheron, qui referma ses bras massifs sur son corps frêle.

Et longtemps, très longtemps, la jeune femme pleura son affliction.

◆

Avec un soupir navré, Faustin posa le dernier tas de petits cadavres aux pieds de Shaor'i. Accroupie, l'Indienne les rassemblait par masses, méditait un moment et lançait une sorte de sortilège d'effritement réduisant en poussière les corps des *mah oumet*.

Sans difficulté, Faustin se remémora ce que l'Indienne leur avait déjà expliqué au sujet des rites funéraires du petit peuple des cavernes : réduisant en poudre les os des trépassés, ils en enduisaient les nouveau-nés pour leur transmettre une partie des qualités des défunts.

Shaor'i avait été catégorique : elle ne bougerait pas avant d'avoir terminé. Ensuite, elle mettrait la poudre dans un sac et veillerait, une fois terminée sa mission avec eux, à apporter ces reliquats aux *mah oumet* du grand tunnel.

Soupirant encore, Faustin repensa à la petite société de ces êtres si fascinants et à leur population qui chutait d'année en année. Préférant ne pas songer aux implications de tout cela, il quitta le salon, gravit l'escalier et se mit en quête de François, qui était remonté aussitôt que l'Indienne avait énoncé ses exigences funéraires.

Prudemment, il contourna le trou noirci engendré par la déflagration. Il remarqua un corps de *mah oumet* encore empalé à une planche, le détacha de son clou et le lança à travers la brèche.

D'en bas, l'Indienne lui envoya un regard reconnaissant, puis poursuivit son labeur.

S'avançant plus loin dans le couloir, Faustin dépassa quelques chambres aux tapis moisis, jeta un bref coup d'œil dans un second salon meublé d'ébène puis aboutit dans un bureau où le vicaire s'était installé devant un petit secrétaire.

L'entendant arriver, François se retourna vivement en heurtant un encrier du coude. Sans se soucier d'éponger l'encre qui se répandait sur le plancher poussiéreux, il s'empara d'un mouchoir qu'il serra autour de son avant-bras.

— Tu es blessé ? s'inquiéta Faustin.

Il franchit les quelques enjambées qui le séparaient de François pour constater que le mouchoir que tenait son ami était déjà poisseux de sang.

— Merde, François, il faut le dire à Shaor'i…

— Laisse tomber ! jeta sèchement le vicaire en repoussant Faustin de son bon bras. Un sort curatif réglera…

Faustin se pétrifia quand il découvrit deux objets sur le secrétaire. D'abord une feuille de papier froissée sur laquelle était illustré un diagramme arcanique. Puis un scalpel médical, dégoulinant de sang.

Ayant suivi le regard de son ami, le vicaire se recroquevilla dans son fauteuil, légèrement tremblant, les yeux pareils à ceux d'une bête traquée.

— François… tu t'es… scarifié un autre pentacle…

— Je n'ai pas le choix. Le sortilège de contrôle magnétique que j'ai jeté sur les clous est beaucoup trop long à dessiner.

Indigné, Faustin répliqua :

— Ce n'est pas une raison pour le graver dans ta chair ! Une broderie au revers de ta soutane, un bijou ciselé…

— Peuvent tous m'être retirés ! coupa François avec fermeté. Comme ce fut le cas sur l'île d'Orléans ! Alors que maintenant…

La voix de Baptiste résonna de l'autre bout du couloir :

— Tout va bien, les gars ?

— Excellent, Baptiste ! cria le vicaire en rabattant vivement la manche de sa soutane sur la plaie.

Il s'empressa de quitter la pièce, bousculant Faustin au passage. Le jeune bedeau resta interdit quelques secondes, sans pouvoir détacher les yeux du scalpel souillé.

« *Le diagramme sur la page vous rappellerait-il quelque chose* ? » nargua dans sa tête la voix de la Siffleuse.

« *Pas du tout,* répliqua Faustin. *Fichez-moi la paix.* »

Pourtant, maintenant qu'elle le disait, il lui semblait en effet reconnaître la figure géométrique : un octogone dans un cercle, les apothèmes tracés jusqu'au premier tiers avant de se diviser en huit petits losanges se touchant par la pointe au centre du diagramme…

« *La Barrière de Saint-Damien !* » reconnut-il avec effroi.

« *Précisément. Ainsi il pourra bloquer votre talent spirite chaque fois qu'il le voudra.* »

Effaré, Faustin sentit une sorte de vertige le gagner. Que faisait François ? Pourquoi lui avait-il menti ? Se pouvait-il que…

Un miaulement moqueur perça le silence et une ombre s'éleva du sol pour atterrir sans bruit sur le secrétaire. Assis sur ses pattes de derrière, le chat noir fixa Faustin de ses yeux d'ambre.

« *Seriez-vous désormais disposé à m'écouter, mon Prince ?* »

« *Que me voulez-vous ?* » émit Faustin avec méfiance.

« *Vous parler de votre héritage. Et vous livrer un message de la part du Seigneur.* »

« *Quel message ?* »

« *Il n'a plus besoin de vous. Oh ! Il pourrait bien vous trouver une utilité si d'aventure vous vous mettiez en travers de son chemin, mais en ce qui le concerne, l'idée de vous utiliser comme réceptacle ne lui convient plus. En fait, il devrait plutôt vous remercier d'être parvenu à lui échapper – vous lui avez épargné une grave erreur.* »

Le chat noir se lécha la patte avec désinvolture avant de s'en servir pour se nettoyer une oreille.

« *Bien étrange façon de me remercier,* répliqua Faustin, *que de m'envoyer ses larbins en embuscade…* »

« *Retournez à Pointe-Lévy et vous ne risquerez plus ce genre de… désagrément.* »

« *Impossible. Je dois tirer ma mère de son joug.* »

Le chat dévoila ses crocs d'un bâillement et sauta sur le plancher en ronronnant. Il fit quelques pas, frôla de sa queue les chevilles de Faustin avant de s'en éloigner. Arrivée près d'une ouverture dans le plancher, là où il manquait une latte, la Siffleuse ajouta :

« *Cette fillette n'est pas votre mère, mon Prince. Ou elle ne l'est plus. C'est une ombre que vous tentez de sauver… mais si vous avez envie d'en savoir davantage sur le côté paternel de votre lignage, vous pourrez toujours me contacter… nous avons notre petit mode de communication à nous, non ?* »

Sur ces mots, le chat se glissa dans l'orifice, laissant Faustin seul dans la pièce. Le jeune homme secoua la tête : il devenait urgent de rétablir le lien avec son ami. François semblait mettre une distance sans cesse croissante entre eux deux et, Faustin devait l'admettre, les propos de la Siffleuse l'amenaient à se questionner de plus en plus souvent sur la fiabilité de celui qu'il voyait comme son frère. Les feux de l'île d'Orléans pouvaient-ils l'avoir atteint à ce point ?

Non. François était… François. Et Faustin se devait de retrouver le lien alors que la présence de la Siffleuse devenait chaque fois plus envahissante. Honteux, il se rendit compte qu'il n'osait plus rapporter les contacts mentaux du chat noir à son ami.

Cela suffisait ! Résolu, Faustin franchit le couloir en sens inverse, dévala l'escalier, interrogea du regard Shaor'i, qui lui indiqua la porte d'un geste vague. D'un pas décidé, Faustin sortit à l'extérieur et trouva François dans les hautes herbes du jardin abandonné, au pied d'un arbre stérile et noueux.

Le vent qui s'était levé mordait les os, pareil à la bise de novembre. Il portait un léger crachin, plus léger que l'averse du matin, pas tout à fait de la pluie mais suffisant pour tremper les vêtements.

Indifférent, François se tenait à contrevent, fortement appuyé sur son bâton, ses cheveux dégoulinant sur son visage. L'étoffe noire de sa soutane claquait au vent tandis que son regard se perdait dans le vide.

À pas mesurés, Faustin vint se placer à ses côtés. Malgré lui, il constata à nouveau qu'ils étaient à présent presque de la même taille. Cela lui donnait une tout autre vision des traits de son ami. Plus encore, sur les rides qui sillonnaient à présent son visage, il pouvait constater sans peine les tourments qui l'habitaient. Inspirant profondément, Faustin s'adressa à son frère adoptif :

— Tu m'inquiètes, La Perche.

Le vicaire ne put réprimer un sourire. *La Perche*. C'était le surnom – tout désigné pour un garçon qui dépassait déjà les cinq pieds et demi – que Faustin utilisait pour désigner François alors qu'ils avaient neuf et douze ans et que le curé Lamare les avait présentés l'un à l'autre, leur expliquant qu'ils vivraient désormais ensemble et partageraient la même chambre.

Après un silence, François répondit :

— Tu n'as pas à t'inquiéter, P'tit renard.

Ce fut au tour de Faustin de sourire. Malheureusement, le sourire s'effaça lorsque son ami ajouta :

— Toutefois, les choses ne seront plus jamais comme avant. Nos vies ont changé pour toujours le soir où ton oncle est mort.

Un autre silence passa avant qu'il n'ajoute :

— Je me suis engagé sur un chemin où il n'y a aucun demi-tour possible, Faustin. Crois-moi, j'ai réfléchi des nuits entières avant de prendre ma décision. Mais je l'ai prise et je dois l'assumer jusqu'au bout. Pour cela, j'ai sacrifié ma jeunesse, scarifié ma chair et affaibli mon corps. Il n'y a aucun retour possible.

— Tu as tellement changé, François… pas seulement physiquement, précisa Faustin en voyant l'expression de son ami. Quelque chose en toi. Pas ton esprit mais autre chose…

— Ma personnalité ? C'est normal, Faustin. Nous avons tous changé après les événements de l'île d'Orléans. Toi-même, tu…

— Non. Ce n'est pas seulement ta personnalité qui a changé. C'est toute ton âme.

François recula d'un pas comme s'il l'avait giflé. Ses traits se durcirent aussitôt et il riva son regard sur l'horizon.

— Oui, j'ai changé, répondit-il avec fermeté. J'ai armé mon âme tout autant que mon esprit. À présent, l'Ordre Théurgique, c'est *moi*. Il n'y a que moi qui peux faire face au Stigma Diaboli. Calvaire, Faustin, je suis tout seul ! Ça n'aurait peut-être pas été nécessaire si tu avais eu pour deux sous de sens des responsabilités, si tu avais étudié les arcanes au lieu de t'octroyer le privilège d'être un garçon de village, si tu n'avais pas été…

François se tut subitement mais Faustin cracha, piqué :

— Vas-y ! Dis-le, qu'on en finisse !

Le vicaire se détourna totalement et laissa tomber sèchement :

— Un fardeau… c'est bien ce que tu voulais entendre, non ? Alors maintenant que c'est dit, fiche-moi la paix avec mon âme et occupe-toi de la tienne.

Mortifié, Faustin sentit une serre lui broyer l'intérieur, froide comme la morsure de l'hiver alors que celui qu'il avait toujours vu comme un frère s'éloignait à grandes enjambées. Silencieux, le jeune homme s'assit dans l'herbe mouillée sans se rendre compte de l'humidité et se mit à chercher son air, comme s'il étouffait, que son cœur se couvrait d'une gangue de plomb.

Une heure plus tard, quand Baptiste vint l'avertir qu'ils partaient, la sensation ne s'était toujours pas amoindrie. Seul flottait, quelque part dans un coin de son esprit, le vague écho du ricanement de la Siffleuse.

CHAPITRE 20

L'antre du beuglard

Fort de son bon sens caractéristique, Baptiste était descendu à la cave et avait repéré l'endroit où, selon le plan, aurait dû se trouver l'entrée du tunnel. Du manche de sa hache, avait-il expliqué, il avait testé la résonance du mur jusqu'à trouver une partie sonnant creuse. Avec une vieille poutre, il avait enfoncé le mur fragilisé par le temps et mis au jour l'entrée d'un tunnel de pierre bouché, six pieds plus loin, par une énorme porte entièrement de fer forgé.

Appelé en renfort, François avait tracé d'une craie un complexe pentacle sur la porte ainsi que deux diagrammes secondaires sur les gonds. Après qu'il eut incanté, les gonds rougeoyèrent avant de se liquéfier. La porte tomba avec un grand bruit sourd.

L'endroit aurait pu avoir été utilisé la veille ou cent ans auparavant tant l'épaisse maçonnerie semblait intemporelle. Sous un plafond en arc outrepassé, le couloir souterrain s'étendait en droite ligne, son plancher pavé portant l'écho de leurs pas.

Sans plus s'attarder, ils avaient pris la route souterraine, Baptiste passant le premier avec le fanal. Délibérément, Faustin était resté un peu à l'arrière, ce qui ne changeait guère de l'accoutumée où ses compagnons ouvraient la marche afin d'assurer sa protection ; néanmoins, cette fois il avait choisi cette position afin d'observer subtilement les autres.

S'il avait ignoré que c'était bien elle, jamais il n'aurait pu identifier Shaor'i de dos. Elle avançait d'une façon presque apathique, les bras pendant le long du corps, sans cette constante tension d'oiseau de proie qui la caractérisait tant. Au rythme de ses pas, ses mains effleuraient ses hanches sans jamais toucher au pommeau de ses lames et les inévitables échos des souterrains n'attiraient guère son attention. Elle semblait avoir l'esprit endormi et marchait avec un inquiétant détachement.

À l'opposé, François allait d'un pas ferme et volontaire, les mains serrées sur son sceptre, les muscles du dos crispés. Son état ne s'était pas adouci depuis la dernière discussion et Faustin avait désormais l'impression de côtoyer un étranger. Quelle tourmente pouvait bien hanter l'esprit de son frère adoptif pour qu'il soit devenu aussi replié sur lui-même et aussi… anormal ? Ses scarifications, ses réflexions profondes, tout cela en était presque morbide. En quel homme était en train de se transformer celui qui avait été l'admirable aîné, érudit, attentif et si protecteur ? Là était peut-être la clé du problème : porter un fardeau trop lourd l'avait brisé. Sentant sa gorge se nouer, Faustin chassa cette pensée et tourna son attention vers Baptiste.

Alerte, la hache bien en main, le bûcheron était plutôt discret depuis le retour de François. Que pensait-il, au fond de lui-même ? Quelque chose n'allait pas. Depuis combien de temps Faustin ne l'avait-il pas entendu fredonner un air gai ou réciter des vers joyeux ? Deux jours. Autant dire une éternité. Le regard franc du colosse n'avait plus rien de jovial et un pli soucieux barrait perpétuellement son front.

Et lui-même, pensa-t-il enfin, qu'était-il en train de devenir ? Poussé par François, Faustin explorait cette frontière où s'effleuraient le règne des mortels et celui des morts. Quelque chose s'était ouvert en lui qui ne se refermerait plus jamais, comme lorsque, enfant, il avait appris à lire et que, par la suite, il s'était rendu compte que les mots révélaient leurs sens au moindre regard, sans qu'il n'eût à y penser. Désormais, il percevait des présences tout autour de lui et sentait des esprits tenter de communiquer avec le sien – ou s'y imposer, comme la Siffleuse. Quelle existence allait découler de cette sensibilité nouvellement acquise, ouverte au cours des feux de l'île d'Orléans ? Lui non plus ne serait plus jamais le même et cela le tourmentait.

Tout à ses pensées, Faustin ne remarqua la pièce que lorsque le groupe s'y immobilisa : un renflement du tunnel formant une sorte de réserve.

François exigea une halte et s'empressa de scruter les murs. Le long d'un râtelier s'amoncelaient une douzaine de fusils devant dater de l'Ancien Régime. Une bourse de balles avait été posée au pied de chacun, tout comme une petite boîte à poudre. Sur un support contigu étaient posés des sabres anciens. D'énormes tonneaux de bois, marqués « pois », « fèves » ou « bière », étaient rangés le long d'un mur, non loin d'une pompe à eau et de caisses contenant cordes, couteaux, boîtes à amadou, fioles d'huile et fanaux.

D'un étui de cuir, François extirpa une carte du domaine datée de 1757. Il la consulta rapidement et, comme elle ne présentait aucun intérêt pour lui, la remit à sa place.

D'abord émerveillé, Faustin vit son enthousiasme s'estomper face aux manières impatientes du vicaire, qui semblait chercher en vain quelque chose de précis, et aux yeux éteints de Shaor'i.

— Une réserve arcanique, annonça finalement François. L'Ordre Théurgiste en avait installé plusieurs durant la guerre des Sept Ans. Je suppose que le Stigma Diaboli en a fait autant.

Le vicaire ouvrit une caisse et retira vivement la paille d'empaquetage. Il trouva quelques encriers, une réserve de supports d'écriture, des plumes et des accessoires de géométrie. Il se tourna vers une étagère où s'entassaient de petits paquets de jute, s'empara de l'un d'eux et le déballa, en laissant tomber les copeaux de cèdre qui protégeaient le contenu : un petit opuscule arcanique.

— Des sorts élémentaires, commenta François en feuilletant l'ouvrage, puis en se saisissant d'un second paquet.

— Ce sont tous les mêmes ? demanda Faustin.

— Tous identiques. De quoi tenir un siège, sans plus.

— Y a un pentacle icitte, remarqua Baptiste en éclairant le sol du faisceau lumineux de sa lanterne.

— Téléportation, identifia aussitôt le vicaire en s'agenouillant.

Il réclama plus de lumière d'un geste puis se releva en calculant prestement sur une feuille volante.

— Vu la distance et l'angle de translation qu'implique l'espace séparant ces deux cercles concentriques, je suppose que cela nous téléporterait au village des Forges. Difficile de dire précisément où sans les mesures exactes, mais gageons qu'il s'agit de la Grande Maison. La téléportation étant fort risquée au-delà de cent verges, je suppose qu'il s'agit ici d'un plan d'évasion d'urgence.

Sans rien ajouter, François leur tourna le dos et se remit en route à travers le tunnel. Baptiste s'approcha de Faustin et lui tapota l'épaule en murmurant :

— T'sais, faut laisser du temps au temps…

Un cri du vicaire, déjà rendu à plusieurs verges, coupa court à la discussion :

— Amenez-vous ! On y est !

◆

Les épaisses pentures de fer forgé laissaient deviner qu'il y avait eu, jadis, une très lourde porte comme celle qu'ils avaient forcée à l'entrée du tunnel. Le montant de pierre de droite, les claveaux et la clé du linteau s'étaient effondrés. L'ouverture était partiellement obstruée par la terre et les débris qu'on avait incomplètement déblayés pour aménager un passage. Attendant en vain que Shaor'i ne scrute, comme à son habitude, la noirceur à l'aide de sa vision de harfang, Faustin finit par hausser les épaules, demanda le fanal à Baptiste et projeta le faisceau à travers l'orifice. Il s'agissait d'une vaste pièce meublée de nombreuses tables. Au mur, on pouvait voir suspendus divers appareils de boucherie, tant et si bien que Faustin crut d'abord qu'il s'agissait d'une ancienne échoppe. Néanmoins, sur les tables, plusieurs petites caisses de bois dégoulinant de l'eau de fonte de la glace qu'elles contenaient lui rappelèrent un macabre souvenir. Les études anatomiques accrochées au mur du fond confirmèrent ses soupçons. Une fois déjà dans sa vie il avait vu une installation semblable : sous la demeure du notaire Lanigan, là où on avait procédé au lever de jacks mistigris.

Brusquement, Faustin sentit Shaor'i le bousculer. De ses yeux dorés, elle avait déjà analysé la scène. La jeune femme s'engouffra rapidement dans l'ouverture, aussitôt suivie de Baptiste qui tentait de la retenir. Faustin leur emboîta le pas, le vicaire à sa suite.

La salle devait avoir été nettoyée car elle empestait l'ammoniaque. Sur une table, on avait rangé tout un lot d'outils chirurgicaux, parmi lesquels Faustin identifia un scalpel, un bistouri, une pince kocher, une fraise à manivelle et un scarificateur. Juste à côté se trouvaient de petites caisses de glace. Leur fonction ne laissait aucun doute et les études anatomiques tracées à la sanguine confirmèrent la déduction de Faustin : on avait engendré ici les horribles parodies de *mah oumet* qu'ils avaient combattues peu auparavant. Il ne fallut qu'une minute pour qu'un premier cadavre ne confirme leurs appréhensions.

La quantité de glace dans les caisses et la profondeur de la pièce contribuaient à la fraîcheur de la température ambiante, qui rappelait celle d'une froide nuit d'octobre. Lentement, l'Indienne contourna l'atelier de torture, laissant couler des larmes silencieuses sans la moindre pudeur.

— *Lpa ms't getemetesultijig*, murmura-t-elle doucement, la gorge nouée.

Hache au poing, Baptiste se rapprocha d'un escalier de pierre, en faisant signe à Faustin de venir l'éclairer. S'ils étaient bien sous le glissement de terrain généré par l'effondrement de la colline, l'escalier devait mener à la chapelle engloutie.

Alors qu'ils inspectaient les lieux, le vicaire et le bûcheron détournant les yeux des petits cadavres et Shaor'i pleurant sans gêne, Faustin se surprit à réprimer un tremblement. L'alignement des corps frêles et minuscules des *mah oumet*, qu'il considérait comme des gens depuis la traversée de leur caverne, suscitait en lui un haut-le-cœur qu'il avait peine à réprimer. Les corps inertes, qu'on avait plongés dans la glace et partiellement écorchés – nourris de leur propre chair, s'il se souvenait bien des explications de François – lui évoquaient une telle aversion qu'il voulut fixer le plancher pour ne rien voir ; or les flaques de sang caillé qui maculaient le sol, où étaient collées esquilles d'os et touffes de fourrure poisseuse, l'écœurèrent tout autant.

Un claquement sec attira son attention. Il eut tout juste le temps de voir le colosse se précipiter vers la forme blanchâtre qui venait d'émerger d'entre deux caisses.

Titubant sur la table, un *mah oumet* auparavant camouflé esquissa trois pas avant de s'effondrer dans les mains en coupe du bûcheron. Hébété, Baptiste porta le petit être près de son visage et le réchauffa de son haleine. Incrédule, Faustin s'exclama :

— Qu'est-ce qu'il fait ici ?

Souriant à travers ses larmes, l'Indienne répondit :

— Rusé petit guerrier. Il s'est caché, tout simplement…

— L'pauvre, déplora Baptiste en soufflant à nouveau sur le petit corps tremblant. Y'a vu tout son monde s'faire abâtardir… Y'a faim, pour sûr…

— *Ejigla'tueg*, décréta Shaor'i avant d'ajouter, à l'intention du lutin : *Wlo'tasitesk ke'sk na'te'l eimn*.

— T'as raison, P'tite. On l'prend.

Déboutonnant sa mackinaw, Baptiste glissa avec une infinie douceur l'être fragile dans sa poche intérieure. La créature, trop faible pour s'y opposer, allait de toute évidence s'y endormir.

Serrant les dents, Shaor'i dégaina aussitôt ses lames.

— Allons-y. Toute horreur mérite vengeance.

Baptiste, tenant le fanal dans une main et sa hache dans l'autre, insista pour passer le premier. Derrière lui, Faustin avançait, fusil chargé, le canon pointé vers l'espace entre le bûcheron et le mur.

À demi étouffé par la poussière omniprésente, le groupe écartait les toiles d'araignées pour gravir les degrés dans le noir. Les larges marches de bois vermoulu avaient acquis un remugle pestilentiel à mesure que le temps et l'humidité avaient accompli leur œuvre sur le bâtiment enseveli. Chaque pas du groupe, guidé par la lueur du fanal, faisait craquer les poutres à travers les cloisons séculaires alors que le plafond laissait échapper de minces filets d'une eau brunâtre puante.

L'escalier monta longtemps et mena jusqu'à un cagibi. L'endroit, rendu lugubre par la lumière vacillante de la lanterne, était sobrement meublé d'une table ronde et de trois chaises simples, apportées récemment vu leur état. Un chandelier de cuivre, nettement d'époque tant il était vert-de-grisé, portait des chandelles presque neuves.

Dans la poche du bûcheron, le *mah oumet* s'agita brièvement. Le colosse sortit la frêle créature pour la poser dans ses mains et la réchauffer à nouveau de son souffle puis, l'enroulant dans son mouchoir, il la coucha tout près du fanal posé sur la table afin qu'elle se réchauffe à la chaleur émise par la flamme.

François ouvrit l'unique porte de la pièce. Celle-ci menait vers une tribune qui rappela une configuration familière à Faustin, qui s'empressa d'aller rejoindre son ami. Appuyé sur la chancelle, il valida sa première impression : ils étaient dans un jubé, celui de la chapelle engloutie, dont la nef s'étalait à leurs pieds.

Les boiseries murales étaient mangées par les vers. Certains contreforts s'étaient écroulés sur le sol et plusieurs fleurons de pinacles gisaient au pied des murs. Le long du bas-côté sud, de la terre s'amoncelait. Lors du glissement de terrain, elle avait de toute évidence fait voler les vitres en éclats et s'était déversée dans la nef. Des pierres grosses comme des poches de grain avaient roulé jusqu'au centre de la grande salle et l'impact avait été si violent que des bancs avaient éclaté sous le choc. Dans l'absence totale de luminosité, les mycoses avaient crû, envahi les murs et le sol et pris des proportions gigantesques. Pareille à de nauséabonds tapis gris et velus, la moisissure s'étendait sur toute la face sud.

Néanmoins, plus impressionnantes et encore plus sinistres étaient les racines des arbres qui avaient pénétré par les fenêtres, se creusant un passage à travers la terre, et qui couvraient désormais le haut des murs en pendant, pareilles à des stalactites végétales. Les entrelacs racinaires ressemblaient à des vers énormes issus des profondeurs souterraines, leur conférant un aspect surnaturel.

Les meneaux des fenêtres manquaient et un seul vitrail avait miraculeusement subsisté. Sans lumière provenant de l'extérieur, il était difficile d'en voir les détails.

Quand, répondant à l'appel du vicaire, Baptiste arriva avec le fanal en réinstallant le *mah oumet* dans sa poche, ils remarquèrent que le faisceau n'atteignait pas le panneau de verre. Ce fut Shaor'i qui, grâce à ses yeux de harfang, put décrire la scène représentée :

— Une très belle femme, vêtue de façon fort suggestive, est à genoux devant un diagramme arcanique d'où émerge une silhouette vaporeuse. Un homme barbu assiste à la scène, l'air inquiet.

— La nécromancienne d'En-Dor s'adonnant à une *nekuia*. Elle a invoqué le spectre du devin Samuel pour le compte du roi Saül, reconnut François. Je n'ai jamais entendu dire que cette scène ait été représentée dans un lieu saint…

— Elle a des relents de paganisme, en tout cas, commenta Faustin.

— Ce n'est pas sans raison qu'on décourage la lecture de la Bible aux petites gens, laissa tomber le vicaire. Cela dit, cette représentation nous en révèle beaucoup sur le côté particulier de cette chapelle. Une scène biblique de spiritisme, dépeinte par une personne ayant manifestement déjà vu un pentacle de voyance.

— *Karà !* lança Shaor'i à mi-voix. On approche !

L'Indienne se plaqua contre le mur est, traînant avec elle Baptiste qui s'empressa d'éteindre le fanal. Faustin et le vicaire se cachèrent à l'autre bout du jubé tout juste comme l'écho de bruits de pas envahissait la salle.

Émergeant du narthex, un halo de lumière pénétra dans la nef. Marchant en deux rangs bien droits, huit jeunes femmes avançaient à pas mesurés, chacune portant un chandelier pascal long de plusieurs pieds, la base effleurant le sol, le sommet orné d'un cierge épais. Les traits inexpressifs et le regard absent, les huit femmes se répartirent en un cercle et se servirent de leur bougeoir pour tracer des lignes sur le sol couvert de terre. Dans une sorte de danse, elles se rejoignirent au centre, reculèrent, firent un tour sur elles-mêmes jusqu'à ce qu'elles en viennent à dessiner un complexe diagramme arcanique.

Derrière elles pénétra une femme aux cheveux sombres, au teint mat, vêtue d'une façon qui aurait mieux convenu au siècle précédent et armée de deux couteaux de silex identiques à ceux de Shaor'i. Nadjaw. Très digne, elle guidait de la main un coffre de fer forgé long d'au moins dix pieds, qui flottait à quelques pouces du sol. La Danseuse apostasiée marcha jusqu'au cercle formé par les jouvencelles et mena le coffre jusqu'au centre du pentacle où il se posa avec un bruit sourd.

D'un même geste parfaitement synchronisé, les huit femmes s'inclinèrent, leur visage toujours aussi dépourvu d'expression. Quand elles se relevèrent, Nadjaw se plaça en retrait et ordonna simplement :

— Procédez.

En une impeccable coordination, les femmes étendirent les bras en croix, joignirent leurs mains, puis se mirent à incanter d'une même voix :

— *Ades Ek-arn al-sarentozina… Ibn salima zaresh-donikah…*

Le regard de Faustin fut alors attiré par un mouvement de l'autre côté de la tribune. Debout contre le mur, tenant l'une de ses lames par la main gauche, Shaor'i se déplaçait latéralement avec une lenteur calculée. Tous ses muscles bandés, sa respiration savamment contrôlée, elle parcourait prudemment chaque pouce qui la séparait de l'angle où elle pourrait, manifestement, projeter son arme contre sa prédécesseure. Le visage impassible, elle avait adopté un silence que Faustin décrypta comme celui d'un rapace s'apprêtant à fondre sur sa proie.

Soudain, plongeant vers l'avant, elle lança son couteau en direction de Nadjaw qui fit aussitôt volte-face en bondissant du même souffle en arrière pour éviter le trait mortel… et placer sa jambe droite précisément dans la trajectoire du second couteau qui se ficha dans son mollet.

Poursuivant son élan, Shaor'i passa par-dessus la rambarde du jubé, adopta brièvement sa forme de harfang pour freiner sa chute et toucha le sol en ayant repris son apparence humaine avant de rouler sur le côté pour éviter les lames que son adversaire avait décochées.

— Poursuivez! hurla Nadjaw avant de se métamorphoser en lynx et de bondir à l'assaut de Shaor'i, qui accueillit le félin d'un coup de talon au poitrail avant de reprendre sa forme ailée et de monter hors de portée.

Les disparues des Forges continuèrent sans broncher à scander leur incantation. Le visage aussi neutre que s'il avait été de cire, elles chantaient les paroles arcaniques alors que le diagramme se mettait à luire sous leurs pieds.

— *Zya, sya, sri-sared el karim askatur…*

Du haut du jubé, gardant les yeux sur le harfang qui piquait sur le lynx pour lui labourer le dos de ses serres, Faustin sentit qu'on lui secouait l'épaule :

— Tire, Faustin! lança le vicaire entre ses dents, lui désignant son fusil.

— Quoi?

— Mais abats-en une! On n'a aucune idée de ce qu'elles vont…

Faustin leva des yeux horrifiés vers son ami.

— Je ne vais quand même pas tirer de sang-froid sur des gens… pire, sur des femmes!

— Tabarnak, Faustin… jura François en lui prenant l'arme des mains.

— Non!

Le bedeau lui arracha le sac de bourre et le lança au loin alors que les disparues achevaient d'incanter.

— *…ist eïhna, aska zarenar!*

Les yeux du vicaire étincelèrent de rage.

— Espèce de sombre imbécile, ne vois-tu pas que… jura-t-il avant d'être interrompu par un bruit effroyable, à mi-chemin entre le mugissement et le rugissement.

Faustin et François s'entre-regardèrent.

— Le beuglard… réalisa le bedeau en frissonnant.

Le hurlement, semblant émerger des entrailles de la terre, reprit encore plus bruyamment, puis le couvercle du coffre de fer fut projeté à dix verges, laissant jaillir un bras d'une impensable dimension.

Sur le sol de la nef, le lynx ayant retrouvé forme humaine culbuta pour récupérer ses couteaux, plongea de côté pour éviter un nouveau piqué du harfang. Nadjaw hurla aux disparues :

— Rentrez à l'abri !

Puis, se retournant vivement, elle lança contre le rapace blanc une lame qui lui érafla la cuisse. Shaor'i tomba sur le sol, la jambe dégoulinant de sang, mais de toute façon elle ne songeait plus à contre-attaquer, car du coffre venait de surgir un être qui n'aurait dû exister que dans les légendes.

L'homme – ou la créature – atteignait une taille gigantesque qui dépassait probablement les dix pieds. Son corps musculeux était couvert d'une longue pilosité ocre cachant presque toute la chair. La tête, massive et aplatie, avec un front fuyant, une mâchoire saillante et un nez énorme, tenait davantage du singe que de l'humain. Les bras, plus volumineux que les cuisses de Baptiste et beaucoup plus musculeux, pendaient jusqu'aux genoux et se terminaient par des mains colossales dont les ongles noirs ressemblaient à des griffes.

— *Mestabeok!* cria Nadjaw à l'intention de la chose. Anéantis-la !

Alors que les huit femmes achevaient de quitter la nef, la créature poussa de nouveau son beuglement, ramassa une pierre grosse comme un poêle et la projeta sur Shaor'i, toujours agenouillée. La jeune femme parvint de justesse à bondir pour éviter l'assaut, alors que Nadjaw fuyait les lieux sous sa forme féline.

Le beuglard s'empara d'une autre pierre et l'Indienne resta immobile, serrant les dents. Quand l'énorme projectile fusa vers elle, elle se précipita vers la créature. Se faufilant habilement entre ses jambes, elle lui lacéra l'arrière d'un mollet sans parvenir à atteindre son tendon d'Achille puis, sautant aussi haut qu'elle le put, elle se retransforma en harfang pour rejoindre le jubé.

— Espèce de folle, vociféra le vicaire, tu vas nous faire…

Destiné à atteindre l'oiseau blanc, un immense bloc de pierre percuta le plancher du jubé, ébranlant la structure qui se fissura.

— *Kesh-indira al-mestareün ibn lamedir sadn karesh!* incanta François alors qu'un pentacle brillait brièvement à son bras, à travers ses vêtements.

Le jubé s'écroula dans un vacarme assourdissant. Faustin eut le réflexe de se recroqueviller en protégeant sa tête de ses bras, puis constata que les débris ne l'atteignaient pas. La crosse brandie au-dessus de sa tête, le visage ruisselant de sueur sous l'effort, le vicaire venait de générer la même barrière qui les avait protégés de l'esprit frappeur du moulin.

Ils percutèrent quand même durement le sol, le choc de la chute à peine amoindri par le sort, et la poussière n'était pas encore retombée qu'un banc d'église heurtait la barrière invisible, faisant gémir François sous l'effort mental.

Le beuglard fonça vers eux en hurlant, frappa le mur arcanique, recula aussitôt et s'empara d'une vieille poutre qu'il brandit comme un gourdin pour l'abattre sur la barrière.

— Calvaire, jura le vicaire, je ne tiendrai pas long-temps…

— Je m'en occupe, se résolut Shaor'i, ayant entre-temps guéri sa blessure à la cuisse.

— Pas sans moé, P'tite, ajouta le bûcheron en ramassant sa hache.

— Évidemment, acquiesça l'Indienne avant de planter ses yeux dorés dans ceux du jeune bedeau et d'ajouter : Faustin, danse avec moi.

Stupéfait, Faustin jeta un œil au monstrueux homme-singe et déglutit avant d'acquiescer d'un hochement de tête. *Je ne reculerai pas*, se jura-t-il. Il sentit une sorte de lien s'établir entre lui et l'Indienne, comme à l'entraînement, bien qu'il n'eût guère le loisir de s'interroger à ce sujet.

— Je vous couvre, gémit François en peinant sous l'effort. Je vais lâcher la barrière. *Maintenant !*

D'un bond, Shaor'i s'élança vers la nef. Ayant anti-cipé son mouvement, Faustin l'imita. Le beuglard projeta sa poutre, qui tournoya dans les airs avant de s'enfoncer dans la terre accumulée sur le sol, préci-sément entre l'Indienne et Faustin qui s'étaient écartés l'un de l'autre dans un mouvement symétrique.

Une sphère de flammes percuta le beuglard en plein poitrail et le monstre se tourna vers le vicaire. Baptiste en profita pour s'élancer vers la créature afin d'en-foncer sa hache dans son abdomen. Peine perdue, il fut jeté au sol d'un seul coup de pied.

Shaor'i et Faustin se lancèrent à l'assaut du géant. Dégainant chacun leurs armes, ils foncèrent d'abord côte à côte vers le monstre avant de se séparer dans un parfait synchronisme quand ils ne furent plus qu'à trois pieds de lui. Alors que Faustin passait derrière le monstre, entaillant profondément l'arrière de sa cuisse, Shaor'i bondit sur le mur avec un tel élan qu'elle parvint à courir quelques pas sur la paroi avant de se propulser sur l'ennemi et d'enfoncer jusqu'à la garde son couteau droit dans l'énorme poitrail.

De rage et de douleur, le beuglard hurla en se frappant le torse des deux poings pour se débarrasser de l'arrogante et minuscule guerrière qui l'assaillait. D'un gracieux saut arrière, l'Indienne gagna encore en hauteur, poignarda l'épaule de son autre lame puis atterrit au sol derrière la créature, juste à côté de Faustin.

Étant brièvement resté à l'écart, Baptiste revint à la charge, visant cette fois une cheville qu'il rata de peu. Le géant se laissa tomber à quatre pattes, ses longs bras tendus et ses poings fermés à la manière d'un gorille. Il trouva davantage d'agilité dans cette position, frappant du coude en direction de Shaor'i et de Faustin. L'Indienne évita l'assaut d'une rondade mais Faustin, incapable d'exécuter la manœuvre que l'instinct lui dictait, fut heurté de plein fouet et percuta durement le mur.

Sonné, il porta la main à sa tête et vit que sa chevelure était poisseuse de sang. Craignant d'être gravement blessé et voyant que Shaor'i combattait toujours, il chercha désespérément le vicaire des yeux. C'est alors qu'un énorme bloc de pierre quitta le sol et se fracassa sur l'épaule monstrueuse du beuglard, ratant sa tête de peu. Plissant les yeux, Faustin passa à l'outrevision afin de repérer François à son aura. Ce qu'il vit le pétrifia d'effroi.

Sur le voile gris se détachait l'épais halo bleuté de l'Indienne, les reflets d'argent de la hache de Baptiste et l'aura de François, trois fois plus épaisse que ne l'avait été celle du curé Lamare… mais noire comme le jais.

— Faustin ! hurla la voix de Shaor'i, impérative.

Au moment où l'Indienne bondissait pour frapper le beuglard au cœur, Faustin sentit les instincts de combat éveillés en lui par la guerrière reprendre le dessus, et il *sut* qu'il devait fendre de l'avant avec son sabre.

Le géant, levant *in extremis* le bras pour protéger son cœur de la lame de la jeune femme, esquissa un quart de tour sur lui-même, en présentant son jarret droit. Faustin y enfonça son arme jusqu'au tiers en se relevant, ce qui arracha un nouveau hurlement de souffrance au beuglard.

Faustin dut abandonner son sabre pour éviter d'être à la portée de leur adversaire, qui tombait sur le ventre. Shaor'i profita de la vulnérabilité de la créature pour lui sauter sur le dos et le lacérer de ses serres, distrayant le monstre tandis que Baptiste chargeait avec un grand cri et abattait sa hache sur l'énorme colonne vertébrale.

De douleur, la créature rejeta la tête vers l'arrière. Un mince filet de sang coula sur sa gorge : plus vite que l'œil n'avait pu le déceler, le couteau de l'Indienne s'y était fiché. S'étranglant dans ses propres fluides, le beuglard émit un gargouillis puis laissa tomber sa tête contre le sol en achevant d'agoniser.

À peine fut-il certain que l'homme-singe ne se relèverait pas que Faustin étrécit de nouveau les yeux pour regarder dans la direction de celui qu'il considérait comme son frère. L'aura de François, revenue à des proportions normales, brillait maintenant de son éclat argenté sur le voile gris de l'outrevision. Le jeune homme n'eut toutefois pas le temps de s'interroger à ce sujet, car un autre hurlement de beuglard jaillit tout à coup du narthex.

— Qu'est-ce que… commença François, pétrifié.

— Y en a un autre ! s'exclama Baptiste.

Les pas du géant qui s'approchait firent vibrer le sol de la chapelle.

Sans perdre un instant, le vicaire décrivit un large arc de cercle avec son bâton. Suivant le mouvement, des débris s'empilèrent en un monticule précaire devant le vitrail. De la pointe de son sceptre, François traça un diagramme sur le sol avant d'incanter. Sous l'impact d'une force invisible, le panneau de verre éclata dans un vacarme assourdissant, puis la terre qui se trouvait derrière fut remodelée en une sorte de tunnel laissant entrer la faible lueur du crépuscule.

— On décrisse ! cria François en gravissant les débris.

— Je vérifie la sortie ! enchérit Shaor'i qui, adoptant sa forme de harfang, devança le vicaire.

Faustin se précipita à son tour, le bûcheron derrière lui. Quand les trois hommes eurent gagné l'extérieur, ayant émergé dans des bois où rien ne laissait deviner la présence de la chapelle, François frappa le sol de sa crosse et le tunnel s'effondra.

— Par ici, cria Shaor'i, redevenue humaine.

Sans perdre de temps, les autres la suivirent en courant. Sous leurs pieds, les hurlements du géant furent perceptibles pendant de longues minutes.

◆

Les compagnons parcoururent une bonne distance avant de constater qu'ils n'étaient pas poursuivis. Fuyant en droite ligne, ils ne tardèrent pas à sortir de la forêt du domaine Poulin. Une fois en terrain dégagé, non loin du village des Forges, ils s'autorisèrent un rythme plus lent, jugeant que la proximité d'un lieu habité les prémunirait contre une attaque trop voyante.

— C'était quoi, ces monstres ? demanda Faustin en reprenant son souffle.

— *Mestabeok,* répondit Shaor'i, visiblement troublée. Les géants des forêts. Leur race devrait être éteinte depuis longtemps. À ma connaissance, le dernier d'entre eux, surnommé *Aps'sas'tuit gmtng* – le Tranche-Montagne –, a été abattu par une troupe guerrière attikamekw il y a plus de cent cinquante ans.

— Ceux-là semblaient bien vivants, ironisa François.

— On a dû en maintenir quelques-uns en stase temporelle, supposa Faustin. Ce cercueil de fer forgé me rappelle celui de l'Étranger que j'ai vu dans les souvenirs de ma mère.

— Pis les filles des Forges ? Qu'est-ce qu'elles faisaient là ?

— De toute évidence, elles étaient mentalement asservies, affirma le vicaire. Et dotées d'un potentiel arcanique, ce qui est pour le moins surprenant.

« *Pas si surprenant que ça* », se moqua la voix de la Siffleuse dans l'esprit de Faustin.

« *Vous ! Qu'est-ce que…* »

« *Passez la foule à l'outrevision, mon Prince…* »

« *Quelle foule ?* »

— R'gardez ! s'exclama Baptiste, pointant le doigt au-devant d'eux.

— *Awan*, qu'est-ce qui se passe au village ?

Parvenu à moins d'un demi-mille des Forges, le groupe vit que la population était rassemblée sur la place centrale du village bien que le soleil fût presque couché. Des hommes en uniforme, arme en joue, tenaient une ligne protégeant un orateur de la masse d'ouvriers.

— Des miliciens de Québec, dit Shaor'i, dont les yeux de rapace parvenaient à voir jusque-là.

— De quoi ? s'étonna Baptiste. Qu'est-cé qui font icitte ?

— Je l'ignore, répondit la jeune femme. Mais le shérif Sewell est avec eux.

LIVRE VI

LES FORGES DU DIABLE

Le Diable, qui toujours existe,
ayant vu la nuit, en rôdant,
notre squelette jaune et triste
qui perdait sa dernière dent,
dans un plateau de sa balance
mit les restes du pauvre corps
et dans l'autre, avec violence
fit entrer ses nombreux trésors.

Pierre Dupont
Le Peseur d'or

CHAPITRE 21

Le fief de l'Étranger

Les nombreuses lieues de l'épaisse forêt qui ceignait le village des Forges faisaient de la nuit naissante un linceul étouffant où la seule lumière était celle des flammes s'élevant du haut-fourneau. Leurs vêtements noircis par le charbon charroyé durant le labeur de la journée, les travailleurs, le visage figé en un masque d'angoisse, s'étaient massés autour de la Grande Maison pour entendre les propos d'un orateur.

Alors qu'il s'avançait, accompagné de l'Indienne, du vicaire et du bûcheron, Faustin sentit un souffle d'appréhension le gagner, celui-là même qui avait saisi les ouvriers du village. Murmure d'une indicible inquiétude, la tension palpable forçait les hommes à se tenir beaucoup plus près les uns des autres qu'ils ne l'auraient normalement fait. À l'écart, serrant leurs enfants contre leurs jupes, les épouses écoutaient et observaient en silence, se réconfortant mutuellement par d'apaisantes tapes sur le bras.

Visiblement gagnée par l'agitation collective, Shaor'i adressa un regard interrogatif aux trois hommes qui l'accompagnaient et, à l'acquiescement silencieux de Baptiste, elle s'éloigna à l'abri des regards pour prendre sa forme animale et s'envoler à tire-d'aile.

Lorsqu'ils se furent approchés, les compagnons remarquèrent les hommes en uniforme, fusil en main et sabre à la ceinture, se tenant en deux lignes droites pour séparer les ouvriers des orateurs, gardant la foule à distance à la pointe de leur baïonnette ; précaution inutile, les villageois semblant plus craintifs que belliqueux.

Derrière les miliciens, distribuant les ordres en gestes impérieux, le shérif de la ville de Québec, Lord William Sewell, dépêchait ses hommes afin qu'ils aillent quérir en leur demeure les derniers ouvriers. Forgerons et artisans, tirés de leur maison après que leur porte eut été enfoncée par de solides coups d'épaule, étaient contraints de se joindre à la masse pour entendre les propos d'un homme imposant dans ses habits de bourgeois, dressé devant la foule. Il allait et venait, de long en large, en agitant un document devant les ouvriers afin d'appuyer ses propos.

James Ferrier, ancien maire de Montréal, s'adressait à la foule en répétant sans cesse les mêmes phrases afin d'être certain qu'il était bien compris.

— Je dispose ici d'un document légal m'autorisant à reprendre le contrôle des Forges, clamait-il en exhibant avec ostentation son document roulé qu'il tenait comme un sceptre. Sir Henry Stuart, ici présent, n'a pas rempli les quotas de production suffisants pour rembourser les emprunts que je lui ai accordés.

Fixant le sol pour cacher l'humiliation qui devait se lire sur son visage, celui qui était, encore la veille au soir, régent des Forges du Saint-Maurice se tenait à présent menotté à quelques verges du shérif de Québec, qui avait demandé l'arrestation pour dettes.

Une clé ouvrit une serrure dans l'esprit de Faustin. Avec une grande limpidité, il revit le commerçant

Ferrier, alors qu'il était à la table du shérif Sewell, lors de la réunion du Stigma Diaboli. Sans mal, Faustin réentendit les propos qu'avait tenus le riche homme d'affaires : « *Comme nous l'anticipions depuis des années, les Forges ne sont plus rentables. En accord avec les volontés de notre Maître, j'ai offert une série de prêts à l'actuel propriétaire, Henry Stuart. Mais cela ne suffira pas à maintenir l'entreprise. Notre entente prévoit qu'il me conférera sous peu les pleins pouvoirs dans la conduite des Forges. Et comme plus personne ne se préoccupe vraiment de ce qu'on y fabrique, nous pourrons agir en toute discrétion.* »

Appréhensif, Faustin revint aux propos de Ferrier.

— ... le travail aux kilns, désormais imposé, sera d'autant plus efficace. Il s'agira de grands fours en brique, aux capacités de cent cordes de bois, qui seront construits pour les tâches de charbonnage.

Des murmures parcoururent l'assemblée et Baptiste, instruit des divers procédés, expliqua à Faustin à voix basse :

— C'tes kilns, c'est des tueurs à ouvriers. La chaleur s'y tient pas, les hommes ont la peau qui sèche, les yeux qui brûlent... six heures aux kilns, c'est comme qui dirait deux jours au charbonnage normal. Ça vide un ouvrier d'un coup.

Un coup de feu détona dans l'air et fit sursauter toute l'assemblée. Satisfait d'avoir regagné l'attention des ouvriers, Ferrier ordonna d'un signe au milicien de rabaisser son arme et poursuivit :

— C'est pourquoi tous les ouvriers devront ajouter quatre heures de corvée après leur *shift* afin de construire ces kilns qui, nous en sommes certains, redonneront aux Forges un allant digne d'éclipser la période Bell...

La rumeur gagna en intensité et Ferrier dut s'égosiller pour couvrir le bruit des mécontents :

— ... et pour y parvenir, les *shifts* passeront à douze heures, y compris pour les charbonniers qui travailleront aux kilns.

Le silence tomba d'un coup sur les travailleurs incrédules. La grogne monta à nouveau, cette fois avec un volume beaucoup plus intense, alors que Ferrier continuait d'agiter son document à la vue de tous afin de donner légitimité à ses propos. À travers le brouhaha, on pouvait l'entendre vociférer :

— ... tous les droits... j'ai tous les droits... rentabiliser... ce document... donne tous les droits...

Cette fois, ce fut le shérif Sewell qui ordonna que l'on tire en l'air et quatre coups de feu furent nécessaires pour ramener l'attention. Quelques miliciens apportèrent d'énormes moules et les déposèrent à quelques verges des ouvriers.

— La production va temporairement changer, reprit Ferrier avec autorité. J'ai ici des...

— Z'êtes un fou, Ferrier !

Tous se retournèrent vers le colosse qui venait de tenir ces propos : Édouard Tassé, l'homme fort des Forges, qui fendait la foule pour se précipiter à l'avant et voir les moules de plus près.

— C'est bin c'que j'pensais, cria-t-il en se retournant vers ses compères de labeur. C'est les moules d'la guerre des États, quand j'tais jeune, pis...

Trois miliciens se précipitèrent pour encercler l'homme fort, arme en joue. Sans broncher face aux baïonnettes acérées qui n'étaient qu'à deux pieds de sa gorge, Tassé décréta, impassible :

— Vous nous f'rez pas couler des canons icitte, c'est moé qui vous l'dis.

Le silence tomba une fois de plus. Abasourdi, Faustin tenta de se faufiler prudemment pour jeter un œil sur les moules sans être reconnu de Sewell ou de Ferrier. Un seul regard suffit. La forme creuse confirmait les dires de Tassé. D'autres moules, plus petits et sphériques, devaient servir à la fabrication des boulets.

La clameur reprit de plus belle, cette fois avec violence, et seuls les miliciens dirigés par Sewell forcèrent les hommes à renoncer à l'émeute. Dans le tumulte, Tassé hurla quelque chose que Faustin ne put comprendre. L'un des miliciens lui donna un coup de crosse au ventre et, profitant de la douleur qui jetait le colosse à genoux, l'envoya au sol d'un coup de pied au visage.

Ferrier hurla encore, d'autres coups de feu détonèrent. Lorsque le vacarme baissa de volume, Faustin entendit Sewell ordonner aux ouvriers de se disperser et de se tenir prêts à reprendre leur ouvrage dans l'heure à venir.

Il y eut alors une voix qui s'éleva, haute et claire, au-dessus de toutes les autres. Accroupi pour ne pas être repéré, Baptiste entonnait un chant d'ouvrier avec les accents vibrants et mélodieux qui étaient les siens.

D'une vie incertaine
Ayant eu de l'effroi
Je rampe sous la chaîne
Du plus modique emploi…

Le chant devait être déjà connu de la gent ouvrière, car aussitôt les travailleurs joignirent leurs voix à celle de Baptiste.

Ô la tâche est pesante
Si le repos n'est pas garanti
Alors le bon Dieu dit : Chante,
Chante, pauvre petit…

Lentement, au son du chant mélancolique, résignée sans être apaisée, la foule se dispersa. Discrètement, Faustin et François se laissèrent guider par Baptiste pour s'éloigner. Se retournant, Faustin vit un milicien tenter de passer les menottes au colosse Tassé. Celui-ci se retourna pour envoyer l'homme d'armes au tapis d'un vif coup de poing, avant de grimacer de douleur quand un autre milicien lui enfonça sa baïonnette dans la cuisse.

Serrant les dents, Faustin détourna les yeux de la triste scène en essayant, sans y parvenir totalement, de retenir les larmes d'impuissance qui lui montaient aux yeux. Puis il se souvint des propos de la Siffleuse. Plissant les paupières, il passa à l'outrevision, croyant que la Voyante des Trois-Rivières cherchait à lui faire estimer la puissance de Sewell ou celle de Ferrier.

Ce qu'il vit, toutefois, était à cent lieues de ce qu'il aurait pu imaginer et ne concernait aucunement les deux goétistes.

On nommait *reflet* une aura qu'on pouvait qualifier d'incolore et si ténue qu'elle semblait ne pas avoir d'épaisseur. Il s'agissait du signe évident qu'un individu disposait du potentiel pour être arcaniste – restait à lui donner une digne formation, après quoi son aura se teinterait selon le type de magie qu'il pratiquerait et gagnerait en épaisseur à mesure que sa maîtrise croîtrait.

Au début, Faustin jugea qu'il avait mal vu. Il étrécit davantage les yeux, songeant à un caprice de la lumière ambiante. Toutefois, lorsque son outrevision fut si sollicitée qu'il ne vit plus le décor mais bien un mur gris opaque sur lequel se détachaient des auras, il dut se rendre à l'évidence.

Les ouvriers. Les vieillards. Les femmes. Les enfants. Même le nourrisson tenu par une jouvencelle.

Tous, absolument tous, avaient un reflet à l'outre-vision. Ce qui signifiait que, si Faustin en croyait ses sens, la totalité des habitants du village des Forges avait le potentiel pour devenir arcaniste. *Merde,* pensa-t-il, éberlué, *qu'est-ce que c'est que ce village ?*

Il pressa le pas pour rejoindre les autres.

◆

De retour chez les Leclerc, le groupe s'attabla pour discuter des derniers événements qui ébranlaient la vie des ouvriers. Tout d'abord nerveux face à la réaction de leurs hôtes devant sa transformation physique, Faustin remarqua bien quelques regards interrogatifs, mais la situation dramatique que vivait tout le village se chargea de ramener les esprits à des considérations plus terre à terre. Pour l'heure, il fumait pensivement, aspirant de sa pipe de larges bouffées qu'il exhalait avec bruit. En plus des malheurs qui affligeaient les villageois, il ruminait sa récente découverte, qu'il n'avait toujours pas trouvé le temps de partager avec les autres.

Mais même en ne se préoccupant que de la situation actuelle, il ne trouvait pas les mots pour réconforter celui qui leur offrait l'hospitalité. De dépit, Antoine soupira pour la troisième fois :

— J'aurai pas l'choix, ma femme. J'vas être pogné pour travailler pendant la mise en terre.

Avec un signe de tête, l'homme accepta l'allumette que lui tendait Baptiste et la gratta pour allumer sa pipe. Autour de la table, alors que l'angoisse serrait les cœurs comme un étau, le bûcheron, le vicaire et Faustin accompagnaient l'ouvrier anéanti en faisant circuler la blague à tabac du jeune bedeau. Chacun fuma pendant plusieurs minutes et Shaor'i, lasse de tortiller ses mèches de cheveux, sortit d'une petite bourse la pale d'une feuille de chanvre qu'elle roula entre ses doigts et porta à sa bouche pour la mastiquer lentement. L'arrivée de Ferrier et de Sewell aux Forges accentuait le poids que portaient les compagnons de Faustin après les combats du manoir Poulin… sans parler de l'annonce de la fabrication de canons.

Comme si cela ne suffisait pas, Faustin ne cessait de ruminer les importants changements de comportement de François et le souvenir de l'aura noire qu'il avait aperçue durant le combat. Pourtant, en ce moment précis, étrécir les yeux lui révélait qu'une aura théurgique nimbait son frère adoptif, certes large mais bien argentée.

Sans connaître les tourments qui animaient Faustin, le vicaire posa une main réconfortante sur celle de la mère Leclerc.

— Je vous accompagnerai moi-même aux Trois-Rivières, madame Leclerc. Nous réciterons ensemble des chapelets pour le repos de l'âme de votre fils durant tout le trajet et le conduirons à sa dernière demeure.

Le mari et l'épouse Leclerc s'entre-regardèrent.

— Mon père, commença Justine, avec l'beuglard qui rôde…

— Nous revenons des ruines du manoir Poulin, dit le prêtre. J'ai prononcé un *Requiem* pour les âmes qui n'y reposaient pas en paix et j'ai béni ces lieux au nom du Seigneur. Croyez bien qu'en ma compagnie les engeances du Malin n'oseront point vous menacer.

Un éclatant sourire illumina le visage de la mère désormais privée d'enfants et elle se leva pour aller poser un baiser sur le front de son fils défunt. Faustin jeta un regard reconnaissant à François, qui lui rendit son sourire avec un clin d'œil complice, même si tous deux, en raison du déplacement d'air, avaient senti le relent âcre du corps exposé depuis trois jours.

Pendant ce temps, les yeux rougis, Antoine Leclerc fixait le vide, l'air absent. Dans une demi-heure, il retournerait aux Forges pour un quart de douze heures auquel s'ajouteraient quatre heures de corvée. Outré en y repensant, Faustin se permit de lui dire :

— L'an passé, à Québec, les débardeurs se sont insurgés contre une loi passée par Peel. Vous devriez tenter la même chose…

Tristement, l'ouvrier secoua la tête.

— J'sais pas comment ça se passe dans la grande ville. Mais icitte, le magasin nous tient à la gorge.

Faustin fronça les sourcils d'incompréhension et Leclerc expliqua :

— Quand tu t'installes pour venir travailler icitte ou, comme la plupart, quand t'es né icitte pis que tu songes à t'établir, t'as besoin d'un paquet d'affaires… personne a le temps de cultiver la terre, aux Forges. Faque y faut acheter à crédit au magasin… là, tu t'endettes. Dans l'année, tu rembourses sur ton salaire pis à la fin de l'an, y te reste pus rien. Tu rachètes à crédit c'qui t'faut pour la nouvelle année. Pis ça finit jamais… tout le monde mange à crédit, icitte. Faque tout le monde peut se voir forcé, si jamais y fait du trouble, de rembourser tout de suite… pis si t'es pas capable, c'est la prison pour dettes.

Estomaqué, Faustin ne trouva rien à ajouter. Ce fut François qui relança la discussion.

— Comment est-ce que ça s'est passé, lorsque Sewell est arrivé ?

— Sewell ?

— Le shérif de Québec.

— Ah… j'ai pas tout vu, en vrai. Un milicien a frappé à la porte, a dit qu'il fallait qu'on aille à Grand' Maison, que les Forges allaient changer de régence pis que notre ouvrage allait être réarrangé. J'y suis allé de suite. Y en a qui savaient ce qui s'alignait, faut croire. Z'ont pas voulu se rendre, faque les miliciens les ont amenés de force… la gang à Tassé, pour la plupart. D'ailleurs, j'me demande c'qui vont y faire, à lui…

— Après avoir frappé un milicien, malheureusement…

— C'est bin c'que j'pensais…

La mère Leclerc revint à table avec une bouilloire chaude et distribua du thé à l'assemblée. Faustin tendit les doigts vers le sucre puis, repensant à l'endettement des habitants des Forges, se sentit mal à l'aise et se ravisa.

C'est alors que, d'un geste vif, Baptiste porta la main à la poche de sa mackinaw et poussa un sourd grognement. Il se leva ensuite de table et s'adressa à Shaor'i :

— P'tite… *mah oumet sespenoqsit*…

— *E'e*, répondit la jeune femme.

— Que se passe-t-il ? demanda François.

— Mes ulcères, répondit Baptiste en posant la main sur son ventre. La P'tite va m'préparer mon remède.

Sans perdre une seconde, le colosse et l'Indienne s'éclipsèrent de la cuisine pour monter aux combles. Faustin allait les suivre quand François le retint par le bras et chuchota :

— Je ne serai pas parti longtemps, p'tit frère. En accompagnant la mère Leclerc, je pourrai me renseigner au port des Trois-Rivières pour savoir si quelqu'un

est au courant d'un éventuel transport de canons.
Toi, tu restes ici, protégé par Baptiste et Shaor'i.

— Je préférerais…

— Non. Je serai plus discret seul. Va rejoindre les
autres.

Le ton du vicaire était sans réplique. Hochant la
tête, Faustin se retourna et monta à son tour au grenier.

— Je serai de retour demain avant-midi, lui jeta
François.

◆

Sans détacher ses pensées des agissements du vicaire, Faustin fixait Baptiste qui marchait de long en
large dans le grenier servant de chambre à Shaor'i.
Son *mah oumet* dormant dans sa main gauche qu'il
tenait en coupe contre son abdomen, le bûcheron
frappait parfois la surface d'un meuble de son poing
droit avec une force retenue, manifestant ainsi son
profond sentiment d'impuissance.

La créature s'était éveillée plus tôt et ses sons aigus
avaient forcé Baptiste à venir s'isoler ici.

Assise en tailleur sur sa paillasse, Shaor'i concoctait
une mixture en usant d'un petit chaudron de fonte
emprunté à la mère Leclerc comme mortier et d'un
court bâton en guise de pilon. À la chair d'une pomme
séchée et ridée comme il s'en trouvait encore quelques-
unes dans les combles, elle avait mélangé quelques
écorces finement hachées parmi lesquelles Faustin
avait reconnu du saule, du sapin et du cèdre blanc.

Sans cesse, Faustin tournait et retournait dans sa
tête ce qu'il croyait avoir vu dans la chapelle ensevelie. Était-ce possible ? François pouvait-il avoir eu
brièvement une aura goétique ? À quel moment un
arcaniste passait-il d'un côté à un autre ? Au moment

où il usait de magie noire ? Mais dans un tel cas, pourquoi l'aura serait-elle aussitôt redevenue argentée ? Peut-être Shaor'i le savait-elle, mais poser la question lui mettrait sûrement la puce à l'oreille et, considérant qu'elle ne portait guère François dans son cœur...

Le fil des pensées de Faustin fut interrompu quand la jeune femme se leva et quitta la pièce sans dire un mot. Il l'entendit, dans la cuisine, demander l'eau encore chaude qu'il restait du thé de tout à l'heure et la vit revenir avec sa mixture à présent fumante qu'elle tempéra avec le contenu de sa gourde.

D'un signe de tête, elle fit signe au bûcheron d'approcher et lui demanda de poser le lutin sur le lit. Avec une infinie délicatesse, Shaor'i prit une cuillère manifestement ramassée à la cuisine et porta un peu de sa décoction aux lèvres du petit singe albinos.

— *Kîtu'samuqwan, Th'jn ?* chuchota-t-elle doucement.

— *Th'jn ?* releva Baptiste en haussant un sourcil, répétant très approximativement le claquement de langue de l'Indienne.

— Je suppose que le vicaire dirait... clic nominal. C'est son nom, si tu veux. Il l'a émis quelques fois, depuis que tu l'as trouvé.

Le *mah oumet* ouvrit étroitement ses yeux rougeâtres et écarta les lèvres pour saper le contenu de la cuillère. Le bûcheron se dandina brièvement, puis demanda après une courte hésitation :

— J'peux ?

— Bien sûr... après tout, c'est toi qui l'as sauvé. Tu en es responsable.

Un peu maladroitement, le colosse saisit la cuillère entre ses doigts énormes, recueillit un peu de la mixture et l'offrit au lutin.

— Tiens, bois… Th'jen.

— *Th'jn*, le reprit Shaor'i.

— C'est *tough* à dire. Mais ça sonnerait quasiment comme Ti-Jean.

— Alors surnomme-le Ti-Jean. Il sera indulgent.

— Penses-tu ? s'assura Baptiste, comiquement inquiet.

— Bien sûr, répondit-elle en souriant et en lui tapotant le bras. Les *mah oumet* du grand tunnel l'étaient avec moi. Ma prononciation de leur langue à clics est tout approximative. Au pire, il te trouvera un fort accent, c'est tout.

Souriant à son tour, Baptiste donna une nouvelle cuillerée au petit être rescapé en l'encourageant.

— Pour toi… Ti-Jean.

La scène avait quelque chose d'attendrissant, mais les préoccupations de Faustin pesaient trop lourd pour qu'il ressente autre chose qu'un intérêt modéré. Au fil de ses réflexions, il décida qu'il tenterait une nouvelle discussion avec François quand celui-ci serait de retour. Et en cas d'échec, il parlerait à Shaor'i en privé.

Sa décision enfin prise, il eut besoin de prendre l'air. Adressant un signe de tête à ses compagnons, Faustin descendit du grenier et sortit à l'extérieur.

Le silence nocturne et l'air frais lui firent du bien. Après avoir gratté une allumette et rallumé sa pipe, il se laissa choir sur une berçante du perron et fuma pensivement.

L'aura de François. Les *kilns* et les canons. Les reflets d'une population entière. La Siffleuse. Son nouveau corps…

Il fixait sa pipe, peinant à se bercer avec ses jambes qui lui paraissaient trop longues. Elle semblait plus petite qu'auparavant dans cette grande main qui était désormais la sienne, quand l'ouvrier qui tenait une vigie s'approcha.

— Bonsoir, m'sieur Lamare, dit-il en portant les doigts à sa casquette.

— Faustin, s'il te plaît. Bonsoir… Éloi?

— T'as une bonne mémoire des noms. Et puis… Ti-Toine tient l'coup?

— Dur à dire. Il est parti pour son *shift*, en ce moment. Sa femme est en partance pour les Trois-Rivières avec le père Gauthier pour la mise en terre, demain matin.

— Pis m'sieur Lachapelle et la Sauvagesse? J'veux dire: l'Indienne.

— La Micmaque, si tu veux vraiment parler correctement. Baptiste s'est couché tôt, il ne se sentait pas très bien. Shaor'i le soigne.

— Ah… En tout cas, tout le monde à qui j'ai parlé est ben reconnaissant au père Gauthier d'avoir repoussé l'beuglard. Vot' projet d'faire bénir l'vieux manoir a donné du bon: y a pas eu de hurlement à soir. Les femmes s'permettent de sortir un peu…

Terrault regarda à gauche et à droite, puis sembla se décider:

— Si tu veux, j't'amène où c'qu'on passe nos veillées. Si tu promets d'rien dire au prêtre…

Intrigué, Faustin posa sa pipe puis, jugeant que cela lui changerait les idées, se laissa entraîner vers les bâtiments les plus éloignés du village. Chemin faisant, il en profita pour s'informer d'un sujet qui l'intriguait depuis que Leclerc en avait parlé.

— Pourquoi personne ne cultive autour du village?

— Le régent des Forges, m'sieur Stuart, veut pas entretenir de familles qui travaillent pas directement aux Forges.

— Ce n'est pas très rationnel. Si au moins quelques habitants cultivaient, le coût de la vie serait moins dispendieux.

— Les femmes tiennent des p'tits potagers…

— N'empêche que c'est de la bonne terre qui reste à rien faire. Et tout ce que vous achetez au grand magasin, vous l'achetez à crédit, non ?

L'ouvrier haussa les épaules et montra un bâtiment situé à l'écart.

C'était une grange de grande taille, pareille à de nombreuses autres qu'on trouvait partout au pays. De celle-là, toutefois, émergeaient des rires et des cris, des chansons et du violon, ainsi que beaucoup trop de clarté pour qu'il s'agisse là d'un simple bâtiment à foin.

Éloi Terrault frappa deux coups vifs et on lui ouvrit l'unique porte. Faustin découvrit un lieu qui tenait presque de l'auberge.

Derrière un comptoir formé d'une planche clouée sur deux grosses caisses de bois s'activait un tenancier, ses cruchons de terre cuite pendus au mur derrière lui, accrochés par l'anse à des clous. À une table, trois hommes disputaient une partie de cartes, des pièces d'un cent empilées devant eux. L'un d'eux avait remporté une coquette somme et la jouait sur une seule main.

Debout sur un tonneau, un violoneux tirait des accords douteux d'un crincrin abîmé. Fort heureusement, sa musique était à demi enterrée par les chants paillards d'un groupe de buveurs passablement éméchés.

Néanmoins, la majorité des clients se massaient autour d'une petite enceinte carrée formée de quatre parois de bois longues de six pieds et hautes de quatre. Les spectateurs étaient trop rapprochés les uns des

autres pour que Faustin puisse regarder; le divertissement semblait toutefois exercer un fort attrait sur
les hommes des Forges qui hurlaient, poings levés,
encouragements et jurons. *Un combat de lutte*, songea Faustin en haussant les épaules et en se tournant
vers une table où deux ouvriers disputaient une chaude
partie de dames, les traits figés en une expression de
totale concentration. À quelques pas de là, les bras
croisés sur son imposante poitrine, le contremaître
Édouard Tassé suivait la partie avec attention, toujours
vêtu du même pantalon que la baïonnette avait transpercé. Faustin remarqua l'épais pansement qui entourait la cuisse de l'homme fort.

— Je pensais que Sewell l'aurait mis aux arrêts,
cria-t-il à l'oreille de Terrault, l'équivalent d'un chu-
chotement dans le boucan ambiant.

— Y peuvent pas, répondit l'autre de la même
manière. Tassé a son caractère, mais c'est l'meilleur
foreman du coin. Y a pas à dire que…

Une cacophonie d'exclamations de contentement
mêlées à des blasphèmes de frustration interrompit la
discussion. Faustin se retournait vers la petite arène
quand une main énorme se posa sur son épaule et
qu'une voix bourrue lâcha:

— Tu veux voir la *fight*?

Le jeune homme se tourna vers Tassé qui, sans
attendre sa réponse, le poussa en avant. Les ouvriers
s'empressèrent de laisser de la place à l'homme fort,
qui boitait à peine, et à son invité. Faustin jeta un œil
par-dessus la paroi. Surpris, il ne vit qu'un énorme
rat des bois, chuintant et sifflant à travers l'écume
qui maculait sa gueule et le sang qui coulait de son
museau profondément entaillé.

— Qu'est-ce que… fit-il, stupéfait.

— *Check* le trou dans l'coin, conseilla Tassé en pointant son index.

À l'autre bout de l'arène, on avait percé un orifice de six pouces de diamètre. Juste derrière, deux hommes que Faustin ne connaissait pas tentaient d'aligner un sac de jute avec le trou. Un gros chat tigré et borgne en vint à jaillir dans l'arène en faisant le gros dos, poils hérissés et oreilles plaquées vers l'arrière. Les pupilles dilatées, il cracha plusieurs fois, jaugeant le rat brun qui se tenait dans le coin opposé.

— Tout c'qui peut passer par le trou est accepté pour une *fight*, expliqua Tassé à Faustin. V'là quek mois, le grand Laliberté a gagné une couple de piasses avec un chien d'Anglais, un bâtard pas bin gros qu'avait du bulldog dans le lignage. C'est c'te matou-là qu'a eu raison de lui, en y crevant les yeux.

Ne jugeant pas le divertissement à son goût, Faustin fronça les sourcils.

— La *fight* d'avant opposait c'te rat-là pis un rat de cale acheté à un marin, aux Trois-Rivières. C'est la deuxième *fight* du rat brun, les mises sont doublées.

Un sauvage miaulement coupa court à la discussion, alors que le matou borgne venait de griffer le rat au visage. Le rongeur, lui mordant violemment la patte, arracha un cri de douleur au félin, qui planta ses crocs dans la nuque de son adversaire.

Écœuré, Faustin détourna les yeux.

— Une *game* de dames, d'abord ? proposa le fier-à-bras avec un sourire complice.

— Vous jouez ? s'étonna Faustin, heureux de s'écarter de l'arène.

— Une manière comme une autre de s'affronter, l'bedeau…

— Préparez-vous à perdre, taquina le jeune homme.

— On verra bin ! Bouchard, deux jamaïques sur mon ardoise !

Tassé indiqua à Faustin une table sur laquelle se trouvaient un damier et une bourse dont l'homme fort vida le contenu, triant les dames des pièces d'échec.

— C'tes maudites pièces-là que personne sait à quoi elles servent, maugréa-t-il, impatient de jouer. Va savoir pourquoi qu'on crisse pas ça au feu. *Check* celle-là, on dirait un cheval !

— C'est un cavalier, répondit Faustin.

— Tu connais c'te jeu-là ? s'étonna Tassé en vidant son rhum cul sec.

— J'y suis moins habile. Je n'y ai joué qu'avec le père François et feu mon oncle. Les habitants préfèrent les dames.

Tassé tendit ses deux poings et Faustin désigna le gauche, dans lequel il découvrit un pion noir. Son adversaire entama la partie avec l'assurance de celui qui est convaincu de sa victoire à venir. De coup en coup, Faustin s'étonna de la vivacité du contremaître. En dépit de son caractère rustre, c'était un adversaire redoutable. Le jeune homme se retint de justesse de saisir un troisième pion avec sa dame afin d'éviter un « coup turc » quand des cris encore plus forts provenant de l'arène détournèrent son attention :

— Vainqueur : l'rat brun à Denoncour ! annonça quelqu'un.

— J'relance ! s'exclama celui qui devait s'appeler Denoncour. Mise triple su' mon rat ! Qui propose sa bête pour une *fight* ?

— Permettez, fit une voix hautaine alors que la porte de la grange s'ouvrait sur un homme richement vêtu.

Un silence lourd et froid tomba sur la salle comme une pierre en hiver.

James Ferrier, le nouveau régent des Forges, traversa la pièce vers l'arène en portant une petite cage de bois. Outrés du culot de l'intrusion, les ouvriers ne pipèrent cependant mot. Ferrier se rendit jusqu'à l'orifice de l'arène et ouvrit la porte à glissière de la cage. Des propos indignés fusèrent aussitôt :

— Ça vaut pas ! Comment vous voulez qu'on s'oppose à ça !

— J'retire mon rat !

— Je crains que vous ne le puissiez… Denoncour, c'est ça ? exprima Ferrier avec condescendance. Je me suis informé de vos règles. Par ailleurs, en présence d'un tel tripot, je serais en droit de demander au shérif Sewell d'ordonner une descente…

— C'est pas franc jeu ! répliqua Denoncour. Y a rien qu'a une chance contre une belette !

Après avoir indiqué à Tassé de bien vouloir l'attendre, Faustin se leva discrètement et alla scruter l'arène, caché dans la foule. La belette lâchée par Ferrier était énorme et ne semblait même pas intimidée par le rat, qui s'était empressé de se réfugier dans le coin opposé.

— « Tout ce qui passe par le trou est valide », cita Ferrier. N'est-ce pas l'une de vos règles ? La seconde étant qu'un champion ne peut se raviser en voyant la bête du *challenger*. Allons, qui parie sur mon noble gladiateur ? J'ai passé une partie de la soirée à le traquer, uniquement dans ce but…

Devant le manque d'enthousiasme général, le régent des Forges se composa un air jovial et ajouta :

— Cette arène me plaît. J'ai planifié une chasse à courre, demain. Si le renard se fait rare, j'en profiterai pour chercher une martre, car j'ai bien l'intention de fréquenter cet endroit.

Pas un son ne s'éleva et Ferrier eut un *tsk* agacé.

— Vous avez le choix, reprit-il. La loyauté envers votre confrère ouvrier et vous perdez vos gains… ou écouter votre bon sens.

Sans mal, Faustin comprit l'idée de Ferrier: diviser les ouvriers, permettre à certains de gagner de l'argent et s'assurer ainsi un meilleur contrôle de ses employés. Or, la stratégie était fort mal calculée et l'ancien maire de Montréal le découvrit à ses dépens quand Édouard Tassé, de sa démarche claudiquante, vint se planter devant lui, le dominant de toute sa hauteur.

— T'as rien à niaiser icitte, Ferrier. Décâlisse.

Piqué au vif, le riche commerçant regarda le contremaître droit dans les yeux.

— J'ai tous les droits d'être ici. Je gère cet endroit comme chaque parcelle de terrain jouxtant les Forges. Je suis ici chez moi.

— Sur papier, p'tête… insinua Tassé en faisant craquer ses jointures. Mais en vrai… si j'te brisais le cou drette icitte, devant tout l'monde, penses-tu qu'on me dénoncerait? Ou qu'on serait trop content de voir tes idées de *kilns* pis de canons disparaître avec ta face laite?

Réalisant soudainement dans quel guêpier il s'était fourré, Ferrier leva un œil inquiet vers l'unique sortie que six hommes bloquaient, les bras croisés. Misévère, mi-intimidé, le régent des Forges tira un pistolet de sa veste en tonnant:

— Vous, Tassé, j'aurais dû exiger votre pendaison quand je le pouvais.

D'un geste si vif qu'on le vit à peine, Tassé saisit l'arme par le canon et l'arracha des mains du marchand.

— T'aurais dû, tu l'as pas faite, répliqua l'homme fort en glissant le pistolet derrière sa ceinture. Là, c'est nous autres qui pourraient te pendre si on voulait. Direct à c'te poutre-là, au-dessus de ta grosse tête.

Ferrier leva les yeux au plafond et avala sa salive.

— Vous n'oseriez pas…

— Gages-tu là-dessus ? À mise triple ?

Le commerçant recula d'un pas et, acculé au pied du mur, se mit à gratter la paroi de son ongle. Faustin remarqua aussitôt la régularité des entailles. *Espèce d'imbécile*, songea-t-il, *tu ne vas pas utiliser des arcanes ici, tu ne vois pas qu'ils souhaitent juste t'effrayer pour t'enlever le goût de venir les relancer dans leur retraite ?*

Manifestement pas, constata-t-il en voyant un éclair de panique dans les yeux de Ferrier. Sans soupçonner quoi que ce soit, Tassé continua de jouer les taupins, encouragé par ses confrères. Ce fut lorsqu'il bouscula Ferrier et que l'homme tomba au sol en laissant un pentacle inachevé sur le mur que l'inévitable se produisit.

Deux sons retentirent dans la grange reconvertie en tripot. Le premier fut un grand cri de frayeur poussé par l'homme fort des Forges.

Le second fut le croassement d'un énorme corbeau qui prit son envol de là où s'était affalé, une seconde auparavant, le marchand James Ferrier.

Terrorisée, la foule s'écarta du passage du sombre oiseau qui voleta jusqu'à l'unique fenêtre du vieux bâtiment, un petit œil-de-bœuf sans vitre situé au-dessus de la porte. Reprenant son emprise sur lui-même, Tassé fonça du mieux qu'il pouvait vers la porte d'où s'étaient esquivés les six ouvriers qui l'avaient bloquée.

Faustin s'élança à sa poursuite et le trouva non loin, le pistolet de Ferrier vainement pointé vers le ciel.

— C'était l'Diable, gémit Tassé, partagé entre la peur et la colère.

Ne sachant que répondre, Faustin opta pour ce qui se rapprochait le plus de la vérité.

— Non, pas le Diable. Le Diable n'aurait pas eu peur d'un *foreman*. D'un curé, sûrement, ou peut-être d'un bon chrétien protégé par un objet béni…

— Pas trop mon portrait, marmonna Tassé. Mais veux-tu bin m'dire c'que c'était ? Un sorcier ?

— Ça, peut-être. On le saura jamais. L'important, c'est que maintenant il lui sera impossible de s'attirer la sympathie des ouvriers comme il l'a maladroitement tenté ce soir.

— L'beuglard qui rôde, des filles qui disparaissent, des canons, du travail aux *kilns*, pis v'là que les Forges sont *runnées* par un sorcier. On devrait toutes partir d'icitte pis se chercher une job au port des Trois-Rivières. C'te place-là, ça appartient au Diable.

Le contremaître réfléchit un moment avant de demander :

— Pis aux *boys*, j'leur dis quoi ?

— Que tu t'es battu contre le Diable, quoi d'autre ? lâcha Faustin en souriant à demi et en songeant qu'avec une pareille rumeur, l'incident deviendrait vite trop incroyable pour qu'on y prête attention. Mais, reprit-il avec sérieux, de toi à moi… tu as de la famille, pas trop loin ?

— À Saint-Boniface, oui.

— Si tu veux t'épargner du trouble, tu serais mieux de partir à l'aube pour une longue visite… et autre chose : donne-moi le pistolet. Mieux vaut qu'il soit béni par le père Gauthier.

Sans daigner répondre, Tassé laissa tomber l'arme sur le sol et s'en retourna clopin-clopant vers le tripot, visiblement ébranlé par les événements. Haussant les épaules et jugeant qu'il ne pourrait rien faire de plus pour minimiser les conséquences de l'incident, Faustin ramassa l'arme et se demanda s'il devait retourner voir Terrault avant de partir, puis décida que non : il était trop pressé d'avoir l'avis de ses compagnons.

Il n'avait pas parcouru la moitié du chemin que la voix de la Siffleuse résonna dans son esprit :

« *Le puits, près du haut-fourneau. Je vous y attendrai, mon Prince.* »

D'abord surpris, Faustin se dit qu'il détenait peut-être l'occasion d'avoir des réponses à certaines questions, sur les reflets de la population, notamment. Après tout, c'est cette Siffleuse qui l'avait incité à le constater. Résolu, il répondit :

« *D'accord. J'y serai.* »

◆

Les flammes que vomissait la cheminée du haut-fourneau projetaient dans la nuit une lueur orangée donnant d'étranges teintes aux ramures des conifères qui, sous le vent printanier charroyant les effluves de charbon brûlé, prenaient des formes inquiétantes. Bien à l'affût, comme s'il craignait d'être surpris en flagrant délit de quelque crime inavouable, Faustin arpentait le chemin de terre battue le menant vers le puits. Fort heureusement, le jeune homme ne croisa pas une seule âme vive.

La silhouette du chat noir se détacha dans l'irréelle lumière rougeâtre. Assis sur ses pattes postérieures, le dos bien dressé, le sombre félin des Forges attendait, juché sur un seau renversé. Ralentissant le pas, Faustin alla s'asseoir sur la margelle et scruta une dernière fois les environs.

« *Il n'y a personne, mon Prince*, émit la Siffleuse avec moquerie. *Pas même cette guerrière indienne, pourtant si subtile.* »

« *Je suis venu* », dit Faustin pour toute réponse.

« *Et alors ? Tu as scruté à l'outrevision ?* »

« *Oui. Tous les gens présents, ouvriers, femmes et enfants… tous avaient des reflets. Des auras potentielles. Ils pourraient tous être formés, du moins à un certain degré. Qu'est-ce que ça veut dire ? C'est quoi, ce village ?* »

« *Ce n'est pas un village, mon Prince…* »

Le chat sauta de son promontoire et se mit en route vers les boisés. D'un miaulement, il incita Faustin à le suivre. Quand ils eurent parcouru quelques verges, la Siffleuse reprit :

« *Je vous raconterai. Mais ensuite, vous devrez arrêter de vous méfier de moi et commencer à prêter l'oreille à mes conseils, ou vous ne survivrez guère à ce qui risque de secouer la Nouvelle-France d'ici peu…* »

« *On dit le Bas-Canada* », reprit Faustin pour la forme.

« *Bonnet blanc, blanc bonnet. Ne parle-t-on pas de Canada Uni, à présent ?* »

« *Avec les Anglais ? Vous rêvez…* »

Le chat ricana mentalement et trottina entre les arbres pour descendre vers la rivière Saint-Maurice. Dans l'obscurité, les eaux étaient noires comme de l'encre. Au loin, on pouvait entrevoir les billots de drave et la lueur des fanaux des cageux qui, de leur cantouque, guidaient le train de bois vers les Trois-Rivières.

Prenant place sur une pierre plate, la Siffleuse scruta la rivière et lança subitement :

« *L'une des identités de l'Étranger a donné son nom à la rivière, semble-t-il. Longtemps avant que je le*

connaisse, il portait le nom de Maurice Poulin, pro-
cureur du gouvernement des Trois-Rivières. Ceci était
son fief, sa seigneurie. »

« Est-ce là son vrai nom ? » » demanda Faustin.

« J'en doute. L'Étranger a tout de même vécu sous
l'Inquisition espagnole… mais les activités du Seigneur
en vieux pays m'importent peu. Lorsqu'il est arrivé
ici, son corps avait été brûlé sur un bûcher, il était
maintenu en stase temporelle et ne pouvait plus se
manifester que par une effigie. Je n'ai jamais pu savoir
exactement de quelle façon l'Étranger a pu obtenir
un poste aussi influent mais bien vite, sous le nom de
Maurice Poulin, il est devenu maître de ces terres. Il
avait déjà un plan, voyez-vous, un plan qui demanderait
des décennies, sinon des siècles, à mettre en place…
mais il avait tout son temps. Au fil des ans, l'identité
de Maurice se devait de laisser place à un fils, alors
l'Étranger adopta le nom de Michel, puis celui de
François, tout comme votre ami… et sous ce nom, il
fonda les Forges du Saint-Maurice. »

Faustin médita ces propos. Qu'y avait-il de vrai
dans tout cela ? Mais la Siffleuse poursuivait son histoire :

« On s'enthousiasma pour une idée aussi moderne…
de la sidérurgie en Nouvelle-France, voilà qui était
audacieux… et ainsi, le Seigneur put mettre en branle
les projets qu'il caressait… d'abord assurer sa fortune,
bien entendu… mais cela n'était, en fin de compte,
qu'une donnée mineure dans la raison d'être de ce
village. Ce qui comptait vraiment, c'était que, sous
prétexte d'importer des ouvriers spécialisés de France,
le Seigneur permette aux derniers goétistes français
de venir se réfugier en Nouvelle-France. Chacun prit
métier et les Forges virent le jour… Comme les femmes

étaient encore peu nombreuses au pays, le Seigneur enjoignit à ses compagnons de prendre épouses parmi les Sauvagesses. Lui-même devint parrain d'une jeune Attikamekw, fille du Danseur Esababikisitch. Elle eut six descendantes et toutes épousèrent des ouvriers français. Par la suite, des paysans locaux, triés sur le volet, purent postuler pour un emploi et devenir ouvrier des Forges. On veilla à les attacher en ces lieux grâce à du crédit qu'ils ne purent jamais rembourser et, forcément, ils durent fonder famille ici…»

« *Pourquoi me raconter tout ça ?* demanda Faustin. *En quoi ça me concerne-t-il ?* »

« *Ah, mon Prince !* fit la Siffleuse d'un ton railleur. *Vous qui avez grandi sur une terre paysanne, ne pouvez-vous comprendre cette partie du plan du Seigneur ? Ces jeunes Attikamekw qui furent les filleules des Poulin, ces ouvriers goétistes… ne parvenez-vous pas à comprendre sur quel critère les paysans étaient recrutés pour devenir ouvriers ?* »

Le chat quitta sa pierre plate et vint se frotter sur les chevilles de Faustin en ronronnant. Alors que le jeune homme ne trouvait rien à répondre, la Voyante des Trois-Rivières ajouta :

« *Il ne s'agit pas que d'un village, mon Prince. C'est un cheptel humain. Un élevage où le sang des derniers sorciers français fut mêlé aux derniers descendants des chamanes attikamekw et à celui des paysans qui portaient encore en eux l'héritage de l'outrevision… pendant un siècle, les familles ne quittèrent pas le village des Forges et, afin d'éviter la contamination des lignées, le village fut maintenu isolé du reste de la colonie…* »

Les yeux de Faustin s'agrandirent d'horreur. Cela ne pouvait exister, on n'élevait pas les hommes comme du bétail. Et pourtant… tous ces gens qui révélaient des reflets à l'outrevision…

« *À cette époque,* ajouta la Siffleuse, *l'Ordre du Stigma Diaboli était vaste, puissant et influent. Au sein du manoir, la goétie trouvait toute sa grandeur, à un point tel que nous avons été, à un certain moment, sur le point de renverser l'Ordre Théurgique… Puis ce fut le changement de Régime. Et au cours d'un affrontement, les Théurgistes mirent l'Étranger en dormance et l'*Opus æternum *de Bacon, le Grimoire de la Longévité, nous fut arraché par l'abbé Briand. Votre mère fut pendue, l'Ordre dispersé… sauf nous, la lignée des Poulin, nous à qui le Seigneur avait accordé son patronyme. Nous avons veillé. Nous prélevions notre quote-part des revenus des Forges et avons amassé une considérable fortune. Jusqu'à ce qu'il ne reste plus que moi, dernière descendante de la lignée Poulin… il s'en est fallu de peu que le temps ne fasse son œuvre sur moi aussi… mais Gamache, durant la Révolte des Patriotes, redécouvrit l'existence du manoir et vint y quérir des sortilèges… il devint accroché à la goétie comme d'autres s'accrochent à l'alcool ou à l'opium et, finalement, parvint à briser le sceau d'entrave et réveilla l'Étranger. L'un de ses premiers actes fut de se mettre en quête d'un nouveau corps pour moi : celui de sa lointaine descendante que vous connaissez sous le nom de Kate Bell. Puis il chercha les descendants des autres membres influents du Stigma. Il trouva la jeune Rose, votre ami François… et, du même coup, vous ! Merveilleuse surprise ! Et désormais, le Seigneur dispose de fonds illimités, d'une entreprise sidérurgique prête à le servir dans ses plans et d'un cheptel arcanique d'où il peut prélever les meilleures juments poulinières…* »

« … *les filles disparues !* comprit aussitôt Faustin. *Mais pourquoi le beuglard ?* »

« *Pour décourager de fouiller. Pour isoler davantage les gens et éloigner les étrangers… Le Seigneur s'est éveillé, mon Prince. Quatre-vingts années ont passé et s'il est vrai que nous avons perdu en influence, nous n'avons rien oublié… et, dans la seigneurie des Trois-Rivières, l'essentiel a subsisté. Le cheptel s'est maintenu et de nouvelles lignées pourront être amorcées. Les livres que nous avons préservés dans ce manoir ont été transportés en lieu sûr dans la ville de Québec, sous la garde du shérif Sewell. Ne manquaient que quelques grands maîtres pour servir de lieutenants au Seigneur et, comme même Gamache n'avait guère la puissance pour occuper cette fonction, le Seigneur a décidé de ramener ses meilleurs disciples de jadis : votre mère, l'Ensorceleuse de Pointe-Lévy, ainsi que le Sorcier de l'île d'Orléans…* »

« *Lavallée. L'ancêtre de François.* »

« *Précisément.* »

« *Et vous ? Pourquoi vous a-t-il offert un nouveau corps ?* »

« *Parce que je suis un chat, et que les chats prévoient toujours un coup d'avance.* » Elle le regarda en miaulant avant d'ajouter : « *Il n'a aucun spirite dans ses rangs. C'est un don rarissime. Connaître parfaitement la procédure ne sert à rien sans un certain talent pour le contact d'esprit à esprit…* »

« *C'est davantage un art qu'une science* », commenta Faustin en répétant les propos de François à ce sujet.

« *Exact. Maintenant, rentrez chez les Leclerc, mon Prince. Et méfiez-vous du prêtre. Il n'est plus ce qu'il semble être.* »

« *Pourquoi m'avoir conté ça ?* »

« *Parce que je suis un chat,* répéta-t-elle. *Et que les chats prévoient toujours un coup d'avance.* »

En trois bonds, le chat noir disparut dans l'obscurité. Faustin resta les yeux rivés sur la rivière, décontenancé. *Méfiez-vous du prêtre*, avait-elle dit. Jusqu'à quel point devait-il tenir compte de cet avertissement ?

Perplexe, il décida de retourner chez ses hôtes sous le ciel rougeoyant de l'aube, sachant qu'il aurait trop à penser pour dormir.

◆

Faustin était toujours dans la berçante sur le perron quand, sur le coup des huit heures, François était revenu des Trois-Rivières avec la mère Leclerc et une jeune femme qui fut présentée comme une cousine. La charrette, louée au magasin, s'était immobilisée devant la demeure et un voisin avait proposé d'aller la rapporter alors que les deux femmes, toujours pâles des pleurs de l'enterrement, étaient entrées dans la maison. Resté seul avec Faustin, le vicaire s'était approché d'un pas pressé et avait lancé entre ses dents :

— C'est quoi, cette histoire de Diable qui se change en corbeau ?

— Les nouvelles se sont rendues aux Trois-Rivières en une nuit ? s'étonna Faustin.

— Un charretier venu porter un lot de poêlons de fonte a raconté au port une histoire abracadabrante à propos de ce gros Tassé affrontant le Diable… Sur le parvis de l'église, à la messe du matin, les fidèles ne parlaient que de ça.

— Ferrier a adopté sa forme animale devant une trentaine de témoins, dit simplement Faustin, encore atterré par les événements de la nuit et ayant toujours en tête l'avertissement de la Siffleuse : *méfiez-vous du prêtre*.

Le vicaire écarquilla les yeux de surprise et en resta bouche bée. Avant qu'il ne puisse commenter, la mère Leclerc et sa cousine ressortirent en affirmant qu'elles allaient réciter des chapelets chez les Mailloux. Faustin et François entrèrent. Ils trouvèrent Shaor'i et Baptiste assis à table, terminant un repas de pain grillé et de bines.

— 'Sont parties pour un boute ? demanda Baptiste.

Faustin répondit d'un hochement de tête et vit le colosse sortir aussitôt de sa mackinaw le *mah oumet* rescapé et le poser sur la table. Le petit singe albinos se dressa sur ses pattes, l'air en meilleure santé que la veille – Faustin soupçonna Shaor'i d'avoir accéléré son rétablissement.

C'est seulement lorsque le lutin eut pigé quelques fèves dans le bol du bûcheron pour les enfourner avec appétit qu'on remarqua l'expression sur le visage de Faustin.

Alors le jeune homme se tira une chaise, se versa une tasse de thé tiède de la théière laissée depuis trop longtemps sur la table et, après avoir bu d'une traite, raconta ce qu'il savait.

La fondation des Forges. Le cheptel humain. Les reflets de la population.

Et la transformation devant témoins de Ferrier qui, après que Faustin eut narré les éléments précédents, était reléguée au rang d'anecdote mineure.

— Et j'ai suggéré à Tassé de grossir l'histoire, conclut-il.

— Tu as bien agi, Faustin, répondit François. C'est le mieux que tu pouvais tenter pour étouffer l'affaire.

Un silence de mort tomba alors sur la tablée. Et il était encore là un quart d'heure plus tard, quand Faustin se leva pour faire les cent pas dans la cuisine.

Il s'était abstenu d'évoquer l'aura brièvement noire de François. De cela, il parlerait avec le vicaire en privé et, s'il n'y avait pas une ouverture dans la discussion, il s'entretiendrait du sujet avec Baptiste et Shaor'i.

De toute façon, ils avaient tous d'autres pensées en ce moment. Chacun semblait avoir besoin de temps pour assimiler les révélations de la Siffleuse. Impassible, Shaor'i respirait lentement et gardait les yeux mi-clos, l'air de méditer. Baptiste jouait distraitement avec le *mah oumet* Ti-Jean. Quant à François, il avait marché vers la fenêtre où son regard s'était perdu dans l'horizon. Ce fut lui qui relança finalement la discussion.

— Ce qu'il faudrait, à présent, c'est savoir où tout ça nous mène. Il y a énormément d'éléments en place.

Gratouillant le ventre de Ti-Jean, qui se roulait sur le dos, Baptiste répondit :

— C'te Ferrier doit en savoir le court pis l'long. C't'ancien maire de Montréal doit avoir trafiqué pour les émeutes du *bill*, pis c'est lui qui s'est arrangé pour prendre le contrôle des Forges.

— Nous pourrions le sonder mentalement, proposa le vicaire. Resterait à le coincer seul pour un bon moment.

Chacun réfléchit un instant à la possibilité et Faustin intervint :

— Au tripot, hier, il a affirmé qu'il s'adonnerait à une chasse à courre aujourd'hui, se souvint-il. Je suppose que ce serait le moment ou jamais.

— Chasse à courre ? demanda Shaor'i, n'ayant visiblement jamais entendu le terme.

— Une chasse d'Anglais, expliqua Faustin. On poursuit un renard avec une meute de chiens en étant monté à cheval.

— C'est une chasse sans armes à feu, enchérit François. L'animal est mis à mort par les chiens.

— Une chasse à cheval avec des chiens de meute traquant un renard… répéta Shaor'i à demi pour elle-même. Ça devrait être aisé à tourner à notre avantage.

— Tu dis ? demanda Baptiste, laissant Ti-Jean grimper sur son bras pour se jucher sur son épaule.

— Je dis qu'une source d'eau salée ne peut produire de l'eau douce : il y a un loup qui sommeille dans chaque chien. Dès que j'aurai localisé notre cible, je reviendrai vous avertir.

Sans ajouter un mot, l'Indienne adopta sa forme de rapace et prit son envol par la fenêtre.

◆

Il était encore assez tôt. Le vent, l'une des premières bourrasques chaudes de l'année, charroyait l'arôme piquant des conifères. Les bruits des Forges, portés par l'écho, étaient encore perceptibles en dépit de la lieue qui séparait la petite clairière du village industriel. Sous le couvert des ronces, accroupis pour ne pas attirer l'attention, trois hommes assistaient à un singulier spectacle : celui d'une jeune Indienne, assise en tailleur, s'entretenant avec un renard.

— *Getuapemg*, murmura-t-elle dans sa langue au noble canidé roux qui, dressé dans toute sa dignité, ressemblait à un officier à qui l'on confiait une dangereuse mission. Ce qui n'était pas trop loin de la vérité.

Le plan avait été élaboré en vitesse et comportait ses failles : attirer Ferrier jusqu'à la clairière et le jeter dans l'inconscience en simulant un accident de chasse pour éviter qu'à son réveil il ne se doute de quoi que ce soit.

Shaor'i avait affirmé qu'elle pourrait se charger de toute cette partie de l'opération. La seconde phase, soit l'extraction des souvenirs de Ferrier pour connaître les plans de l'Étranger, serait l'affaire du vicaire, qui avait déjà expérimenté le sortilège quelques fois, notamment sur le meunier Crête, la nuit du décès du curé Lamare.

Guidé par le vol du harfang des neiges jusqu'à cette petite trouée, le groupe s'était installé pour patienter alors que Shaor'i, reprenant son apparence humaine, s'était mise à méditer, murmurant doucement en micmac. Quelques instants plus tard, le renard avait surgi des fardoches pour venir s'asseoir sur ses pattes de derrière, son museau à six pouces du visage de l'Indienne.

— *Wlo'tasitesk ke'sk na'te'l eimn*, lui dit-elle encore, approchant le dos de sa main de la truffe de l'animal.

Le renard prit doucement le temps de la renifler, donna un preste coup du bout de sa langue, puis inclina noblement la tête en ce qui semblait un signe d'acceptation.

— *Mi'watm*, fit Shaor'i avec un sourire entendu.

Détournant la tête, l'animal bondit rapidement hors de vue, puis s'éloigna dans les fourrés.

Pendant un long moment, Faustin et ses compagnons n'eurent rien d'autre à faire qu'attendre. Ti-Jean, qui n'avait pas quitté l'épaule du bûcheron depuis leur départ du village, descendit prudemment de son perchoir et explora quelque peu les environs sous l'œil vigilant du colosse, qui fronçait les sourcils chaque fois que le lutin, derrière les hautes herbes, disparaissait brièvement de sa vue.

François, feuilletant son bréviaire, se rafraîchissait manifestement la mémoire quant au sortilège qu'il aurait à accomplir. Puis, il posa le marque-page et sortit un petit stylet avec lequel il traça un cercle dans la terre.

— Merde, François ! Tu es fou ! s'écria Faustin en balayant le sol du pied pour effacer les rayons que le vicaire dessinait à main levée. On ne peut pas tracer à la va-vite un diagramme qui a pour but d'infiltrer un cerveau humain ! C'est toi-même qui me l'as expliqué, avec le meunier Crête…

— Nous n'avons pas des heures devant nous, lâcha François, agacé.

— Assez pour prendre le quart d'heure nécessaire, quand même ! Shaor'i a dit que…

— Et alors ? Tu crois qu'un larbin de l'Étranger ferait dans la dentelle, à notre place ?

— Quoi ? Mais ce n'est pas une raison pour s'abaisser à leur niveau ! Souviens-toi de la cheville du meunier Crête, couverte de taches et de varices après ton sort… ou la mèche blanche du jeune Boisvert !

Avec une lenteur calculée, le vicaire se releva dignement, referma son bréviaire et le jeta négligemment sur le sol, aux pieds de Faustin.

— Je t'en prie, mon cher, rétorqua-t-il, du mépris dans la voix.

Faustin leva un regard de totale incompréhension vers son frère adoptif.

— De toute façon, reprit le vicaire, je ne vois pas pourquoi je devrais saper ma longévité quand mon bedeau dispose d'un crédit de vieillissement presque illimité. Rends-toi utile, pour changer.

Un coup de pied dans les côtes lui aurait moins coupé le souffle. La mâchoire crispée, Faustin serra le poing, détourna les yeux pour éviter de voir l'air suffisant du vicaire et, d'un geste décidé, ramassa le bréviaire gisant sur le sol.

— Bien, lâcha-t-il en espérant, sans trop y croire, avoir empêché sa voix de trembler. Très bien. Le sol est trop inégal, ici. Baptiste, tu veux bien me rapprocher ce billot abandonné ?

Impassible et muet, le colosse revint avec la lourde bûche, longue de trois pieds et large de deux, que Faustin fit installer en position verticale, comme une table. Le bûcheron s'éloigna, mal à l'aise.

— Ton matériel de géométrie, François, exigea Faustin.

Le vicaire jeta nonchalamment son petit étui de cuir et le jeune homme s'empressa de l'ouvrir. Compas en main, il traça son cercle, dessina les rayons et les apothèmes de ses figures en se fiant scrupuleusement aux mesures du rapporteur d'angle.

Lorsque, vingt minutes plus tard, il eut terminé, François ne daigna même pas jeter un œil. Totalement indifférente à la scène qui venait de se dérouler, Shaor'i n'avait pas bougé de sa posture en tailleur et restait en méditation, les yeux fermés.

Elle ne les ouvrit même pas lorsque résonna soudainement le son d'un cor de chasse.

— Ti-Jean ! siffla Baptiste, s'accroupissant au sol et ouvrant sa mackinaw pour que s'y réfugie le petit singe albinos.

Un cri d'enthousiasme leur parvint à travers les ronces, clair et joyeux, suivi des aboiements de nombreux chiens, de tintements d'étriers et de sons de sabots.

Un éclair de fourrure rousse surgit des fardoches. Le renard, hors d'haleine et terrifié, se terra derrière la jeune Indienne, qui n'esquissait toujours pas le moindre geste.

Les chiens ne tardèrent pas à se montrer. Huit bêtes aux oreilles tombantes, au pelage blanc, brun et noir, des animaux que Faustin avait déjà entendu un vétérinaire de Québec nommer *foxhound*.

Un bruit de sabot plus rapproché se fit entendre et Ferrier apparut à son tour, fier dans son habit de chasse à l'anglaise, au manteau rouge mi-long et aux blanches culottes larges entrées dans des bottes hautes.

Sa petite casquette de chasse ne le protégeant manifestement pas assez du soleil matinal, Ferrier porta sa main gantée en visière et tenta de repérer sa proie, ses chiens ayant mystérieusement perdu la trace olfactive du renard.

Un demi-sourire aux lèvres, Shaor'i inspira profondément et murmura dans sa langue :

— *Na wijei teliaq na samqwan ta'n wigapu'g gisna winimaq ma' wejianug wijei tg'poq… te's mitis weji qji'jut goqwe'l nebel. Gatu ma ignmatmu ta'n pas'g goqwei assumin!*

C'est alors que, à travers ses grognements et ses jappements, l'un des chiens rejeta la tête vers l'arrière et poussa un long hurlement grave qui ne lui donnait plus du tout l'air d'un chien.

Comme si quelque chose venait de se débloquer dans leur esprit, les autres chiens de la meute l'imitèrent, joignant leurs hurlements au chien de tête… au mâle dominant… au chef de meute.

Nerveux, le cheval se mit à respirer bruyamment en écartant largement les naseaux. Ferrier rassembla les rênes et tenta de forcer sa monture à exécuter un demi-tour, puis réalisa subitement que ses chiens s'étaient disposés en cercle autour de lui et grognaient comme ils ne l'avaient jamais fait jusque-là. Inquiet, Ferrier leva sa cravache pour fouetter l'un de ses chiens.

La bête saisit l'objet dans sa gueule et le lui arracha d'un coup.

Le cheval se cabra une première fois sur ses pattes postérieures alors que les chiens s'accroupissaient en bandant leurs muscles – chiens qui ne l'étaient plus que de nom –, puis, retombant sur ses pattes, il rua fortement en hennissant de terreur.

Ferrier, occupé à se ternir en selle, ne vit jamais arriver le couteau qui le heurta à la nuque par le pommeau. Il chuta au sol, inconscient, alors que sa monture fuyait au grand galop, mordue au jarret par l'un des chiens redevenu sauvage.

La meute s'élança derrière la proie qui s'enfuyait, tels des loups poursuivant un cerf, en abandonnant l'homme inerte sur le sol herbeux.

Le renard, toujours tapi derrière l'Indienne, lui donna un coup de langue au poignet et quitta les lieux, sa mission terminée. Les sens à l'affût, Shaor'i attendit quelques minutes puis, certaine que personne n'accourait et qu'aucun chien ne revenait, elle s'empressa d'aller évaluer l'état de Ferrier.

— Rien de grave, comme prévu, annonça-t-elle, satisfaite. Quant à la bosse qu'il aura sur la nuque, il croira se l'être faite en tombant. À toi de jouer, Faustin.

Inspirant profondément, Faustin posa une main sur la cheville de Ferrier et l'autre sur son front.

— *Ekel na wela'sik msît koqoey*, lui murmura Shaor'i juste avant qu'il n'incante. Ça ira bien, ne t'inquiète pas.

Faustin prit le temps de lui adresser un pâle sourire, puis incanta :

— *Ad ehkaram, ad ehkaram, sachem azemrah…*

Avec la sensation de fusion qui lui était désormais familière, Faustin laissa couler en lui les souvenirs de James Ferrier. Bandant sa volonté pour restreindre les effets collatéraux de vieillissement au minimum, il dirigea ses pensées de façon à filtrer le flux d'informations qui se déversait en lui au sujet des plans de l'Étranger. L'un après l'autre, comme une série de flashs mémoriels, les souvenirs de Ferrier s'imbriquèrent dans les siens, jusqu'à ce qu'il sente qu'il ne pourrait rien tirer de plus.

Alors Faustin relâcha sa concentration, laissa le sort s'achever et recommença à respirer, en passant une main sur sa nuque trempée de sueur. Les souvenirs dérobés remontèrent alors en un tout cohérent et, ébranlé par les implications, Faustin ne put s'empêcher de murmurer en s'effondrant au sol :

— Tout est… planifié. Depuis le début…

Baptiste se rapprocha vivement pour l'aider à se relever et, le guidant vers le billot où le diagramme s'était à présent sublimé, il lui enjoignit de s'asseoir. Il lui tendit ensuite sa flasque de rhum, à laquelle Faustin but une brève lampée. Il toussota en rendant le contenant et ajouta :

— Ce qu'a raconté la Siffleuse… les faux ouvriers français, les Indiens adoptés, le village en vase clos… le cheptel… tout ça est vrai.

— Pis les canons ? Les kilns ?

— C'est pour… prendre Québec.

Les trois compagnons de Faustin poussèrent un cri d'incrédulité et se rapprochèrent. François, chez qui toute attitude hautaine avait disparu, pressa Faustin de poursuivre :

— Ce que tu racontes ne tient pas, Faustin. Comment pourrait-il…

— Tout est planifié. Depuis que Gamache a réveillé l'Étranger. Légaré a d'abord été recruté pour prévoir les périodes instables à venir. Découvrant plus ou moins ce qui arriverait, l'Étranger a aussi recruté Sewell. Il contrôle ainsi, par son entremise, les forces armées de Québec. De plus, le shérif a pu, jusqu'à présent, user de son influence pour étouffer les affaires auxquelles l'ordre du Stigma Diaboli a été mêlé. Puis est venu Ferrier… il a manœuvré, en tant qu'ancien maire de Montréal, pour encourager la grogne et, en tant que riche commerçant, il est parvenu à reprendre le contrôle des Forges.

Faustin marqua une pause et François insista :

— On sait déjà tout ça, Faustin.

— Je sais. Mais pas dans cet ordre-là.

— Laisse-le conter à sa manière, intervint Baptiste.

Le vicaire hocha la tête et Faustin reprit :

— Puis l'Étranger a ramené ma mère et tenté de ramener ton ancêtre. Avec elle, il dispose d'une mentor de l'Ancien Régime pour former les jeunes femmes issues de son cheptel en redoutables sorcières. Ces dernières pourront bientôt lever autant de jacks mistigris que l'Étranger en aura besoin pour lancer l'assaut sur la capitale. Ce qu'il veut faire très bientôt. La classe politique traverse une période de crise avec l'incendie du Parlement. Quand les jacks envahiront la haute-ville de Québec et que les miliciens, dirigés par Sewell, les laisseront agir, la capitale tombera sans résister. Alors l'Étranger disposera d'une cité fortifiée et d'un arsenal de canons, fabriqués aux Forges, pour tenir un siège… en supposant que les forces de Montréal, de Bytown ou de Toronto osent se lancer à leur tour à l'assaut d'une horde de jacks mistigris…

— Et ensuite? demanda lentement François, ébranlé.

— L'Étranger use d'un terme de son époque lorsqu'il parle de ses ambitions à ses larbins.

— Quel terme?

— *La Reconquista.*

Terrifié, le vicaire laissa tomber:

— Une reconquête? Par les arcanistes? Mais c'est… c'est de la démence!

— Il y a autre chose, François. Ferrier était présent lorsque Gamache a réveillé l'Étranger pour la première fois. Hier, quand nous traversions le passage reliant le manoir Poulin à la chapelle ensevelie, j'ai éprouvé une vive sensation de déjà-vu. Maintenant, je sais pourquoi. Dans les visions héritées de ma mère, j'ai vu des tunnels semblables. C'est là que repose la dépouille mortelle de l'Étranger, quelque part sous les Forges. Et grâce à Ferrier, je dispose du moyen pour nous y mener.

— C'est-à-dire?

— Cet endroit est surnommé la Fontaine du Diable. Ça ne devrait pas être très loin. Quelqu'un au village nous renseignera. Et une fois que nous serons dans l'antre de l'Étranger…

— … tu tueras froidement ton père dans son sommeil?

Faustin marqua une pause, puis répondit avec résolution.

— Puisqu'il le faut… oui.

CHAPITRE 22

La fontaine du Diable

Un trou d'eau nauséabond. C'est la seule chose qu'évoqua la supposée Fontaine du Diable pour Faustin. Avec un nom pareil, il s'était attendu à une somptueuse fontaine de pierre, peut-être un corps d'architecture vestige de l'époque glorieuse du manoir Poulin. Ce qui se trouvait présentement à ses pieds n'avait rien de cela : c'était une flaque d'eau à peine plus grande qu'un plateau de service, aussi anodine que n'importe quelle nappe stagnante.

— Vous êtes certain que c'est ici, Tassé ? demanda François, lui aussi incrédule.

Localiser l'endroit n'avait pas été difficile. Après avoir frugalement dîné au village, Faustin était allé s'informer au grand magasin. Tout le monde semblait connaître ce lieu sur la berge du Saint-Maurice. Et s'en méfier. Lorsque François avait prétendu qu'il avait reçu de l'évêché de Québec la consigne de lire certains passages des Écritures devant la source nommée « Fontaine du Diable » et de terminer par une bénédiction, nombreux furent ceux qui se portèrent volontaires. Le vicaire préféra Édouard Tassé qui, en homme habitué à ne reculer devant rien ni personne, même le Diable, avait décidé de demeurer aux Forges malgré la recommandation de Faustin. Ayant été témoin de la métamorphose de Ferrier en corbeau, il serait psychologiquement plus capable d'assister à un phénomène surnaturel si d'aventure la chose se produisait.

— Tu peux pas t'tromper, l'curé. *Check* ça !

De sa poche, il sortit une boîte et gratta une allumette qu'il laissa tomber dans la flaque. Tous reculèrent subitement quand l'eau s'enflamma d'un coup avec un bruit sourd. Une flamme bleutée perdura un moment puis diminua et s'éteignit d'elle-même.

— Du combustible naturel dans l'eau, déduisit François, sa première surprise passée.

— Dis c'que tu veux, l'curé, mais moé, j'te dis que c'est un trou vers l'Enfer !

L'homme fort des Forges détourna la tête et, s'en rendant compte, le vicaire insista :

— Auriez-vous quelque chose à nous dire à ce sujet, Tassé ?

— C'est d'là que l'Diable est sorti, la première fois.

Baptiste l'invita à s'asseoir sur un billot échoué. François resta debout devant l'ouvrier, autoritaire, Faustin à ses côtés. Shaor'i se tenait à l'écart.

— J'ai pas grand'chose à dire là-dessus, j'tais pas là. Juste un ancien fondeur qu'était venu icitte pour ramasser une pitoune perdue, pareille que celle-là, dit-il en tapant le tronc lui servant de banc. Quand y'est passé, y'a vu c'te grand étrange en noir parler avec la vieille Poulin, c'te voyante à moitié folle qui vivait encore dans les ruines du manoir. Y s'est caché, vous pensez bin. C'est là qu'y'a vu l'homme en noir – le Diable, pour sûr – se changer en flamme pis disparaître dans l'trou d'eau. L'fondeur est r'venu pis nous a conté toute ça, à mon père, mes frères pis moé. Pas longtemps après, la vieille Poulin est morte, prise de pneumonie pendant qu'elle était de passage aux Forges. On a pas d'médecin icitte, mais y en a qu'ont pensé qu'ça serait bon d'la laisser se chauffer à la haute-forge, à distance raisonnable de l'âtre – on est toujours mieux de plaire à une sorcière que d'lui déplaire. La vieille est morte dans nuite, ricanant comme une possédée, en disant que ses terres allaient r'venir au Diable.

La tension se lisait sur le visage du contremaître. Tassé avait assisté à beaucoup plus de surnaturel qu'il n'y était préparé. Faustin sentit une bouffée de compassion, car il se remémorait sa propre réaction la première fois qu'il avait vu un loup-garou.

— Avant, reprit l'ouvrier, y avait une construction, icitte. C'est c'que les vieux contaient quand j'tais p'tit. Des blocs de roche noire, de six pieds de haut, avec des dessins dessus, comme des genres d'étoiles dans des ronds. Au changement d'Régime, les Anglais l'ont détruite.

François revint sur un détail.

— L'homme en noir s'est changé en flamme avant d'être englouti par la mare, dites-vous ?

— J'tais pas là, rappela Tassé. Mais pas longtemps après, quand l'homme en noir est passé à Grand'Maison pour voir m'sieur Bell, j'suis allé voir le vieux qui contait c't'histoire-là, pis j'y ai décrit l'étrange que j'avais vu. Y m'a dit que c'était l'même homme que celui d'la Fontaine, faque c'est là que j'ai su que c'était l'Diable.

— Fort bien, décréta le vicaire. Mon bedeau et moi allons procéder aux rites de bénédiction. Vous, monsieur Tassé, rentrez au village et dites que j'exige qu'on ne vienne plus dans les environs d'ici quelques jours.

Tassé se leva en bégayant :

— Mais, j'pensais que… j'me disais que j'allais rester pour…

— Désolé, mon brave. Si vous désirez la lumière des Écritures, je vous en ferai la lecture ce soir. Pour l'heure, je dois procéder à une purification des lieux et je ne peux être entouré que de bons chrétiens pour que le rituel agisse. À moins que vous me disiez que vous l'êtes vraiment, monsieur Tassé ?

L'homme fort baissa la tête sans dire un mot, conscient de son état. Baptiste proposa de le raccompagner et, lorsque Tassé déclina l'offre, il marmonna quelques mots en micmac à Shaor'i. Celle-ci, dès que l'homme des Forges fut hors de vue, se changea en harfang pour s'assurer qu'il n'espionnerait pas.

Quand elle fut de retour et que Baptiste eut sorti Ti-Jean de sa poche afin qu'il monte sur son épaule, François exposa ses déductions :

— Un portail arcanique. Sûrement très similaire à celui de l'église de Saint-Laurent. L'Étranger doit sortir par ce seuil moléculaire.

— Moléculaire ? releva Faustin.

— Les groupes d'*atomos* d'Amedeo Avogadro. Peu importe. Il y a sous cette mare une sorte de canal arcanique qui permet de passer d'un lieu à un autre sous forme de feu follet – ce qui explique pourquoi le témoin a eu l'impression de voir l'Étranger se changer en flamme et être englouti par cette « fontaine ». Et que disent les souvenirs de Ferrier, Faustin ?

— Bien peu. Que c'est d'ici que l'Étranger sort pour se manifester sous forme d'effigie et que c'est par ce chemin que Gamache est parvenu à le retrouver et à le réveiller.

— Gamache sait se projeter sous forme d'effigie, commenta Shaor'i. Souvenez-vous de l'attentat contre Faustin, à la Pointe-Lévy.

— Je me souviens, acquiesça François. Si Gamache peut faire une effigie, il est capable de passer à l'état de feu follet : l'un ne va pas sans l'autre. Il faut d'abord être un feu follet, puis se muer en projection quasi corporelle.

Tous se tournèrent vers Faustin, qui réalisa lui aussi les implications de ces révélations :

— Alors j'irai seul, c'est ça ?

— Je n'ai pas ton aisance avec le monde des esprits, laissa tomber le vicaire. Et je ne connais même pas les formules et les diagrammes requis.

— Dans ce cas, nous procéderons à la manière de mon peuple, décida Shaor'i. C'est d'ailleurs ainsi que Faustin l'a fait la première fois.

— Et tu as déjà réalisé ce genre d'enchantement ? demanda Faustin.

— Jamais. Mais j'ai vu Otjiera s'en charger plus d'une fois.

Faustin n'hésita qu'un bref instant avant de se décider :

— Nous nous en accommoderons. J'ai confiance.

Le masque d'incertitude qui se peignit alors sur le visage de la jeune Indienne ne lui apporta aucune assurance.

◆

En temps normal, avait affirmé Shaor'i, la construction d'un wigwam aurait été appropriée pour accomplir le rituel. La procédure devait se dérouler dans un endroit clos et exigu afin de retenir les vapeurs de la fumigation chamanique.

Ne disposant pas du temps nécessaire, l'Indienne avait chargé Baptiste de monter un abri de sapin en

coupant de sa hache les branches les plus fournies
pour fabriquer une hutte plus ou moins hémisphé-
rique.

Il s'était aussitôt attelé à la tâche, heureux de s'occuper après plusieurs jours sans avoir travaillé de ses
mains, sauf pour fendre le bois des Leclerc. Son *mah
oumet* sautillant autour de lui, il s'affairait en sifflo-
tant, comme si les menaces qui pesaient sur eux
avaient subitement été reléguées aux oubliettes.

Faustin l'assista du mieux qu'il put, ce qui lui
évitait de se morfondre en pensant au sortilège à
venir. Auprès du bûcheron, il apprit à sélectionner
les branches, à les assembler et à les disposer de
façon à produire un affût étanche, isolé et discret.

Ti-Jean ne lâchait pas Baptiste d'une semelle et
semblait comprendre ce que le colosse entreprenait.
Sans que le moindre mot ne soit échangé, le *mah
oumet* attirait son attention d'un cri, chaque fois perché
sur la branche idéale. À de nombreuses reprises, il
dénicha et tendit au colosse une lanière d'écorce ou
une racine étroite au moment précis où Baptiste devait
lier deux branches ensemble.

— Tu vas le garder ? demanda Faustin alors qu'ils
achevaient le travail.

Le bûcheron marqua une pause, sourcils froncés,
puis finit par dire :

— J'peux pas vraiment le « garder ». C't'une personne. Y restera avec moi le temps qu'il voudra.

— Vous semblez bien vous entendre, non ?

Ti-Jean sauta d'un tronc et se posa sur l'épaule de
Baptiste. Ce dernier porta machinalement à sa bouche
le morceau de gomme d'épinette que le singe albinos
venait de lui tendre. Il le mastiqua pensivement avant
de répondre :

— Y s'est passé quek chose, j'peux pas dire quoi. J'en avais déjà vu, des lutins. V'là deux mois avec vous autres, dans l'tunnel... pis d'autres fois, en coup d'œil. J'en avais surpris un qui s'sauvait d'un entrepôt à la *Preston & Fraser*. Pis une autre fois, un tout p'tit, juché en haut d'un grand pin. C'tait pas des bestioles qui m'attiraient spécialement – j'les respectais, pour sûr, mais de d'là à m'attacher à un lutin... Disons que Ti-Jean, c'est point la même chose. J'me sens en paix quand y dort dans ma poche. C'est comme... comme si mon bien-être dépendait du sien. Comme...

— Ton enfant ? suggéra Faustin.

— Non, pour sûr que non, coupa le colosse en s'empourprant légèrement. Plutôt comme un filleu. Sans vouloir t'vexer, Faustin, on dirait que j'comprends c'que ton oncle a pu ressentir... pas au début, quand le Collège t'avait confié à lui... mais quand, dans sa tête, t'étais plus « l'bébé du Collège » mais son n'veu.

Faustin s'abstint de commenter et se contenta de sourire en regardant le *mah oumet* descendre le long de la manche de Baptiste puis bâiller à s'en décrocher la mâchoire avant de se réfugier dans une poche. Quoique le petit être pût signifier pour le bûcheron, le sentiment semblait pleinement réciproque.

L'après-midi était bien entamé lorsqu'ils achevèrent de nouer les derniers rameaux. Shaor'i, qui s'était éloignée à tire d'aile pour quérir les plantes et champignons nécessaires au rituel, revint les bras chargés.

— Ça fera l'affaire, décréta-t-elle une fois à l'intérieur de la hutte.

Laissant sur le sol ce qu'elle venait de cueillir, elle s'installa en tailleur et sortit de sa besace un petit bol de terre cuite. Nerveux, Faustin jeta un coup d'œil au premier champignon qu'elle écrasa sous son pilon et s'exclama :

— Hé, minute ! Je connais ces trucs-là : c'est du crève-joual ! Ça tue le bétail !

Le vicaire, qui n'avait pas quitté la pierre où il s'était installé pour lire depuis le départ de la jeune femme, se précipita aussitôt dans l'abri de branchages pour identifier l'un de ces végétaux au chapeau rouge tacheté de blanc :

— *Amanita muscaria*. Une fausse oronge. Tu ne vas certainement pas lui donner ça à manger, c'est mortel !

Quittant les yeux de son ouvrage, Shaor'i répondit :

— C'est un poison, oui. À forte quantité. Correctement dosé, il altère les cinq sens, ce qui aide l'esprit à se détacher du corps.

Tirant de sa bourse quelques feuilles de chanvre, l'Indienne les roula en boulettes serrées qu'elle porta à sa bouche. Après les avoir mastiquées laborieusement, elle les recracha dans le bol.

— Mais qu'est-ce que tu fais là, Shaor'i ? s'exclama Faustin. C'est… c'est carrément dégoûtant !

— C'est ainsi qu'Otjiera a procédé l'hiver dernier. J'y étais.

— Bon sang de bois ! J'aurais préféré ne pas le savoir…

— Eh bien, sors ! coupa-t-elle, la voix cinglante. Je n'ai pas besoin de ta présence, pas plus que de celle du prêtre. Sacrez-moi patience, ça vaudra mieux pour tout le monde !

Baptiste eut un demi-sourire et entraîna les deux hommes à l'extérieur. Une fois dehors, François marmonna entre ses dents à l'intention de Faustin :

— Tu continues de lui accorder ta confiance ? Tu ne vas quand même pas la laisser jouer avec ta vie !

Avec un calme qui le surprit lui-même, Faustin confirma :

— Je le ferai. Notre vie, nous l'avons tous remise entre ses mains à plusieurs reprises, chaque fois que nous avons eu à combattre. Elle est tenue par son maître d'assurer ma protection. Elle n'aurait jamais proposé de procéder au rituel si elle n'avait pas été certaine de ses capacités. Elle réussira, j'en suis persuadé… et moi, je nous débarrasserai une fois pour toutes de l'Étranger.

— Tu sembles bien trop confiant, maugréa le vicaire, buté. Mais c'est ta vie, dans le fond…

Et là, je te semble être un fardeau ? eut envie de cracher Faustin, piqué sans savoir pourquoi. Il préféra toutefois s'en abstenir et dit plutôt :

— Si ça tourne mal, tu me ramèneras, c'est tout.

François ne pipa mot et s'éloigna pour s'en retourner sur sa pierre et reprendre sa lecture.

Quant à Faustin, il sortit son couteau de poche et s'en alla dénicher un bout de bois dans lequel il gosserait Dieu-sait-quoi, le temps que Shaor'i soit prête.

◆

Quand il entra dans la hutte, l'odeur puissante de la fumée prit Faustin à la gorge. Cet effluve, qui évoquait les temps anciens où les Sauvages régnaient sur les terres qu'on nommerait plus tard Bas-Canada, le rassura aussitôt : c'était exactement le même parfum, trop caractéristique pour qu'il puisse l'oublier, que celui du mélange brûlé par Otjiera le soir où il s'était entretenu avec son oncle par-delà les frontières du trépas.

La résolution de Faustin s'était raffermie au fil de l'heure passée à patienter. Sans attendre, il s'allongea sur la couverture étendue sur le sol, bras croisés sur la poitrine. Il inspira profondément. Une sorte de vertige léger l'envahit aussitôt, dû au mélange de chanvre, de sauge, de tabac et de baies de sureau séchées qui fumait sur le petit feu.

Comme la première fois, François s'assit à ses côtés. Faustin le connaissait assez pour lire sur ses traits qu'en plus de l'appréhension une profonde culpabilité rongeait le vicaire, possiblement due à leurs mésententes des derniers jours – François avait la même mine lorsque, adolescent, les basses insultes fusaient pour être aussitôt regrettées. Faustin sourit à son frère adoptif en lançant :

— Je ne serai pas parti longtemps, la Perche.

— T'as intérêt, le p'tit renard, répondit-il en souriant à son tour.

Quand Shaor'i sortit pour donner ses instructions à Baptiste, qui monterait la garde au-dehors pendant le rituel, Faustin se pencha vers François :

— Elle procédera comment, Shaor'i, pour me permettre de passer à l'état d'effigie ?

— Pour tout dire, je ne sais pas. En théurgie, le passage de feu follet à effigie est calculé à la seconde près dans la mesure du cosinus périphérique inférieur. Ça s'enclenche tout seul. Seuls les médianistes procèdent par rituel…

— C'est toi qui me diras quand ce sera le moment, Faustin, affirma Shaor'i en pénétrant dans la hutte.

Elle s'avança près de lui, un bol à la main.

— On vous entend très bien à l'extérieur, continua-t-elle en s'assoyant, un semblant de sourire aux lèvres. D'habitude, le temps est convenu d'avance entre le

Danseur qui procède et le Danseur qui voyage en esprit. Mais, pour cette fois, j'aurai un indicateur : tes yeux, au moment du passage de la Fontaine.

Le visage de François se fendit d'un large sourire et il claqua des doigts en signe d'illumination.

— Mais bien sûr ! Tu sais, Faustin, au passage d'un portail, il y a une sorte de brève perte de conscience. À ce moment, les yeux du sujet, en général mobiles derrière les paupières comme ceux d'un rêveur, deviennent immobiles.

— Exactement, confirma Shaor'i. C'est à ce moment que je changerai le rythme de ma mélopée. Alors, tu es prêt ?

Faustin hocha la tête. La jeune femme lui tendit aussitôt le bol, qu'il porta à ses lèvres. Il reconnut la saveur étrange, indéfinissable, du breuvage qui aiderait son esprit à se séparer de son corps.

Puis les secondes, ou les minutes, s'égrenèrent – il avait déjà perdu la notion du temps. Dans le silence, il n'entendait que le crépitement du feu et le son des respirations : celle de Shaor'i, lente et mesurée, et celle de François, un peu courte, trahissant sa nervosité.

L'air semblait n'arriver que par bouffées à travers la fumée se dégageant du feu. En un crescendo si lent qu'il n'en perçut pas le commencement, les sons d'une mélopée emplirent l'espace en créant des vagues sonores qui semblaient destinées à se réverbérer à l'infini.

Bientôt, Faustin sentit ses cheveux se hérisser et retint son souffle. Il se mit à trembler, comme si son corps luttait contre une force supérieure. Sa vue se brouilla, les sons commencèrent à se déformer étrangement, puis son esprit ne parvint plus à se fixer sur des pensées claires.

La psalmodie de Shaor'i gagna en intensité et Faustin se sentit attiré, entraîné, comme arraché à lui-même, éprouvant une vive sensation de vertige, de chute, de…

… gris. Un univers voilé d'un brouillard gris. Un halo bleuté, Shaor'i. Deux reflets de même teinte, ses couteaux. L'aura argentée de François, énorme, et celle de son sceptre, presque aussi large. Un dernier scintillement argenté, épais de deux pouces : son propre corps. Une nouveauté, cette aura ; deux mois auparavant, il ne disposait que d'un reflet.

Une pensée vint à son esprit : se hâter. La dernière fois, des heures lui avaient semblé quelques minutes.

Il flotta à travers la hutte qui, elle aussi, luisait de reflets bleutés. Au-dehors, un étrange rayon sombre l'attira comme la lampe d'un phare – la Fontaine du Diable, si ses sens modifiés ne le trompaient pas.

Le temps d'y penser, il fut sur les lieux, non loin de la rivière. Sur la grève luisait une flaque ténébreuse, composée de cette « lumière noire » qui formait les auras goétiques. Là où devait se trouver le puits de la Fontaine, le halo sombre bouillonnait en scintillant. Comme une chute inversée, les traces de magie noire jaillissaient du sol pour se « déverser » dans le ciel en formant une sorte de colonne obscure et intangible.

Soudainement, Faustin n'eut plus le moindre contrôle sur ses déplacements et il se vit aspiré, comme un fétu dans le courant d'un torrent violent, puis emporté, englouti, noyé…

… et tout d'un coup, comme un voile qu'on arrache, la brume grise de l'outrevision se dissipa.

Il voyait.

◆

Il ouvrit les yeux, ou eut l'impression de les ouvrir. Autour de lui, des murs de pierre massifs, pareils au tunnel reliant le manoir Poulin à la chapelle ensevelie : mêmes blocs imposants, même plafond en arc outre-passé. Faustin ne s'attarda cependant guère aux lieux, tout envahi qu'il était par l'insolite sensation qu'il éprouvait.

C'était son corps. Et ce ne l'était pas.

Dans la mesure où ses yeux pouvaient le cons-tater, il s'agissait bel et bien de son apparence. Sans difficulté, il put se lever, tourner sur lui-même, faire jouer les muscles de ses bras. Pourtant, alors qu'il s'inspectait minutieusement, Faustin ne pouvait se débarrasser du sentiment d'irréelle étrangeté qui le dominait.

Posant la main contre la paroi, il en perçut les aspérités et le froid comme si une pellicule invisible, pareille à un gant très mince, formait une sorte d'obs-tacle léger à sa perception. Son sens du toucher pa-raissait émoussé. Une autre impression plus étrange encore, mais beaucoup plus difficile à définir, le ren-dait fortement mal à l'aise : celle de ne pas réellement faire partie du décor, comme si tout autour de lui avait été une peinture, ou encore comme s'il vivait une sorte de rêve éveillé.

Il avança de deux pas, se surprit d'être aussi peu bruyant. Ses pieds émettaient un écho très léger, comme s'il ne pesait presque rien… ou était-ce son ouïe qui était elle aussi émoussée ?

Ses vêtements ne produisaient pas un son, ne bruissaient pas quand il bougeait. De plus en plus mal à l'aise, Faustin passa une main dans ses cheveux et comprit la cause de son trouble.

Sa main percevait la texture des cheveux. Le cuir chevelu percevait la texture de la main. Mais tout cela se passait de façon *séparée*, indépendante, comme si toutes les informations sensorielles parvenaient de sources différentes plutôt que d'un seul corps.

Si, techniquement, le résultat était le même qu'avec un vrai corps, la sensation qui en découlait était proche d'une déréalisation.

Voilà ce qu'est se manifester sous forme d'effigie, songea-t-il.

S'oxygénant profondément – sans sentir l'air entrer ou sortir –, Faustin détailla l'endroit où il se trouvait. C'était une pièce octogonale dont l'un des côtés s'ouvrait sur un couloir. À ses pieds, un diagramme avait été gravé dans le sol. Bien que n'ayant pas les connaissances pour en analyser l'usage, il constata néanmoins que l'un des apothèmes majeurs du pentacle se prolongeait dans le couloir.

Empruntant cette direction, Faustin vit qu'un pentacle moindre était tracé sur chacun des murs latéraux du corridor et que chacun disposait d'une droite verticale qui, descendant vers le sol, allait rejoindre la première ligne. Accessoirement, il réalisa qu'il voyait malgré l'absence manifeste de lumière, autre différence entre son effigie et son vrai corps.

Lentement, il arpenta le couloir, apercevant çà et là d'autres pentacles mineurs convergeant vers la droite du plancher. Autre sentiment d'étrangeté, les lieux lui semblaient à la fois nouveaux et familiers. Car s'il se déplaçait pour la première fois dans les couloirs des Forges, il avait le souvenir d'y avoir déjà été – souvenir hérité de sa mère lorsqu'elle lui avait transmis des bribes de sa mémoire. Tout en marchant, Faustin se dit que, au contraire de lui-même, celle qu'on nommait la Corriveau devait forcément être entrée physiquement dans ces lieux, probablement par la chapelle qui, alors, n'avait pas encore été engloutie : en effet, c'était ici, dans ces froids corridors de pierre, que sa mère avait été prise par l'Étranger dans le but de produire un enfant qui servirait de réceptacle.

C'était donc ici qu'il avait été conçu, songea Faustin en laissant glisser ses doigts sur la paroi puis en les retirant vivement, surpris qu'elle soit aussi froide. La température ambiante devait être beaucoup plus basse que son effigie ne le percevait.

Le couloir aboutissait à une vaste pièce, aussi vaste que la nef d'une petite église, où de grands cercueils de fer rouillé étaient alignés, pareils à des lits dans un hospice, tous identiques à celui d'où avait émergé, la veille, le géant mi-homme mi-singe que Shaor'i nommait *mestabeok*. Effaré, Faustin les dénombra à la hâte et compta huit coffres ainsi que quatre espaces libres, où s'étaient probablement trouvés les cercueils des géants ayant déjà été éveillés.

Douze horreurs, songea Faustin en observant le plancher là où auraient dû se situer les sarcophages manquants et découvrant que des diagrammes complexes étaient gravés sous chacun, probablement pour assurer le maintien des fonctions vitales des créatures sur un long laps de temps, ce que François avait appelé une stase temporelle.

Tout comme pour le vrai corps de l'Étranger.

De cette pièce partaient deux couloirs opposés. Sur le dallage de celui de droite se poursuivaient les lignes qu'il avait suivies sur le sol ainsi que d'autres, partant des diagrammes scellant les *mestabeok*. Sans l'ombre d'un doute, il s'agissait du chemin menant au cercueil de l'Étranger.

Quant à l'autre couloir, ce devait forcément être le passage par lequel les disparues des Forges avaient acheminé les géants inanimés vers la chapelle engloutie.

Faustin emprunta le couloir de droite, en s'étonnant de voir les murs entièrement couverts de pentacles. Ceux-ci se succédaient avec une régularité calculée, entremêlant apothèmes, cathètes et tangentes dans une complexe synergie géométrique.

Pendant qu'il se rapprochait de son but, un doute étreignit Faustin : parviendrait-il à tuer de sang-froid un homme endormi, si vil fût-il ? Même maintenant, alors qu'il avait constaté toutes les horreurs suscitées par l'Étranger et que les lieux mêmes dans lesquels il se trouvait lui remémoraient le viol qu'avait subi sa mère pour l'engendrer... Serrant les dents, Faustin se rappela l'invasion du presbytère qui lui brûlait encore le cœur et s'efforça de faire remonter à sa mémoire le souvenir de la découverte du corps de son oncle. *Oui*, décréta-t-il en silence, *il le fallait*.

C'était là la seule façon d'empêcher définitivement l'Étranger de nuire. Et de frapper au cœur l'Ordre du Stigma Diaboli. Sans l'Étranger, les luttes intestines achèveraient de détruire le cercle. Alors la fin devait justifier les moyens... mais n'étaient-ce pas là les raisons qu'avait avancées l'Étranger pour justifier ses propres actes ?

Une lueur verdâtre attira son regard, tout au fond du couloir. Faustin pressa le pas et déboucha dans une immense pièce circulaire dont le plancher n'était qu'un très vaste et très complexe pentacle, si alambiqué et si savamment tracé qu'il était impossible de suivre une ligne des yeux sans la confondre avec une autre au bout de quelques pouces.

Tout au centre se trouvait un sarcophage de cuivre que le temps avait verdi, sans pour autant effacer les schémas géométriques qui le couvraient entièrement. Sans mal, Faustin reconnut l'endroit pour l'avoir vu dans les souvenirs de sa mère : la chambre de stase où reposait l'Étranger.

La lueur émeraude, un feu follet, descendit lentement du plafond dans une trajectoire parfaitement rectiligne. Elle atteignit le cercueil métallique, en effleura le couvercle, puis disparut subitement comme une chandelle qu'on eût soufflée. Un bref instant, les diagrammes du cercueil se mirent à luire, ainsi que ceux du plancher et des murs... puis tout cessa, replongeant la pièce dans l'obscurité.

Aussitôt, l'image du feu follet aspiré par la statue de Francis Bacon revint à l'esprit de Faustin. Se pouvait-il qu'il fût présentement juste en dessous de ce monoptère ? La puissance du sortilège de stase temporelle qui maintenait vif l'Étranger pouvait-elle être à la source de l'altération du passage du temps en surface, comme l'avait senti Shaor'i en effleurant les arbres du domaine Poulin ?

L'instant suivant, il fut incapable de réfléchir. Eut le sentiment qu'on écartelait son corps, resté à des centaines de verges de là. Qu'on lui déchirait l'âme et qu'on lui broyait l'esprit.

Il hurla. Ou voulut hurler.

Sentit qu'on lui arrachait l'épine dorsale.

Puis ses yeux s'ouvrirent.

Ses *vrais* yeux.

◆

— Mais vas-tu t'réveiller, batèche ? tonna la voix de stentor de Baptiste alors que Faustin, ébloui par la lumière, se mettait à distinguer le visage du bûcheron qui, l'ayant forcé à se lever, le secouait comme un prunier.

Un grand beuglement ébranla l'air tout autour. Peu à peu, Faustin sentait revenir ses sensations dans un flot chaotique.

Les arbres de la pinède. Le sol couvert d'épines. La lumière avait baissé, l'après-midi s'achevait. Il y avait un tas de branchages, à quelque vingt verges, qui devait avoir été l'abri où s'était tenu le rituel.

Un autre beuglement l'assourdit. Une fillette vêtue de blanc, montée sur une bête à grand'queue, fit s'enflammer un pin gigantesque qui s'effondra avec fracas, ratant de peu une jeune Indienne. Shaor'i. Lames au poing, cette dernière combattait deux jacks mistigris de taille humaine tout en évitant les crocs d'un loup énorme. Plus loin, François incantait, puis il frappa le sol de la pointe de sa crosse. Des milliers d'éclats de bois incandescents jaillirent du tronc enflammé pour fuser vers la fillette.

Une paroi invisible para l'assaut, arrachant un juron au vicaire.

— Faustin ! cria encore Baptiste en le secouant toujours plus vigoureusement.

— Arrête ! parvint à gémir Faustin au moment où un nouveau beuglement se faisait entendre.

D'entre les arbres, ayant repéré le bûcheron qui avait amené le jeune homme inconscient à l'écart, un *mestabeok* s'avançait d'un pas décidé, le visage figé dans un rictus de haine.

— Garçon ! T'es correct ? Tu penses que tu peux courir ?

Comme s'il s'éveillait d'un cauchemar, Faustin hocha la tête et se retourna pour fuir. Ses jambes lui répondirent bien. Baptiste, resté un instant derrière, lança sa hache qui tournoya pour se ficher dans le genou du géant.

— Cours, Faustin !

Serrant les dents, celui-ci fonça dans la pinède sans se soucier des branches aux épines acérées qui lui labouraient le visage. Derrière lui, il entendit le *mestabeok* beugler et sentit la vibration de ses pas quand le géant se lança à sa poursuite.

Fuyant à travers les bois, Faustin risqua un œil derrière lui et vit le *mestabeok* gagner du terrain. L'énorme créature arracha au passage la branche d'un feuillu dégarni et la lança tel un javelot. Le projectile démesuré se planta à quelques pieds de Faustin. Voulant l'éviter, celui-ci perdit pied et s'effondra sur le sol. Il eut à peine le temps de réaliser ce qui se produisait que la poigne puissante de Baptiste le ramassait par la ceinture et le remettait debout, presque sans décélérer.

Une pierre grosse comme une marmite de fonte heurta un tronc juste devant eux, en faisant voler la base de l'arbre en éclats. Le bûcheron et le bedeau zigzaguèrent entre les arbres, courant vers ce qui semblait être une éclaircie, peut-être le village.

Le hurlement du *mestabeok* résonna encore plus près et les deux hommes émergèrent dans ce qu'ils espéraient être une zone habitée, où la Corriveau n'aurait d'autre choix que de rappeler ses monstres. Toutefois, Baptiste et Faustin cessèrent aussitôt leur fuite face au gigantesque obstacle qui leur barrait la route.

Le Saint-Maurice.

À cet endroit au bord de la rivière, l'eau était vrillée de remous. Une drave la couvrait partiellement, ses draveurs momentanément éloignés. Les billots du train de bois stationnaient en rangs serrés.

Alors que le *mestabeok* hurlait encore une fois et qu'une nouvelle pierre s'écrasait tout près d'eux, Baptiste fronça les sourcils et prit un air résolu.

— Ça va passer… ou on va y rester.

Sortant Ti-Jean de sa mackinaw, le bûcheron planta ses yeux dans les iris rougeâtres de la créature.

— R'garde le grand pin, Ti-Jean. Grimpe. Grimpe jusqu'en haut.

Faustin aurait juré que le lutin avait opiné du chef avant de partir en flèche le long du tronc.

— En haut, Ti-Jean, vite ! l'encouragea Baptiste en retirant sa veste.

Un hurlement jaillit, cette fois terriblement proche. Le monstre n'était plus qu'à vingt pieds.

— Su' mon dos, Faustin, ordonna le colosse.

— Quoi ?

— Su' mon dos pis grouille pas. Arrange-toé pour que j't'e sente comme un paqueton.

Sans attendre, Baptiste se tourna dos à Faustin et le ramassa par les jambes, qu'il serra autour de sa taille.

— Accroche-toé, garçon, cria-t-il avant de s'élancer comme le *mestabeok* émergeait d'entre les arbres.

Le bûcheron partit comme un cheval lancé au galop. Dévalant ce qui restait de terrain entre la forêt et la rivière, il fonça vers le train de bois, ramassa au passage l'un des cantouques laissé à l'abandon et, d'un bond puissant, il sauta de la berge jusqu'au premier billot.

Un beuglement de frustration surgit derrière eux alors qu'ils s'éloignaient sur le Saint-Maurice.

Au-dessus des pitounes laissées à flotter, Baptiste sautait avec l'agilité d'un acrobate. Agrippé dans son dos, Faustin n'en croyait pas ses yeux. Il avait certes entendu répéter que Baptiste était le meilleur draveur de la Pointe-Lévy, mais c'était la première fois qu'il le voyait en action. Le colosse passait d'une bille à l'autre comme s'il courait sur la terre ferme. Toutefois, Faustin ne put que brièvement s'émerveiller des prouesses de cet homme si massif et si souple à la fois.

Derrière eux, le *mestabeok* avait tenté lui aussi de courir sur les troncs, mais son énorme poids l'avait rapidement entraîné au fond. Beuglant sa rage, le *mestabeok* ramassa un billot de quatre pieds qu'il projeta avec autant d'aisance que Shaor'i aurait lancé un couteau.

Le tronc fit valser quelques dizaines de billes à quelques pas d'eux. Sans se soucier des gerbes glacées qui les éclaboussaient, Baptiste poursuivait son avancée, enjambant si rapidement les pitounes qu'il mettait de plus en plus de distance entre eux et la créature. Un second projectile les atteignit presque et Baptiste, pour garder son aplomb, fit tourner un moment un billot sous ses pieds le temps de retrouver son équilibre. Criant sous l'effort, il s'élança sur un autre tronc et courut quelques pieds, jusqu'à ce qu'il remarque en même temps que Faustin la petite tache blanche qui s'était lancée à leur suite sur le train de drave.

— Ti-Jean, non ! hurla Baptiste, désespéré.

Avec l'aisance d'un écureuil, le lutin courait à quatre pattes de tronc en tronc, en poussant de longs cris implorants. Un nouveau projectile percuta une extrémité de la bille sur laquelle se tenait le petit être. Sous le choc, le tronc s'éleva en position verticale, ce qui força le lutin à grimper à toute vitesse puis à bondir, paniqué, vers la bille la plus proche.

En jurant comme un charretier, Baptiste fit demi-tour et, sautant à travers la vague d'eau glacée soulevée par l'impact, il atterrit sur un tronc stable tout en plantant son cantouque à quelques pouces du lutin.

— Grimpe, Ti-Jean !

Le *mah oumet* courut le long du manche et se réfugia sur l'épaule du bûcheron, où il lui prit la tête à deux mains pour orienter son regard vers la droite.

Un loup énorme fonçait dans leur direction, courant avec habileté le long du train de bois.

— OK, Ti-Jean, j'l'ai vu !

Poussant un grand cri, Baptiste fit tournoyer son cantouque et l'abattit contre le lycanthrope au moment où celui-ci s'apprêtait à leur bondir dessus. Le loup reprit forme humaine en sombrant dans les flots et, sans perdre une seconde, Baptiste plongea son énorme gaffe pour agripper par la ceinture celui qui, à la grande surprise de Faustin, s'avéra être Joseph Légaré. Après avoir regardé autour de lui, le colosse avisa un énorme pin, y sauta à pieds joints et, certain qu'il pourrait s'y tenir, y laissa le goétiste à demi assommé.

Or, c'est ce bref moment de quasi-immobilité qui leur fut fatal quand une pierre lancée par le beuglard heurta de plein fouet le tronc sur lequel ils se tenaient.

Désarçonné par l'impact et l'acrobatie que faisait Baptiste pour se maintenir à flot, Faustin sentit son emprise autour de la taille du bûcheron se relâcher et il tomba par-derrière, coulant à pic dans l'eau glaciale.

Tout son corps fut secoué de douleur lorsqu'il plongea dans l'eau glacée. Au-dessus de sa tête, les billots cachaient la surface comme un toit de bois rond mouvant. Le bruit des troncs s'entrechoquant résonnait partout autour.

Voilée par le train de bois, la lumière ne pénétrait que par de fins interstices. La panique s'empara de Faustin. Nageant désespérément à la recherche d'un espace, il s'approcha d'un minuscule puits de lumière qui disparut avant même qu'il n'eût pu l'atteindre.

Labourant l'écorce avec ses ongles, Faustin réalisa qu'il était impossible d'écarter les billes les unes des autres. Il tenta sa chance dans un maigre interstice, mais quand ses doigts furent écrasés par deux troncs s'entrechoquant, il hurla en dilapidant son air qui s'échappa en bulles. Incapable de recracher l'énorme quantité de liquide qu'il avait avalé malgré lui et alors que ses membres devenaient déjà gourds, il tourna sur lui-même et tenta, en vain, de soulever un billot en le poussant de ses pieds joints. Lorsqu'il vit l'inutilité de ses efforts, il chercha dans l'eau sombre une trace de clarté qui lui indiquerait les limites du train de bois.

Quelque part au loin, trop loin, il vit le manche de ce qu'il se souvenait vaguement être un cantouque. Il tenta de s'en approcher, mais le cantouque paraissait inaccessible… Faustin avait les poumons en feu et luttait contre l'envie de fermer les yeux quand il crut apercevoir la silhouette d'un nageur qui fonçait vers lui…

◆

Brusquement tiré hors de l'eau par deux mains puissantes, Faustin fut hissé sur un sol pierreux. Il se retourna aussitôt sur le dos, les bras en croix, avalant l'air à grandes goulées. Le cœur lui battait dans les tempes et ses membres, transis de froid, étaient si engourdis qu'il avait peine à les remuer.

— Baptiste ? hurla-t-il dans l'obscurité.

Ne recevant qu'un étrange écho en guise de réponse, il tapota sa chemise de ses doigts rendus maladroits, en détacha avec peine le premier bouton, et parvint à en extirper sa blague à tabac et sa pipe. Sans se soucier du contenu, il vida le tabac de sa boîte de fer, trouva quelques allumettes que le contenant avait gardées au sec et gratta l'une d'elles.

La petite flamme raviva son moral et réchauffa un peu ses doigts. À la lueur fugitive, il put examiner l'endroit où il se trouvait. À première vue, on aurait dit une gigantesque hutte de castor : on avait empilé des billots égarés de la drave en une espèce de dôme où Faustin devait rentrer la tête pour se tenir debout. Un orifice au sommet laissait filtrer un peu de lumière et, lentement, la vue de Faustin s'accoutuma à l'obscurité. Dans un coin, il avisa un tas de paille et d'herbes sèches sur lequel il jeta l'allumette. La veillotte s'embrasa aussitôt en de hautes flammes près desquelles il rampa.

Savourant la chaleur bienfaisante, il entendit à peine le clapotis de l'eau d'où il vit émerger une courte silhouette qui poussa un sifflement aigu en se précipitant. Quand elle fut assez proche des flammes pour que Faustin puisse la voir, il poussa un hurlement d'effroi.

La chose devait avoisiner les quatre pieds et était couverte d'une épaisse fourrure brune. Sa petite tête ronde, aux oreilles minuscules, avait de grands yeux brillants et une truffe noire d'où sortaient de longues vibrisses.

Sa bouche étroite entrouverte en une expression stupéfaite, la créature écarta les mains d'un geste en signe de totale incompréhension. Puis elle vit Faustin grelotter dans son coin et tenter en vain de dégainer son sabre, alors elle poussa un petit piaillement.

D'un geste péremptoire, elle indiqua les flammes d'un signe de tête et lui intima de s'approcher. Après quoi elle s'éloigna doucement et replongea dans l'eau, sans provoquer aucune ride sur la surface.

Bien vite, le besoin de chaleur força Faustin à se rapprocher du feu. Pour la première fois, il détailla la masse d'herbe sèche et lui trouva une certaine ressemblance avec une paillasse. Il semblait y avoir en dessous de petites branches qui commençaient elles aussi à se consumer. Se pouvait-il qu'il eût mis le feu au lit de la créature ? Si tel était le cas, il pouvait supposer que la bête n'était pas agressive… à moins qu'elle eût été effrayée par les flammes, mais Faustin en doutait : elle ne semblait pas avoir hésité à s'en approcher pour constater les dégâts causés à sa couche.

Se frottant vigoureusement les mains, Faustin profita de la chaleur alors que le feu diminuait déjà, faute de combustible plus costaud que des herbages. Il était loin d'être totalement sec lorsque le feu commença à mourir et que la chose refit surface.

Dans les dernières lueurs des braises rougeoyantes, Faustin put détailler un peu la bête. Ses grands yeux paraissaient dépourvus de malveillance ou d'agressivité. N'eût été sa posture verticale, la bête aurait eu l'air d'une loutre – et encore, Faustin avait souvent vu des loutres se tenir ainsi, aux abords des ruisseaux… sauf qu'elles ne marchaient pas dans cette position. La créature, elle, semblait totalement adaptée à la bipédie et ses pattes de devant, lorsque Faustin put les voir, ressemblaient davantage à des mains palmées.

Le geste qu'elle exécuta alors fit oublier à Faustin de respirer pendant un long moment et devait ébranler ses certitudes jusqu'à la fin de ses jours. Avec une infinie douceur – Faustin aurait juré qu'elle voulait éviter de l'effrayer –, elle ramassa une branchette intacte entre ses doigts et dessina dans la cendre. Pour observer la scène, Faustin dut gratter une nouvelle allumette. Elle lui échappa des doigts quand il comprit ce qu'accomplissait l'animal.

Du bout de sa branchette, qu'elle tenait à la manière d'un homme tenant une plume, la créature avait tracé trois petits dessins que Faustin reconnut aussitôt, sans toutefois en comprendre le sens.

Des *komkwejwika'sikl*. La langue écrite et oubliée qu'utilisaient jadis les nations autochtones. Faustin se remémora aussitôt l'ancien Sanctuaire où Shaor'i lui en avait expliqué l'usage.

Satisfaite de son œuvre, la créature lui indiqua les trois symboles avec insistance. Décontenancé, Faustin ne trouva rien de mieux à faire que lever les mains en signe d'incompréhension – exactement le même geste qu'avait esquissé la créature en découvrant sa couche en proie aux flammes.

Alors le déclic eut lieu dans l'esprit de Faustin : cette bête n'était pas un animal. Tout comme les *mah oumet*, elle était… quelqu'un.

— Faustin, dit-il en se tapant le torse du poing.

Clairement amusée, la créature émit un petit sifflement moqueur, puis dressa la tête avant de se figer, les sens en alerte. En trois bonds, elle atteignit les eaux et plongea. Ce n'est qu'après qu'elle eut disparu que Faustin entendit la voix de stentor de Baptiste qui l'appelait désespérément.

Jetant un dernier regard à l'emplacement où avait disparu son étrange sauveur, Faustin se redressa et hurla un « Par ici ! », les mains orientées en porte-voix vers l'orifice du plafond, puis il se hissa vers l'extérieur par le trou. Prudemment, il regarda dans tous les sens afin de repérer d'éventuels poursuivants. Malgré le soir qui commençait à s'installer, Faustin put constater qu'il avait été amené très en aval du lieu où il était tombé.

La voix de Baptiste cria de nouveau son nom. Jugeant que le danger devait avoir été écarté, Faustin risqua une sortie et poussa de nouveau ses cris, dans lesquels se manifestait un soulagement certain.

◆

Mais le soulagement de Faustin fut de courte durée.

François gisait sur le sol, recroquevillé dans une posture insolite, les mains crispées sur son bâton. Ses jambes avaient un angle inhabituel et ses lèvres étaient maculées d'écume. La pâleur presque irréelle de sa peau donnait l'impression qu'on l'avait blanchie à l'eau de chaux – cela paraissait encore pire avec le contraste de sa soutane noire et du sang séché sous son nez.

Shaor'i l'avait installé sous un abri en appentis, probablement utilisé par les draveurs. Entre deux arbres rapprochés, on avait tendu une perche pour qu'elle soutienne des branches placées en pente. La charpente recouverte de sapinage offrait une retraite discrète.

— Il vit, s'empressa-t-elle de dire aussitôt que Faustin l'aperçut. Il respire lentement mais avec régularité. Son cœur bat normalement.

— C… comment est-ce arrivé ? voulut savoir Faustin en s'agenouillant auprès du vicaire.

— Nous perdions l'avantage. Cette fillette – ta mère – est d'une puissance redoutable. Les flammes jaillissaient de partout. Il a tenu un mur arcanique pour nous protéger, mais la Corriveau redoublait d'assauts. Alors il a voulu nous téléporter. Nous sommes apparus à une centaine de verges d'ici et il s'est aussitôt effondré. Il n'a pas repris connaissance depuis.

— Tu ne peux rien tenter ? demanda Faustin en essuyant discrètement une larme.

— Rien. Son corps va bien. J'ignore ce qui se passe.

Faustin prit la main de son frère adoptif. *Mon oncle,* pria-t-il silencieusement, *veillez sur lui. Ne le laissez pas me quitter, s'il vous plaît.*

— Ti-Jean pis moé, on a réussi à distancer l'*mestabeok*, raconta Baptiste. J'ai gaffé pour te repêcher pis quand j'ai vu que ça marchait pas, j'suis parti me mettre à l'abri pis j'ai vu c'te place-là. La P'tite était déjà là, elle a lancé un sort pour savoir si tu t'étais noyé. Quand elle a ouvert les yeux pour dire que t'étais correct, j't'ai cherché. Tu pouvais pas être allé bin loin. Ça fait une demi-heure qu'on entend plus beugler le *mestabeok*. Je suppose que ta mère a cessé de nous chercher pis attend qu'on se manifeste.

— Je pense plutôt que l'attaque a seulement servi à m'empêcher de tuer l'Étranger, marmonna Faustin en nettoyant de sa manche encore humide le visage de François.

— T'as pas eu l'temps ? demanda Baptiste.

— Non. Et je le regrette amèrement.

Le bûcheron vint s'accroupir près de Faustin et lui tapota l'épaule. Shaor'i reprit le pouls de François puis fronça les sourcils.

— Et toi, Faustin… d'où es-tu ressorti ?

Sans lâcher son frère adoptif des yeux, Faustin raconta ses étranges péripéties.

◆

— *Maymaygwashi*, décréta Shaor'i lorsqu'il lui décrivit son étrange sauveur. Ceux-qui-peuplent-les-rivières.

— Tout comme les *mah oumet* sont le peuple des cavernes ?

— On peut dire ça comme ça. Sauf que les *maymaygwashi* sont beaucoup plus rares. Ils vivent normalement beaucoup plus à l'ouest, aux abords des Grands Lacs. Je n'arrive pas à croire que tu en aies côtoyé un, conclut-elle avec stupeur et, peut-être, une pointe d'envie.

Dans l'abri, Faustin achevait de se sécher auprès d'un feu de bois sec ramassé par Baptiste. Inquiet de l'arrivée possible de la Corriveau, le colosse était ressorti aussitôt pour monter la garde, son *mah oumet* sur l'épaule. « Tu me raconteras après, Faustin, avait-il lancé, pour l'heure j'veux pus qu'on s'fasse prendre par surprise ! »

— Comment se fait-il que ces créatures ne soient pas connues des Blancs ? demanda Faustin tout en tenant la main de son frère adoptif.

— Beaucoup des nôtres les considèrent comme légendaires, à présent, déplora Shaor'i. Et déjà qu'ils sont fort discrets, et si faciles à confondre avec des loutres. Ils ne se font ni villages ni abris identifiables – cette hutte où nous t'avons trouvé est totalement inusitée. Quant à leurs ossements, ils ressemblent aussi à ceux des loutres.

— Mais ce sont des gens, n'est-ce pas ? insista-t-il.

— Bien sûr. Toutefois, je n'arrive pas à comprendre ce qu'un *maymaygwashi* peut bien faire dans la vallée du Saint-Maurice…

L'Indienne alla prendre sur le feu l'infusion qu'elle avait mise à chauffer pour François, toujours inconscient. Elle la mêla avec un peu d'eau de sa gourde pour la tiédir.

Faustin se pencha sur son ami inconscient et lui souleva la tête avec délicatesse pour aider Shaor'i à lui faire avaler un peu de l'infusion. Il demanda cependant :

— Et ces *maymaygwashi*… Sont-ils tous capables de tracer des *komkwejwika'sikl* ?

De stupéfaction, Shaor'i renversa le dernier quart de l'infusion, qui se répandit sur le sol. Elle prit un moment pour dévisager Faustin, bouche bée, avant de retrouver la parole :

— Tu l'as vu écrire ?

Ne sachant quelle attitude adopter, Faustin se contenta de hocher la tête.

— Où ? Où a-t-il écrit ? le pressa la jeune femme.

— Dans la cendre, dans la hutte où il m'a transporté… mais il a tout effacé de sa queue en se sauvant.

— Normal. Les *komkwejwika'sikl* ne sont pas censés être tracés sur un support permanent. Ça a toujours été ainsi, sauf dans les lieux sacrés tels que le Sanctuaire.

— Je n'arrive pas à croire que cette créature a pu apprendre à écrire…

— Forcément, répondit l'Indienne, sarcastique. Après tout, ce sont eux qui ont enseigné les *komkwejwika'sikl* aux humains.

Sans laisser Faustin réagir à cette révélation, la jeune femme planta ses yeux dorés dans les siens.

— Écoute-moi, mon ami. C'est très important. Ce petit être a probablement nagé, au fil des semaines, du lac Supérieur jusqu'ici, en suivant le cours des Grands Lacs, puis celui du fleuve, pour ensuite remonter le Saint-Maurice. Je n'ai aucune idée pourquoi il t'a choisi, mais ce qu'il avait à écrire après un si long voyage est sûrement d'une importance capitale. Alors penses-y bien, Faustin, et retrace-moi les *komkwej-wika'sikl* de ce *maymaygwashi*.

Sans la moindre hésitation, Faustin s'accroupit et refit les symboles. La scène de la créature écrivant dans la cendre demeurerait gravée à jamais dans son esprit. Quand il eut terminé, il se releva et jugea sa reproduction parfaite. Alors l'Indienne s'en approcha et ses pupilles s'agrandirent de stupéfaction. Son cœur sembla battre de travers, ses yeux repassèrent sur les idéogrammes encore et encore pendant qu'elle marmonnait des *non, non, non…* pour finalement saisir Faustin par le visage, river son regard dans le sien et lancer:

— Tu es certain?

— Certain, Shaor'i. Je ne pourrai jamais oublier ce que j'ai vu. Qu'est-ce que ça dit?

L'Indienne inspira profondément avant de répondre.

— Il est écrit que Kabir Kouba a été éveillé. Ça suffit. Nous partons.

Elle se leva pour crier.

— Baptiste! *Baptiste!*

— Kabir Kouba? répéta Faustin, rendu inquiet par la réaction de l'Indienne.

— C'est le seigneur des rivières, expliqua-t-elle en ramassant à la hâte ce qui traînait près du feu. Le grand serpent, la créature des lacs, la terreur venue du fond des eaux. C'est une chose effroyable qui n'aurait jamais dû exister. Elle a été endormie il y a des siècles et n'aurait jamais dû être éveillée… elle doit être titanesque, à présent. Kabir Kouba a été engendrée par erreur il y a de cela très longtemps et…

Ti-Jean arriva sur ces entrefaites, en poussant d'aigus petits cris, et fut rapidement suivi par le bûcheron.

— Qu'est-ce qui a, P'tite ?

— Prends le prêtre dans tes bras. Nous partons.

Baptiste la regarda avec incrédulité.

— La situation nous dépasse grandement, Baptiste. Il faut que nous partions d'ici au plus vite pour rapporter les faits à Otjiera. Ces Forges, ce cheptel humain, ces canons, l'éveil des *mestabeok*… c'était déjà énorme. Mais si j'en crois le *maymaygwashi* qu'a vu Faustin…

— Une sirène du lac Supérieur ? s'étonna le colosse. Icitte ?

Baptiste se tourna vers Faustin, mais Shaor'i ne lui donna pas l'occasion de s'expliquer.

— Plus tard. Le temps presse. Kabir Kouba a été éveillé.

Un bref silence accueillit cette déclaration, puis le bûcheron acquiesça.

— T'as raison, P'tite. Faut mouver au plus sacrant. L'vieux chafouin saura quoi faire.

— Avec le prêtre dans cet état, impossible de revenir en chasse-galerie. Seule, je n'y parviendrai pas.

— Oui-da. J'vas porter François, on va marcher jusque chez les Leclerc pis j'vas aller louer une charrette, comme y'ont faite pour la mise en terre d'leu garçon. Pis en ville, on prendra la diligence du Chemin du Roy.

L'Indienne et le colosse échangèrent un lourd regard, puis Baptiste se pencha pour prendre délicatement le vicaire dans ses bras alors que la jeune femme revêtait sa forme de harfang et s'élançait au-devant.

Gagné par l'angoisse de ses compagnons qui s'ajou-tait à celle suscitée par l'état de François, Faustin décida de reporter ses questions à plus tard et, presque malade d'appréhension, il s'empressa de suivre le bûcheron.

CHAPITRE 23

Trahison

Il faisait plutôt froid dans la maison des Leclerc : on avait laissé les fenêtres ouvertes pour aérer la demeure après qu'elle eut abrité un corps. Antoine ne semblant toujours pas rentré et sa femme toujours en visite même si l'heure du souper était passée, Faustin pénétra seul dans les lieux, le corps inconscient de François dans ses bras. Pressé de partir, Baptiste les avait quittés pour aller louer une charrette alors que Shaor'i, sous forme de harfang, montait la garde sur le toit.

Faustin songea d'abord à coucher le vicaire dans le lit du couple Leclerc avant de se dire que s'il allumait un feu dans le salon, la chaleur lui ferait peut-être du bien. Jugeant cela de mauvais présage, il n'osa pas installer son frère adoptif sur le support du cercueil du jeune Leclerc, cinq planches posées sur deux chevalets qu'on avait recouverts d'un drap noir. À la place, il poussa du pied trois chaises l'une près de l'autre et les aligna en une sorte de couche proche du poêle. Avec délicatesse, il y allongea François.

On n'avait guère chauffé durant les derniers jours pour éviter que la dépouille se mette à sentir et Faustin jugea qu'il était plus que temps de préparer une attisée.

Il écarta le bois de seconde qualité, choisit des bûches de bon merisier sec et agita le tisonnier pour brasser les braises presque éteintes.

Quand il eut terminé et qu'il n'eut plus rien pour s'occuper, il se tira une chaise et s'assit au chevet du vicaire ; il vérifia son pouls et passa une main sur son front. Il se souvint que Madeleine aurait infusé une tisane de lin ou préparé un autre remède d'habitant, comme un sirop de navet ; il se dit aussi qu'il aurait pu marcher jusqu'au grand magasin pour voir s'il y trouverait une bouteille de *Painkiller* – l'une et l'autre options lui semblèrent ridicules. Si la magie de Shaor'i avait été incapable d'aider le vicaire, il doutait que les diverses mixtures, qu'elles soient issues de la sagesse paysanne ou de la médecine moderne, puissent y changer quoi que ce soit. Restait à faire les cent pas et à attendre le départ.

Deux heures plus tard, il en était à s'occuper l'esprit en regardant bêtement par la fenêtre, cherchant à estimer le nombre de caisses d'un charroi qui quittait le village, quand un miaulement lui fit tourner la tête vers le salon. Un chat noir, assis sur ses pattes de derrière, le dévisageait de ses yeux ambrés. Puis la Siffleuse se manifesta dans son esprit.

« *Laissez-le ici, mon Prince.* »

« *Vous ! Qu'est-ce que vous…* »

« *Ne vous ai-je pas aidé, jusqu'à présent, mon Prince ? Ne croyez-vous pas que ce soit ce que je souhaite faire à nouveau ? Écoutez-moi : il vaudrait mieux pour vous que vous partiez avec la guerrière et le draveur en laissant le prêtre ici.* »

— Quoi ? lança Faustin à voix haute. Vous êtes folle ? C'est mon frère !

En ronronnant, la Siffleuse s'approcha de lui.

« *Vous avez encore son bréviaire, non ?* »

Faustin s'en souvint au moment où elle le mentionna. Effectivement, depuis la sonde mentale de Ferrier pendant laquelle le vicaire l'avait dédaigneusement jeté à ses pieds, il n'avait toujours pas rendu à François l'opuscule dans lequel ce dernier notait ses sortilèges les plus usuels… du moins, à l'époque où il ne les gravait pas dans sa chair.

« *Je l'ai toujours, bien entendu. Vous ne l'aurez pas.* »

« *Peu me chaut. Je l'ai déjà feuilleté durant votre sommeil. Ouvrez, mon Prince… page 49.* »

Intrigué au point de ne pas relever la mention d'une fouille pendant son sommeil, Faustin s'empressa de sortir le livret, épargné presque par miracle de sa chute dans les eaux du Saint-Maurice. L'encre avait un peu bavé sur le bord des pages, mais l'essentiel du texte était intact – un bref coup d'œil à l'outrevision montra une faible aura théurgique, révélant selon toute évidence la présence d'un sortilège de protection contre les éléments. En le feuilletant pour repérer la page indiquée, il se rassit auprès du vicaire.

Il trouva rapidement. Il reconnaissait parfaitement l'écriture de François, qui avait noté : *Tous les défunts des catacombes de l'île sont des sorciers de renom. On avait d'ailleurs préparé une place pour la Corriveau. Je suppose que le changement de Régime a empêché le Stigma d'y déposer sa dépouille. Tous les autres squelettes ont probablement été préservés pour la même raison qu'on a conservé les grimoires et traités arcaniques dans la chambre de mon ancêtre : afin d'en user au fil des siècles à venir. Il suffit donc, grâce à ces ossements, de trouver un descendant direct et de même sexe pour établir une métempsycose comme*

*l'Étranger l'a fait pour la Corriveau avec Rose Latulipe
– ou comme il l'a tenté pour Lavallée avec moi, ou lui-
même avec Faustin. Je note au passage la faiblesse
que l'Ordre Théurgique s'est infligée à lui-même en
préservant le vœu de chasteté dans ses rangs…*

— François ne peut avoir écrit ça! s'exclama Faustin
avant de poursuivre mentalement: « *Ça voudrait dire
qu'il juge acceptable l'usage de la métempsycose!* »

« *À tout le moins, qu'il considère comme une faiblesse de ne point l'envisager…* émit la Siffleuse avec
l'équivalent d'un ton de raillerie. *Page 56, maintenant!* »

Tournant vivement les pages, Faustin tomba sur
un diagramme.

« *C'est l'un de ces diagrammes mineurs qu'il y
avait près de la tombe de l'Étranger!* »

« *En effet, mon Prince. Ils servent à maintenir en
stase temporelle l'Étranger et ses mestabeok… et vous
aussi.* »

« *Moi?* »

« *Rien ne se crée, rien ne se perd…* cita la Siffleuse
d'un ton doctoral caricaturé. *La longévité de l'Étranger
vient de quelque part… esprits frappeurs, feux follets
et autres immortels sont attirés ici et, drainés, nour-
rissent en longévité ceux qui sont attachés à la stase
temporelle. Ce que l'Étranger n'avait pas prévu, c'est
que lorsqu'il vous a engendré, l'enchantement vous a
"reconnu"… vous vous abreuvez à même cette source,
mon Prince, et cela depuis votre naissance! Un lien
énergétique vous y lie… les pages suivantes, je vous
prie.* »

Le diagramme était reproduit, puis chaque angle
était analysé en formules algébriques complexes. Par
la suite, on voyait un tracé étrange ayant plus ou moins

la forme d'un point d'interrogation, suivi de mesures en longueur et en épaisseur.

« *Là, je n'y comprends absolument rien* », avoua Faustin.

« *Savez-vous ce qu'est la quadrature du cercle ?* »

« *L'impossibilité de construire géométriquement un carré équivalant à une aire circulaire donnée.* »

« *Le tracé que vous voyez, mon Prince, est la construction géométrique alternative et tridimensionnelle d'un diagramme de drainage… Ne vous rappelle-t-il rien ?* »

« *Le bâton de François ! Mais alors…* »

« *Page suivante, lisez.* »

Les mains tremblantes, la bouche sèche, Faustin s'imposa la lecture du texte rédigé d'une calligraphie qu'il connaissait trop bien : *… ainsi le Bâton permet de drainer d'une autre source l'énergie nécessaire pour assumer le coût d'un lancement de sortilège. En expérimentant ce matin devant l'église, j'ai tenté d'allumer un feu en aspirant l'énergie de l'herbe sous mes pieds. L'herbe est morte dans un rayon de plus d'une verge et à peine ai-je fait roussir mon bout de papier.*

Incrédule, Faustin se tourna vers le chat noir pour lui demander l'intérêt de cette lecture quand une idée qui le répugna jaillit dans son esprit. La Siffleuse y fit écho en lançant :

« *Ne trouvez-vous pas que votre ami a bien peu vieilli considérant la puissance des sortilèges qu'il a lancés ? Ou que vous-même avez atteint le stade de la poussée de croissance un peu rapidement ?* »

Des déclics eurent lieu dans l'esprit de Faustin alors qu'il en refusait les implications. Pourtant… n'avait-il pas souhaité partager ses années de crédit avec François pour lui éviter de vieillir prématurément ? Certes, mais d'être si insidieusement drainé, cela changeait bien des choses…

Non. François n'aurait jamais osé une chose pareille.

Ou alors… se pouvait-il qu'il eût changé à ce point ? Cette aura noire, que Faustin avait entraperçue dans la chapelle ensevelie…

Un gémissement interrompit le cours de ses pensées : François s'éveillait.

En crachant, le chat détala et bondit par une fenêtre restée ouverte. « *C'est une ombre que vous espérez retrouver…* » émit la Siffleuse en s'enfuyant.

Mais Faustin n'écoutait plus. Déjà, à genoux auprès du vicaire, il le soutenait d'un bras pour l'aider à s'asseoir. François toussa violemment, laissant échapper un épais crachat strié de sang qui tomba sur le plancher. Quand il fut certain que son frère adoptif tiendrait assis, Faustin se précipita à la pompe et l'actionna avec tant d'empressement qu'elle geignit en faisant éclabousser l'eau tout autour. Lorsqu'il revint avec un gobelet plein, le vicaire l'écarta brusquement et regarda autour de lui, l'air désorienté.

— Ça ne va pas, François ?

François fixa sa main et, sourcils froncés, fit jouer son pouce contre ses autres doigts. Il esquissa un vague sourire avant de chuchoter :

— Au contraire… Faustin.

Le vicaire s'installa sur l'une des chaises et inspira profondément. Des yeux, il balaya la pièce.

— J'ai eu sacrément peur, avoua Faustin. Shaor'i disait qu'elle ne parvenait pas à te soigner…

— Mon bâton ? coupa le vicaire.

Faustin prit une seconde avant de répondre, décontenancé.

— Baptiste l'a attaché à son paqueton. Il est parti louer une charrette. Peu importe : comment te sens-tu ? Es-tu fiévreux ? As-tu faim ? Il doit rester du pain de la mère Leclerc…

La porte s'ouvrit avec fracas et Baptiste pénétra en trombe dans la maison, Ti-Jean sur l'épaule :

— Bouge, Faustin ! cria-t-il, essoufflé. Y a des jacks plein l'village !

Remarquant que François était réveillé, il ajouta :

— Te v'là sur pied, tant mieux ! J'ai laissé la charrette en arrière, on va y aller *de suite*.

Éberlué, Faustin répéta :

— Des jacks… au village ?

— Comme j'te dis. Les sorciers profitent que l'monde sort pas la nuitte, par rapport au beuglard qui z'ont entendu crier pendant qu'on s'faisait attaquer. Grouille-toé. Y a Légaré, en loup, qui cherche au flair, avec Sewell pis une meute de jacks. On s'en va.

À l'extérieur jaillirent les aboiements d'un chien qui s'achevèrent sur un couinement étranglé. Faustin regarda par la fenêtre, ne vit rien mais n'eut aucune difficulté à imaginer un non-mort qui éviscérait l'animal.

C'est le moment que choisit Shaor'i pour intervenir. Étant passée de harfang à humaine à plusieurs pieds d'altitude, elle tomba littéralement du ciel sur Sewell et Légaré, eux-mêmes redevenus humains entre-temps. La jeune femme fit chuter les deux hommes et tous les trois formèrent un entremêlement de bras et de jambes. D'un saut, l'Indienne fut debout et flanqua à Légaré un coup de pied retentissant sur la tempe, l'immobilisant en même temps qu'elle se laissait retomber pour écraser de son coude la trachée de Sewell. Suffoquant et crachant, l'homme tenta de s'éloigner en rampant et se releva à demi. Ses deux lames se matérialisèrent dans les mains de Shaor'i qui, décidée à achever les sorciers, avança d'un pas assuré.

Mais les non-morts ne l'entendaient pas ainsi. Déjà un wendigo bondissait sur elle et elle se retourna *in extremis* pour le poignarder au cœur. Voyant que la meute menaçait de l'encercler, elle fit un saut carpé au-dessus de l'une des créatures, atterrit sur ses pieds et planta son autre lame dans le front d'un des non-morts.

Par la fenêtre de la cuisine, Baptiste et Faustin, malgré l'obscurité, comprenaient très bien que Shaor'i menait l'affrontement.

— Icitte, Ti-Jean ! ordonna Baptiste en ouvrant sa mackinaw, où le lutin se réfugia derechef. Faustin, va m'chercher le fusil du père Leclerc pis les sacs de poudre, tu prendras aussi l'pistolet !

Faustin fila au mur où était suspendue l'arme de chasse, saisit le petit sac de poudre, qu'il rapporta au bûcheron avant de sortir sa propre bourse de munitions d'argent, qu'il partagea avec le bûcheron. D'un même geste, les deux hommes vidèrent la poudre et enfoncèrent leur balle.

Afin d'éviter toute invasion intempestive, Baptiste s'arc-bouta pour soulever la lourde table de chêne et la caler solidement devant la porte d'entrée. Puis chacun se tint à l'affût devant une fenêtre.

— On s'lève à trois, Faustin. On vise un jack, toé d'ton bord, moé du mien, on l'tire, on s'rassoit. Prêt ?

Faustin hocha la tête silencieusement.

— Un, deux… trois !

Le colosse se dressa prestement, brisa un carreau de la crosse du fusil et y glissa le canon de l'arme.

Faustin se leva pour l'imiter, cherchant une cible des yeux.

Shaor'i combattait deux non-morts en bondissant constamment pour rester hors de leur portée. D'autres wendigos cherchaient à l'atteindre, ce qui la forçait à passer constamment de l'état de harfang, où elle était inatteignable, à celui d'humaine, où ses lames enchantées pouvaient blesser les créatures.

Le coup tiré par Baptiste rappela son rôle à Faustin, mais avant qu'il n'eût visé, le bûcheron le força à se rasseoir.

— Prends moins d'temps pour choisir, garçon, expliqua le bûcheron en rechargeant. Faut pas qu'ils nous trouvent de suite. On r'commence. Prêt ? Tire !

Le colosse se dressa à nouveau et tira aussitôt. Faustin l'imita, visa un jack courant vers Shaor'i et fit feu. Il vit la créature être stoppée dans sa course par l'impact de la balle, trébucher puis rouler sur le sol, d'où elle ne se releva pas.

Ce fut encore Baptiste qui le ramena au sol. L'un et l'autre bourrèrent encore une fois leurs armes.

Alors le paqueton du bûcheron se mit soudainement à remuer. Le bâton de François s'en détacha et traversa la pièce, projeté par une force invisible.

Le vicaire, levé de son siège, attrapa son sceptre dans sa main tendue.

— François, t'es en état d'incanter ? s'étonna Faustin.

— François ! Fais quek' chose ! l'incita Baptiste.

Nonchalamment, François s'approcha de la fenêtre et observa l'Indienne se démener. Un vague sourire apparut sur ses lèvres. Manifestement décidée à tenir position, Shaor'i avait adopté un style de combat dans lequel se mêlaient esquives, attaques-éclairs et brèves transformations. Seuls l'assaillaient les wendigos : Sewell se tenait à l'écart, incapable d'incanter avec sa trachée presque broyée, tandis que Légaré était toujours inconscient.

Baptiste se dressa et tira de nouveau. Un jack s'effondra, touché par la balle d'argent. Faustin sortit un bout de craie de la poche de sa chemise et la lança au vicaire, qui l'attrapa au vol.

— Ton sort de flammes, François ! Les jacks n'y résisteront pas !

— François, joual vert ! cria Baptiste. La P'tite tiendra pas longtemps à c'train-là !

Une expression amusée se peignit sur le visage du prêtre.

Ce n'est pas François ! pensa subitement Faustin avec horreur, comme on percevrait un changement de tonalité dans une mélodie. Quelque chose n'allait pas. Faustin « palpa » de ses dons spirites l'âme de celui qu'il avait toujours considéré comme son frère. *Ce n'est pas François,* se répéta-t-il, sentant la panique le gagner alors qu'il ne savait comment réagir. C'était son corps… mais ce n'était pas lui. *Quelque chose* l'habitait.

Ignorant l'affolement qui s'emparait de Faustin, Baptiste fit claquer le chien du fusil, prêt à tirer de nouveau.

— Ton grand sort de feu su l'groupe des jacks, proche du tas d'bois, lança-t-il à l'intention de celui qu'il croyait être François.

À pas lents, le vicaire recula de la fenêtre et se détourna sans jeter un dernier regard à Shaor'i qui, submergée sous le nombre, montrait des signes d'épuisement, passant de plus en plus de temps sous sa forme de harfang.

— Mais qu'est-ce tu fais, François ! hurla Baptiste. Incante, bâtisse !

Souriant avec condescendance, le vicaire s'approcha du bûcheron pour murmurer :

— Non.

Serrant le poing, le vicaire écrasa son morceau de craie et en laissa couler les miettes avant de se tourner vers le salon. Décrivant un arc de cercle avec son sceptre, il fit se soulever l'énorme poêle de fonte et le projeta contre le mur opposé à la vitesse d'un boulet de canon. Dans un fracas épouvantable, la paroi éclata sous l'impact, ouvrant une brèche de la taille d'une porte.

— François ! hurla Baptiste en lui agrippant le bras. Qu'est-ce tu…

Aux yeux de Faustin, les secondes qui suivirent semblèrent se dérouler au ralenti.

Le vicaire tira vivement pour se dégager. Le bûcheron raffermit quelque peu sa poigne. La manche de la soutane se déchira, laissant un lambeau d'étoffe noire entre les mains de Baptiste et révélant le tatouage qui se cachait dessous.

Le Stigma Diaboli.

Avec un rictus moqueur, le prêtre leva la main à un pouce du visage du colosse et prononça :

— *Erzedeth sïran !*

Deux traits sanglants jaillirent des orbites de Baptiste alors que ce dernier portait la main à ses yeux en hurlant, avant de s'effondrer sur le sol en gémissant de douleur.

— Non ! cria Faustin, littéralement terrifié.

Sans lui jeter le moindre regard, le vicaire marcha vers la brèche en criant :

— *Here they are ! Sewell ! Send your forces !*

— Faustin ? Faustin ! appela le bûcheron en tournant vers le jeune homme un visage où deux trous béants se trouvaient là où étaient, une minute auparavant, ses yeux bleus.

Voyant le vicaire sortir, Faustin se précipita auprès du bûcheron qui gisait toujours sur le sol. Ti-Jean, sorti de sa poche, se cramponnait désespérément aux vêtements du colosse en jetant de longs gémissements implorants.

— J'suis aveugle, Faustin ! geignit Baptiste, portant les doigts à ses orbites vides.

— Shaor'i va t'arranger ça !

— J'ai pus d'yeux, ça s'soigne pas ! J'suis aveugle !

— Shaor'i ! appela Faustin, désespéré.

Déduisant qu'elle ne l'entendait pas, Baptiste cria :

— Fais quek'chose, garçon ! On va y rester !

Faustin tenta de maîtriser la tourmente qui agitait son esprit : François possédé, la cécité de Baptiste, Shaor'i submergée par les ennemis trop nombreux…

Le cri suraigu de Ti-Jean le força à se retourner. Un premier wendigo venait d'entrer en bondissant à travers l'ouverture créée par François. Sans réfléchir, Faustin pressa la détente du pistolet et fit éclater le crâne du non-mort, qui tomba en laissant place à une seconde créature. D'un geste instinctif, le jeune homme se leva, dégaina son sabre en se tournant à demi, fendit l'air du tranchant et décapita proprement la créature.

— Qu'est-ce qui s'passe ? lança Baptiste.

— Des jacks. C'est réglé pour l'instant, répondit Faustin en versant une nouvelle mesure de poudre dans le pistolet. Ton fusil est-il chargé ?

— J'ai pas eu l'temps de tirer ce coup-là.

Faustin rengaina son sabre, prit l'arme de Baptiste et en passa la courroie à son épaule. Il garda le pistolet en main et demanda :

— Tu peux te lever ?

— Ça va aller. Guide-moé.

— Ta main sur mon épaule. On va tenter une sortie.

Il s'interrompit lorsque des clous jaillirent du plancher et fusèrent verticalement pour se ficher dans le plafond. Faustin grimaça de douleur, éraflé au mollet, puis ne pensa plus au mal en voyant le vicaire au-dehors, sceptre tendu, en train d'incanter une seconde fois. Entendant un bruit derrière lui, Faustin se plaqua d'instinct au sol en entraînant Baptiste, lui évitant de justesse d'être assommé par le buffet qui traversait l'air pour s'écraser contre le mur. Ti-Jean poussa des cris hystériques et attrapa la main que le bûcheron tendait maladroitement vers lui.

Se levant à demi, Faustin jeta un œil dehors en écarquillant les yeux. Ce qu'il vit à l'outrevision confirma ses craintes. L'aura de François était noire comme une ombre et épaisse de trois pieds, presque quatre – deux fois plus imposante que ne l'avait été celle de son oncle. Son sceptre, scintillant désormais pareillement, formait une étrange volute sombre.

Le prêtre décrivit un large arc de cercle avec sa crosse et un globe de flammes fusa vers la fenêtre.

— À terre ! hurla Faustin en se jetant sur Baptiste alors que la sphère enflammée fracassait la vitre et percutait un mur intérieur sur lequel le feu s'étendit comme s'il eût été enduit d'huile.

Au-dehors, on entendit François incanter de nouveau. Un craquement sonore résonna au-dessus de leur tête et Faustin n'eut que le temps de guider le bûcheron vers la porte arrière avant que n'éclatent les

quatre poutres portant le plafond et que les combles
ne s'effondrent.

Comme les deux hommes émergeaient à l'extérieur,
de nouveaux globes de flammes s'abattirent sur les
décombres, d'où s'éleva rapidement un brasier dans
l'obscurité. La lourde main de Baptiste sur son épaule,
Faustin repéra à ses hennissements apeurés le cheval
de la charrette louée, laissé à paître une vingtaine de
verges plus loin. Faustin achevait d'aider le colosse
à monter dans la voiture quand la maison des Leclerc
s'effondra pour de bon.

— La P'tite, Faustin… marmonna Baptiste en cherchant une prise à tâtons. Faut avertir la P'tite…

Bien sûr, pensa Faustin. Shaor'i devait encore se
battre… ou avait foncé dans l'incendie en croyant
qu'ils s'y trouvaient. Rongé par l'inquiétude, Faustin
voulut se lancer à sa recherche mais se ravisa et ferma
plutôt les yeux pour chercher en lui ce lien ténu qui
les unissait lorsqu'ils combattaient. Puis il émit ses
pensées comme lorsqu'il s'adressait à la Siffleuse et
projeta :

« *Envole-toi, Shaor'i. Nous sommes à l'écart.* »

Une vague mi-effrayée, mi-stupéfaite lui parvint
de l'Indienne.

« *Faustin ! Comment fais-tu ça ?* »

« *Je ne sais pas. Dépêche-toi. Nous allons fuir en
charrette. Baptiste est aveugle et François est possédé.* »

Une seconde vague d'effroi mêlée de stupeur lui
répondit, puis Faustin dissipa le contact. Il s'empressa
de monter derrière le cheval. Se saisissant des rênes,
il jeta un dernier coup d'œil vers la maison, qui n'était
plus que bois noirci et flammes. Un froissement d'ailes
se fit entendre à quelques pieds de lui et le harfang
se mua en une jeune femme qui s'élança vers eux.

— Qu'est-il arrivé à Baptiste ? cria-t-elle, paniquée.

Un bruit de déflagration fendit l'air nocturne, stoppant Shaor'i dans sa course. Avec une plainte étranglée, l'Indienne porta la main à son flanc, où sa tunique s'était gorgée de sang, puis s'effondra sur le sol.

D'un toit, une ombre furtive bondit vers le sol et émergea des ténèbres. Nadjaw, fusil à la main, visa le corps immobile de Shaor'i.

— Non ! hurla Faustin, épouvanté.

Avant qu'il ne réfléchisse, il s'était déjà redressé.

— Reculez, Nadjaw ! ordonna-t-il en tenant la femme en joue de son fusil.

La femme-lynx lui accorda une seconde de son attention et le regretta aussitôt. Shaor'i se releva d'un saut et plongea, lames au poing. Nadjaw esquiva de justesse et lui abattit la crosse de son arme en plein dos. Shaor'i parvint à s'éloigner en roulant sur elle-même pour se redresser aussi vite.

Nadjaw tira un autre coup de feu, en visant l'endroit où s'était trouvé son adversaire une seconde auparavant. Elle fit volte-face aussitôt, en se servant de son fusil comme d'un gourdin pour éloigner le harfang qui piquait sur elle, serres dressées. Laissant tomber son arme déchargée, Nadjaw eut le temps de dégainer l'un de ses couteaux avant que Shaor'i ne soit sur elle, redevenue humaine.

Le cœur au bord des lèvres, Faustin regarda les deux guerrières se tourner autour, incapable de tirer tant celles-ci se mouvaient rapidement.

Shaor'i effectua un saut périlleux, se débarrassant de ses bottes en vol, et chuta en visant le ventre de son adversaire de ses pieds-serres. La main libre de Nadjaw fusa, frappant Shaor'i au tibia pour stopper son piqué, puis la femme-lynx se retourna pour lui flanquer un coup de pied au ventre. Shaor'i tomba à genoux et des doigts désarmés de Nadjaw jaillirent cinq griffes qu'elle tenta de planter dans les yeux de son ennemie. La jeune Indienne lui intercepta le poignet, la tira vers elle en se relevant et riposta d'un coup de pied au sternum.

Il y eut alors une fraction de seconde de flottement et une expression de confusion se peignit sur le visage de Nadjaw. Profitant de ce fragment d'instant, Shaor'i pointa sa lame droite vers la tête de son adversaire. Nadjaw commit l'erreur d'orienter sa tête pour esquiver la lame, ne réalisant que trop tard qu'il s'agissait d'un coup de poing déguisé.

Le poing de Shaor'i la frappa à la tempe. Sonnée, Nadjaw ne put empêcher à temps Shaor'i de la tirer vers elle en l'agrippant par la tunique. Shaor'i lui flanqua un coup de tête au visage puis enchaîna d'un coup de genou au ventre avant de pivoter sur elle-même et de projeter son talon à la mâchoire de son ennemie.

Nadjaw s'effondra. Shaor'i esquissa un geste pour lancer l'un de ses couteaux, mais un wendigo jaillit de l'ombre, ratant de peu la jeune femme de son toucher glacial. Trois autres suivirent, s'interposant entre Nadjaw et Shaor'i. À côté d'eux, les décombres de la maison des Leclerc achevèrent de s'écrouler, le vacarme arrachant un hennissement au cheval de Faustin. D'une poigne ferme, il reprit les rênes et hurla à l'Indienne :

— Viens ! On fout le camp !

Et, jugeant qu'il faudrait davantage pour la convaincre de battre en retraite :

— Baptiste a besoin de toi !

Sans plus attendre, Faustin donna une vive secousse aux rênes. Le cheval s'élança aussitôt, pressé de fuir les flammes.

Visiblement à contrecœur, Shaor'i adopta sa forme de harfang, puis elle le rejoignit pour se percher et reprendre sa forme humaine aux côtés du bûcheron. Faustin donna une forte saccade et le cheval s'élança. Alors que la charrette cahotait, il lança :

— On va aux Trois-Rivières. En ville, ils n'oseront…

— Devant ! cria Shaor'i.

Le regard mauvais, les traits durs, l'homme qui avait été François Gauthier venait de se matérialiser devant la voiture. Dans l'obscurité, son sceptre brillait d'une lumière rougeâtre, comme s'il eût été enflammé. La soutane détachée jusqu'à la taille et déchirée à un bras révélait les pentacles scarifiés dans la chair du vicaire qui luisaient de la même façon, donnant au prêtre une apparence quasi démoniaque.

Réagissant promptement, Faustin fit virer le cheval vers la droite, évitant de justesse de renverser le sorcier. L'animal hennit de frayeur et prit le mors aux dents. Le véhicule bondit.

Hurlant une phrase arcanique, le prêtre tendit la main dans leur direction. D'une caisse de bois qu'il fit apparaître à ses pieds, une dizaine de boulets de canon jaillirent dans leur direction en formant un large éventail.

Rentrant instinctivement la tête entre les épaules, Faustin vit l'un des boulets le raser de près et aller traverser la façade d'une maison. Un autre projectile les rata de peu, rebondit en heurtant le sol et frappa à la jambe un des wendigos lancé à leur poursuite, la lui arrachant à hauteur du genou.

La charrette gagnait dangereusement en vitesse et, quand Faustin osa jeter un regard derrière lui, il ne vit plus le prêtre. De l'arrière du véhicule, Ti-Jean bondit en hurlant dans le dos de Faustin et pointa le bras vers l'avant; ramenant son regard devant lui, Faustin vit que la silhouette aux diagrammes brillants était réapparue en face d'eux.

Plantant la pointe de sa crosse dans la terre, le prêtre déclencha une secousse brutale qui ébranla le sol. Encore plus paniqué, le cheval freina des quatre fers si brusquement que la charrette dérapa en s'inclinant sur deux roues. Faustin se dressa debout, rênes en mains, et mit tout son poids du côté soulevé pour empêcher le véhicule de verser. La voiture retomba sur ses quatre roues en grinçant. Shaor'i s'était jetée sur Baptiste pour l'empêcher de tomber.

— Envoye! hurla Faustin en claquant les rênes aussi fort qu'il le put.

Le cheval hennit et se cabra encore une fois tandis que le vicaire incantait de nouveau. Un grondement assourdissant résonna quand un muret de pierre vola en éclats, faisant tomber sur la charrette une pluie de galets et de bouts de mortier. Faustin se recroquevilla pour protéger sa tête, cria lorsque les pierres l'atteignirent, puis se redressa aussitôt qu'il vit l'éclair de fourrure blanche bondir au-devant.

S'étant jeté sur le dos du cheval, Ti-Jean revint jusqu'à sa croupe et y planta ses dents aiguës. Réagissant comme si on le fouettait au sang, l'étalon reprit son galop. Le lutin se retourna et courut habilement sur le dos de la bête pour aller s'agripper à la crinière du cheval, en guettant du coin de l'œil les mouvements des rênes pour les imiter en tirant sur le montant de bride.

Ainsi doublement gouverné, le cheval fila vers le pont qui enjambait le canal reliant le moulin à scie à la forge basse. Toujours debout à l'avant de la charrette, Faustin vociférait un mélange d'insultes et d'encouragements à la bête dont la sueur rendait le poil luisant alors que l'écume emplissait sa bouche.

Un nouveau cri du lutin avertit Faustin, qui tenta un écart brusque lorsque François réapparut devant eux. Le vicaire pointa son bâton vers le pont. La structure trembla puis explosa bruyamment en une volée de fragments minuscules.

Faustin tira sur les rênes de toutes ses forces pour virer vers la gauche, Ti-Jean insista auprès de l'animal en tirant le montant du même côté. La voiture sauta vivement sur une pierre, ses essieux geignirent en percutant le sentier, puis fonça le long de la forge basse vers la rue des Forges, située à plusieurs centaines de verges de là.

Un globe de flammes s'écrasa comme une comète à six pieds du véhicule. Faustin risqua un œil derrière et s'étrangla en voyant le prêtre achever de se métamorphoser.

Un cheval énorme et puissant, aux naseaux fumants et à la robe noire comme le jais apparut derrière eux. L'étalon monstrueux poussa un hennissement et se dressa sur ses pattes de derrière, ses membres antérieurs battant l'air alors qu'il dénudait ses dents en un rictus presque humain. Il bondit en avant, projetant une volée de gravier derrière lui, et s'élança à leur poursuite.

Un cheval noir ? pensa Faustin tout en claquant de plus belle. *Mais alors… Lavallée !* réalisa-t-il, paniqué.

Sans attelage et mieux découplé, l'étalon noir gagnait rapidement du terrain sur le cheval de trait qui courait en roulant des yeux fous. La voiture bondit de nouveau, se mettant à bringuebaler d'une façon inquiétante. Avec un craquement sec, un rayon de roue se brisa et fut projeté au loin. Un second se détacha presque aussitôt du moyeu, puis un troisième.

Derrière eux, crinière au vent, l'étalon-sorcier émit un son grave et rauque qui tenait du rugissement, auquel le cheval attelé répondit, affolé, par d'aigus petits sons saccadés. Le cheval noir se rapprochait sans cesse et ne fut bientôt plus qu'à quelques pieds de la charrette. Dans son dos, Faustin entendit ordonner Shaor'i :

— Accroche-toi, Baptiste ! Je reviens !

Se retournant, Faustin vit le bûcheron se cramponner au rebord du véhicule et la jeune femme serrer le manche d'un de ses couteaux entre ses dents. Elle se leva, puis s'élança d'un salto arrière pour retomber sur le dos de l'étalon noir qui, furieux, grogna sa colère. Les jambes fuselées de l'Indienne étreignirent les flancs de l'équidé, sa main droite s'agrippant à une touffe de crin alors qu'elle saisissait la lame de sa main gauche.

Le cheval noir poussa un formidable hennissement de rage et se mit à ruer quand Shaor'i tenta de le poignarder au cou. La bête stoppa sa course et tournoya sur elle-même, mais elle était incapable de se débarrasser de l'Indienne à califourchon sur son dos.

— Shaor'i, non ! hurla Faustin, épouvanté. Ne le tue pas !

Mais le second coup de couteau porta et une gerbe de sang, jaillie de la gorge du cheval, le força à retrouver son apparence humaine. Le prêtre et la guerrière roulèrent dans le gravier. Des flammes naquirent du sol et l'Indienne les évita de justesse d'un large bond. Guère désireuse de s'opposer au sorcier, elle s'empressa de prendre sa forme de rapace, esquivant de peu une pierre propulsée comme un boulet.

Le harfang les rattrapa alors que la voiture virait dans la rue des Forges en dérapant avant de foncer vers la ville des Trois-Rivières, laissant loin derrière le village et ses lumières.

— Raté, ragea Shaor'i en retrouvant sa vraie apparence. Rien d'autre qu'une estafilade, il s'en sortira. Au moins, sa goétie l'empêche de se soigner lui-même. Il serait fou de nous poursuivre plus longtemps.

— Fallait pas le tuer ! lui jeta Faustin. Ce n'est plus l'esprit de François, mais c'est son corps !

Le visage fermé, Shaor'i se détourna. D'un élan preste, Ti-Jean revint dans la charrette pour se blottir contre Baptiste. Faustin fit de son mieux pour calmer son cheval, décélérant du galop à un trot décousu qui devint plus régulier de verge en verge.

◆

Le bois s'éclaircit, les arbres se raréfièrent. Bientôt la lueur des tavernes des Trois-Rivières fut visible. Il ne fallut pas longtemps pour que la charrette s'engage dans les rues et contourne bâtiments, commerces et entrepôts.

La terreur derrière lui, Faustin prit lentement conscience de ce qu'impliquait leur fuite : il avait abandonné François aux mains du Stigma Diaboli.

Car ce n'était pas François qui avait tenté de les tuer. Déjà, lorsque le vicaire s'était exprimé en anglais, Faustin avait compris que quelque chose d'anormal s'était produit. Puis la métamorphose lui avait révélé une partie de la vérité.

Le Cheval Noir. La bête qui avait aidé à ériger l'église de Saint-Laurent de l'île d'Orléans. La forme animale de Jean-Pierre Lavallée, Sorcier du Fort, l'ancêtre de François qu'on avait, deux mois auparavant, tenté d'incarner dans son corps. Comment s'était-il subitement manifesté à travers le corps du vicaire ? Que restait-il de François, à présent ?

Faustin se trouvait d'une inacceptable lâcheté, au point d'être dégoûté de lui-même. François avait eu raison, au fond : il n'était qu'un fardeau. Son frère adoptif n'aurait pas hésité une seule seconde à se lancer à sa rescousse. Alors que lui-même… même sur l'île d'Orléans, qu'avait-il tenté pour sauver François à part – il devait l'admettre – brailler en appelant sa mère à l'aide ?

Derrière lui, assise dans la charrette, Shaor'i inspectait les orbites creuses de Baptiste sans cacher son désarroi. On lisait sur ses traits que rien ne ramènerait la vue à l'homme fort de Pointe-Lévy. Il était difficile de deviner les sentiments du bûcheron. Il caressait machinalement la fourrure de Ti-Jean qui, pelotonné contre lui, cliquetait des sons incompréhensibles pour le commun des mortels. Distraitement, Baptiste hochait la tête comme s'il saisissait quelque chose au langage du petit être. Avec une sorte de ronronnement, le singe albinos se réfugia dans la poche de sa mackinaw.

Alors qu'ils approchaient d'une intersection achalandée, Faustin fronça les sourcils et tira les rênes. Le cheval s'arrêta et, lorsque Shaor'i lui jeta un coup d'œil interrogateur, Faustin lui tendit les lanières.

— Tiens. Allez jusqu'au port et prenez un *steamboat* ou une goélette vers Pointe-Lévy. Je retourne aux Forges.

— Quoi ? répliqua l'Indienne.

— Ce n'était pas François, c'était…

— Lavallée, je sais. Et nous ne sommes pas de taille. Alors cesse de dire des imbécillités.

— J'y retourne.

Sans lui prêter plus d'attention, Faustin sauta de la charrette. Avant même d'avoir marqué un seul pas, il fut retenu par la poigne solide de l'Indienne. Le jeune homme sentit monter en lui une pointe d'irritation.

— Lâche-moi, Shaor'i, ordonna-t-il d'un ton qu'il voulait sans réplique.

— La ferme, coupa-t-elle, le regard inflexible. Je veillerai sur toi, même s'il me faut t'assommer et te ligoter.

Faustin inspira profondément et serra les dents.

— Je ne te le répéterai pas, Shaor'i. Lâche-moi.

Ce fut l'affaire d'une parcelle d'instant. L'Indienne esquissa un geste. Faustin *sut* instinctivement qu'elle viserait sa nuque du tranchant de sa main et, avant de s'en être rendu compte, avait bougé la tête vers la droite pour éviter le coup. Un bruit de tonnerre jaillit de la charrette :

— P'tite, ça va faire ! cria Baptiste, hors de lui.

Sans même se retourner, la jeune femme gronda :

— Baptiste, ne te mêle pas de…

— *Shaor'i, calvaire !* tonitrua le colosse en frappant le véhicule d'un coup si puissant qu'il en brisa une planche. Laisse-le y aller, maudit ! Tu vas pas l'condamner à rester passif ! C'est son frère, bon Yeu !

Le regard de l'Indienne foudroya Baptiste, puis se planta dans celui de Faustin, qui le soutint sans ciller et murmura :

— Ramène Baptiste. Avertis Otjiera. Moi, j'y retourne.

Sans attendre la réponse, il lui tourna le dos et s'engouffra dans une ruelle. Il ne jeta pas un seul regard derrière lui, mais perçut le son de la voiture qui se remettait en route.

— Merci pour tout, Shaor'i, chuchota-t-il pour lui-même, non sans espérer que la jeune femme l'entendrait malgré tout.

CHAPITRE 24

Faustin seul

Autant par prudence que pour ne pas savoir ses amis derrière lui, Faustin ne voulut pas revenir sur ses pas le long de la route des Forges. Il suivit l'une des ruelles nauséabondes et déboucha dans une autre artère moins fréquentée.

Les poings serrés et les sourcils froncés par la résolution, Faustin retournait vers le nord-ouest où s'attardaient encore les ombres alors que, derrière lui, un soleil vermillon amorçait son ascension.

Il n'avait qu'une très vague idée de ce qu'il allait tenter. S'infiltrer dans la Grande Maison des Forges, là où logeaient très certainement les membres du Stigma Diaboli, ne lui paraissait pas d'une réelle difficulté comparé à ce qui l'attendait après, lorsque François serait devant lui – en supposant qu'il parvienne à le rejoindre. Les quelques sortilèges qu'il maîtrisait ne lui seraient pas d'une grande utilité. Restait à espérer qu'il puisse entrer en contact avec l'esprit de François comme il l'avait déjà fait pour des défunts et l'inciter à reprendre le dessus sur son ancêtre. Un plan boiteux, il l'admettait sans mal.

Alors qu'il longeait une cour aménagée et s'avançait entre des demeures cossues, une voix qu'il connaissait trop bien jaillit dans son esprit :

« *Je me doutais que vous n'abandonneriez pas celui que vous voyez comme votre frère, mon Prince. Ce n'est pas dans votre manière d'agir.* »

Faustin scruta les bâtiments à la recherche du chat noir.

— Vous, encore ? hurla-t-il en tournant sur lui-même. Montrez-vous ! Que me voulez-vous ?

« *Là-haut, mon Prince…* »

Faustin leva la tête et vit le chat noir bondir gracieusement d'une corniche pour atterrir à ses pieds. En ronronnant, le félin effleura moqueusement le mollet du jeune homme de sa queue puis se coucha nonchalamment sur le sol, les pattes repliées sous son corps.

« *Ne souhaitez-vous pas retrouver votre ami, mon Prince ?* » émit le chat en bâillant exagérément.

— Que me voulez-vous, à la fin ?

« *Vous prêter assistance, mon Prince. Car ce n'est point votre ami qui vous a trahi…* »

Faustin regarda nerveusement autour de lui et, lorsqu'il fut certain qu'aucun loup ni corbeau n'étaient dans les environs, il chuchota :

— Expliquez-vous, pour l'amour du Ciel. Je n'ai pas de temps à perdre…

« *Et moi non plus, mon Prince.* »

— Cessez de m'appelez ainsi !

« *Oh, vous me passerez bien ce plaisir…* »

Narquois, le chat fit un petit clin d'œil, puis se dressa sur ses pattes et se mit à trottiner, intimant à Faustin de le suivre d'un signe de tête.

— Je sais déjà que ce n'est pas François qui m'a trahi, reprit Faustin. C'est son ancêtre qui habite désormais son corps.

« *En effet. C'est vous qui avez interrompu le rituel de métempsycose, n'est-ce pas ?* »

— Oui. Sur l'île d'Orléans, il y a deux mois…

« *Je connais déjà toute cette histoire de la bouche de William Sewell.* »

— Alors quoi ? s'impatienta Faustin en suivant le chat dans une ruelle plus étroite. Venez-en au fait !

« *Le rituel n'a pas été annulé. Il a été laissé en suspens. Et l'esprit de Jean-Pierre Lavallée, ancêtre de votre ami, dit le Sorcier de l'île d'Orléans, est entré en lui. Doucement, lentement mais sûrement, il lui a grugé l'âme comme un ver ronge un fruit et son influence s'est mise à croître comme une tumeur. Je suppose qu'au début le prêtre ne s'est douté de rien… mais forcément, à la longue, il a senti cette présence en lui. Et naïvement, il a cru qu'il réussirait à contrôler cet esprit… empruntez cette rue.* »

Faustin contourna un large tonneau destiné à recueillir l'eau de pluie, longea une chapelle et passa devant un bâtiment imposant.

« *Le couvent des Ursulines* », commenta la Siffleuse.

— Peu m'importe. Continuez à m'expliquer.

Le chat eut un grondement agacé, sauta par-dessus une flaque d'eau sale, puis reprit :

« *J'ignore de quelle façon la communication s'est établie entre les deux, l'ancêtre et le descendant. Votre ami a grandement sous-estimé la puissance de son aïeul. Certes, il en est venu à maîtriser le Bâton du Fort…* »

— Pour cela, il a drainé *mon* espérance de vie !

« *Une idée de Lavallée à laquelle le prêtre a fini par se résigner. Sa culpabilité et sa crainte l'ont amené à prendre les décisions qu'il croyait s'imposer pour gagner en puissance… laissant peu à peu Lavallée prendre de l'ascendant sur sa personne. Jusqu'à tout à l'heure. Pour la première fois, l'ancêtre est parvenu à la maîtrise totale du corps. »*

Faustin cessa de marcher et dévisagea l'animal.

— Et mon frère, il s'est… éteint ?

« Pas le moins du monde… il est… endormi. Et se réveillera pour retrouver la maîtrise de son corps de temps en temps… Chaque fois, Lavallée reviendra plus puissant, et d'ici peu… »

— … le rituel de réincarnation sera achevé. Et comme Rose, qui a disparu de son corps, laissant une coquille vide pour l'âme de ma mère…

« … le corps de votre ami ne sera plus que le réceptacle de l'esprit de Lavallée. »

— Tout comme celui de Kate Bell est le vôtre.

« Précisément. Mais je n'y suis pour rien. On ne m'a pas demandé mon avis. Remarquez, je suis à vos côtés, en ce moment, et non dans la Grande Maison auprès de Francheville… »

— Qui ?

« L'Étranger. Bref… nous y voilà. La prison des Trois-Rivières. »

L'énorme bâtiment de pierre rectangulaire dominait les environs par sa massive structure. Fidèle à l'architecture palladienne anglaise, la prison devait mesurer dans les cent pieds de long et comprenait trois étages. Son toit à croupes et son fronton triangulaire donnaient à l'édifice une forte allure rendue sinistre par les grillages qui bloquaient les fenêtres.

L'effet inquiétant était accentué par la présence d'une palissade de bois qui l'entourait, chaque tronc taillé en pointe acérée pour éviter, de toute évidence, intrusions et évasions – tout pour conférer au bâtiment un aspect de forteresse plus que d'établissement carcéral.

— Pourquoi m'avoir guidé ici ? lança Faustin à la Siffleuse, méfiant.

« *Juste un instant… ce sera bientôt le moment…* »

— Le moment ?

« *Chut… Écoutez.* »

Le chat noir s'immobilisa et s'assit sur ses pattes postérieures. Faustin tendit l'oreille, sans rien entendre de particulier. Il était trop tard pour être importuné par les derniers ivrognes et trop tôt pour que se lèvent les honnêtes gens, même les plus matinaux.

Alors qu'une brise fraîche lui caressait l'échine, une sorte de râle lugubre émergea des environs de la prison et résonna dans les ruelles avoisinantes.

— Merde, frissonna Faustin, est-ce un prisonnier qui…

« *Chut.* »

Le râle gagna lentement en puissance, ce qui fit soudain couiner puis japper les chiens du voisinage, jusqu'à ce qu'il se mue en un mot qui tonna comme un rugissement :

— *NAMA !*

Faustin échappa un cri de surprise et les chiens hurlèrent pour de bon. Le râle se perdit dans les aboiements et s'éteignit finalement, laissant les animaux retrouver leur calme.

— Quel genre d'horreur était-ce là ?

« *Plaçoa. Le Pendu du mur nord-est.* »

— Un défunt ?

« *Bien sûr. D'ailleurs, seuls les spirites peuvent entendre son cri de rage… et les animaux, bien sûr.* »

Faustin regarda à gauche et à droite, puis dit :

— J'ignore ce que vous souhaitez me montrer là. Mais François a besoin de moi.

« *Justement. Comment comptez-vous tenir tête à l'Étranger ?* »

— Comme la première fois. En raisonnant ma mère.

La Siffleuse émit un ricanement et bondit sur une caisse abandonnée, puis sur le rebord d'une fenêtre pour se placer à la hauteur du visage de Faustin.

« *N'avez-vous donc point compris ? L'Étranger pouvait bien se railler de votre naïveté ! Celle que vous avez connue comme votre mère n'est plus !* »

— Faux ! Elle s'est réincarnée dans la fille de Rose et…

« *Imbécile ! Croyez-vous l'Étranger assez fou pour commettre la même erreur deux fois ? Certes, l'Ensorceleuse de Pointe-Lévy a été ramenée, mais l'essentiel de ses souvenirs, de ses émotions dérangeantes et de ses regrets ont été minutieusement isolés. Un sortilège d'amnésie, correctement employé, ne sert pas qu'à effacer une anecdote : on peut remodeler un esprit tout entier, privant le sujet de certaines expériences qui ont joué un rôle prépondérant dans l'affirmation de sa personnalité. L'Ensorceleuse dispose toujours de son potentiel, mais elle n'est plus celle que vous avez connue, loin de là !* »

Faustin passa un moment à ruminer ces informations, revoyant la scène dans le manoir où sa mère, dans un corps d'enfant, s'était moquée de lui avant de lancer contre ses compagnons un essaim de *mah oumet* non morts.

— Possible que vous disiez vrai, avoua-t-il à regret. Quel rapport avec ce prisonnier revenant ?

« *Vous rappelez-vous l'esprit frappeur qui vous a attaqué dans les ruines du moulin, non loin du manoir ?* »

— Évidemment.

« *Imaginez que vous ayez un esprit encore plus puissant à votre service. Lié à vous comme un garde du corps. Là, vous disposeriez d'une chance.* »

— Et pour François ?

« *Il vous suffira de forcer son ancêtre à se retirer, en usant du Calice.* »

— Un genre d'exorcisme ?

« *Si vous voulez.* »

Faustin prit le temps de réfléchir. Le plan se tenait et lui-même ne disposait pas de meilleure idée. Moqueur, le chat noir poussa un petit miaulement et ronronna doucement.

— Soit, accepta Faustin. Agissons selon votre idée.

« *Excellent...* » approuva la Siffleuse en sautant au sol, intimant à Faustin de la suivre.

◆

Grâce à la clarté du ciel étoilé, Faustin avait repéré un endroit tranquille où les gardes qui veillaient sur la prison des Trois-Rivières ne troubleraient pas ce qu'il se préparait à faire : face à l'édifice se trouvait un petit cimetière juif. Il s'agenouilla devant une pierre tombale portant le nom de Hart.

« *Le Pendu était Attikamekw. Il se nommait Plaçoa, mais les Ursulines l'avaient baptisé sous le nom de Noël.* »

Faustin nota mentalement ces informations en sortant de son paquetage son nécessaire de géométrie.

« *C'était un Danseur, tout comme celle qui vous accompagne. Un être noble et fier, très versé dans l'art ancien de la projection mentale en plus d'être un guerrier puissant, archer émérite. On l'a accusé à tort d'avoir perpétré un meurtre sordide et on l'a pendu au mur nord-est de la prison. Ses pouvoirs, tenus en échec par les Ursulines, ne lui ont été d'aucun secours.* »

— Les Ursulines ? Qu'est-ce que les bonnes sœurs font là-dedans ?

« *Croyez-vous que les prêtres ont été les seuls à pratiquer la théurgie ? Le couvent des Ursulines a eu son ordre, en son temps, et lui aussi s'est éteint durant le Grand Choléra, forcé par Lartigue d'abandonner à leur sort les sœurs-apprenties atteintes du grand mal.* »

— Tout comme les membres du Collège d'Albert le Grand.

« *Précisément. Lartigue n'a pas limité sa folie au seul Collège. Et un autre signe de sa démence a été d'exiger l'exécution de tout arcaniste indien qui tiendrait tête aux Théurgistes. C'est pourquoi Plaçoa a été capturé et, ses pouvoirs magiquement entravés par la communauté des sœurs, pendu haut et court. Or, avant de mourir, Plaçoa est parvenu à briser l'un des liens arcaniques et à projeter son esprit hors de son corps. Depuis, il hante la prison, en cherchant à se libérer de ses autres entraves.* »

Faustin secoua tristement la tête. Les conséquences de la folie de Lartigue avaient été innombrables.

« *Ainsi, tu disposes là de l'âme d'un puissant guerrier, pleinement formé à la projection mentale. Sous forme d'esprit frappeur, il sera terriblement efficace. Il n'en tient qu'à toi de l'asservir le temps de libérer ton ami.* »

Résolu, Faustin prit sa craie et commença à tracer sur une dalle de marbre le diagramme qu'il avait déjà dessiné deux fois, d'abord au presbytère pour contacter le père Bélanger, puis dans les ruines du moulin pour bannir l'esprit qui les assaillait : deux cercles concentriques liés par les apothèmes d'un octogone régulier, lesquels se muaient en losanges.

Toutefois, dès que les deux premiers cercles furent tracés, la Siffleuse posa une patte sur le rapporteur d'angle et émit :

« *Non. Pour l'octogone, ne tracez pas vos angles à 135 degrés... allez-y pour 128 degrés et quatre septièmes...* »

Fronçant les sourcils, Faustin compta attentivement avant de répliquer :

— Ça ne va pas. Je vais avoir un heptagone.

« *Exactement.* »

— Sept côtés... où sera la régularité de mon diagramme ? Non seulement c'est un nombre impair, mais ce n'est même pas un nombre de Fermat...

« *Et cela vous donnera sept losanges.* »

De plus en plus sceptique, Faustin tenta de se remémorer les enseignements de son oncle.

— La formule va résonner en dissonance. Le flux arcanique sera chaotique et instable.

« *Précisément. Vous cherchez à briser le sceau entravant l'esprit du Pendu.* »

— Le contrecoup sera énorme...

« *Quarante ans, au minimum.* »

Faustin, stupéfait, se retourna vers le chat noir. L'animal planta ses pupilles verticales dans les siennes.

« *Dois-je vous rappeler le sacrifice qu'a consenti celui que vous appelez votre frère afin de vous protéger ? qu'il est passé de jeune homme à quadragénaire en deux mois ? Et que vous, mon Prince, vous disposez de nombreuses années de plus que lui ?* »
Le félin ronronna, puis jeta sèchement : « *N'est-ce pas la moindre des choses qu'il mériterait ?* »

Elle a raison, songea Faustin. Mais devait-il se fier à elle ? D'un certain côté, la Siffleuse avait tenté de l'avertir depuis le début de la possession de François par l'esprit de son ancêtre. Certes, elle s'était exprimée nébuleusement, mais aurait-il accepté la vérité toute crue ? Et de toute façon, de quelle autre aide disposait-il ?

— Soit, murmura-t-il. Je ferai comme vous le suggérez.

« Bien. Tracez l'heptagone de façon à ce que le premier angle soit aligné avec le diagramme d'entrave. »

Faustin obtempéra. Quand vint le moment de tracer les apothèmes, la Siffleuse le guida à nouveau :

« Muez les six apothèmes non alignés en losanges, comme pour le diagramme classique. Pour l'apothème majeur, muez-le en hexagramme de Pascal. »

Le jeune homme fronça les sourcils et serra les dents. Sans être un véritable arcaniste, il n'était pas totalement ignare : s'il ne s'y connaissait pas suffisamment en arcanes pour estimer les effets de cette géométrie instable, il doutait fortement que son oncle ou François auraient vu d'un très bon œil qu'il s'adonne à une expérience aussi risquée.

« Et comment serai-je sûr que l'esprit du Pendu m'obéira ? »

« Vous ne pourrez en être sûr. Il n'en tient qu'à vous, mon Prince. »

Faustin jeta un dernier regard sur le diagramme modifié. La perte d'énergie serait massive et le contrecoup, monumental. Toutefois, la Siffleuse avait raison : son sacrifice serait la moindre des choses comparé à ce que François avait consenti… Inspirant un bon coup, il sortit le Calice de son paquetage et le posa au centre du pentacle. En grimaçant, il s'entailla la main, laissa couler un mince filet de sang dans la coupe d'argent puis, sous le regard acéré du chat noir, il prononça les premiers mots de la formule :

Ad-esra !
Sakim seran sanem,
Id lameb ibn ganersta-ishek lamir !

Faustin eut l'impression que son corps tout entier vibrait de façon disharmonieuse. L'incantation résonnait et se distordait alors que les ondes magiques, convergeant vers le diagramme de scellé, lui donnaient la désagréable sensation d'un courant puissant l'entraînant vers un maelström. À l'outrevision, son pentacle luisait d'une violente lumière argentée, aussi éblouissante qu'un fanal, alors que le scellé du mur nord-est crépitait d'étincelles erratiques.

— *Nazad isk ! Nasad isk !* poursuivit-il, déterminé. *Ektelioch !* conclut-il en vociférant.

Le flux d'énergie se concentra comme un rayon lumineux et Faustin perçut l'âme du Pendu, devenue enragée en raison de son entrave, qui poussa l'équivalent mental d'un hurlement. Le scellé continuait de crépiter et Faustin sentit une résistance, comme une paroi de verre épais l'empêchant de se connecter à l'esprit du défunt. Il banda sa volonté, sentit sa force vitale se projeter contre le mur d'énergie et il l'appuya de toute sa puissance.

Une détonation semblable à un coup de tonnerre résulta de son action et, dans son esprit, Faustin sentit l'âme du Pendu retrouver sa liberté comme des eaux libérées après un embâcle.

« *Hâtez-vous, Prince !* émit la Siffleuse. *Imposez-vous !* »

« *Plaçoa !* ordonna mentalement Faustin en projetant son influence vers l'âme libérée. *Écoutez-moi ! Je vous ai délivré de votre entrave ; à présent, prêtez-moi assistance !* »

À travers le voile de l'outrevision, Faustin perçut la silhouette vaporeuse, à l'imposante aura bleutée, qui cherchait à s'extraire du sortilège spirite pour regagner définitivement sa liberté. Sentant qu'il perdait son emprise sur le spectre, et ne sachant de quelle manière la raffermir, il ajouta :

« *Plaçoa ! Voyez ces souvenirs ! Voyez la confiance que m'accorde le maître de votre ordre !* »

Ouvrant son esprit, Faustin déversa vers le défunt ce qu'il se rappelait de ses rencontres avec Otjiera. L'esprit sembla sensible à ces évocations, car il se stabilisa et cessa ses efforts pour contrer l'influence du jeune homme.

« *Plaçoa ! Je ne requiers votre assistance que pour quelques heures. Certes, il doit vous tarder de trouver le repos, mais mon frère souffre entre les mains d'un cercle de goétistes.* »

Le défunt sembla s'apaiser. Faustin sentit enfin le contact s'établir.

« *Spirite…* fit le Pendu avec l'équivalent mental d'un murmure. *Vous avez sacrifié de nombreuses années pour me libérer.* »

« *En effet*, reconnut Faustin. *Bien que le sacrifice ne soit pas aussi grand pour moi que pour d'autres arcanistes. Plaçoa, on dit de vous que vous fûtes droit et noble : aidez-moi à porter secours à mon frère. Vous avez vu que le maître de votre Ordre m'accorde sa confiance, il en est de même de sa nouvelle Exécutrice, qui ne devait pas être née au moment de votre décès…* »

« *J'étais de ce monde quand la petite Nadjaw suivait sa formation, Spirite.* »

« *Vous vous méprenez, Plaçoa. Shaor'i est la présente Exécutrice. Nadjaw a apostasié votre Ordre pour rejoindre les rangs du Stigma Diaboli…* »

La révélation produisit un effet certain sur le Pendu, car après un long silence, le spectre reprit :

« *Je vous assisterai, Spirite. Jusqu'à la prochaine aube, je serai votre garde du corps… à condition que vous me laissiez adresser quelques mots à Nadjaw.* »

« *Entendu*, acquiesça Faustin. *Nous avons un pacte.* »

« *Sur mon honneur, Spirite, je le respecterai.* »

Faustin revint à la vision normale. Le sortilège s'était achevé, le Calice avait roulé sur le côté et le diagramme s'était sublimé. Toutefois, à ses côtés, le jeune spirite pouvait toujours percevoir la présence du Pendu.

« *Vous vous en êtes sorti comme un maître, mon Prince*, commenta le chat noir, toujours à ses côtés. *Il est temps d'affronter votre père pour la libération de votre frère. Dirigeons-nous maintenant vers la Grande Maison.* »

Silencieusement, Faustin secoua la tête.

— Non. Nous irons vers l'ancien manoir.

« *Le manoir ?* »

— Tout de suite.

Le chat hérissa son noir pelage un instant avant de répondre placidement :

« *À votre aise, mon Prince…* »

◆

Un picotement derrière le cou. C'était la sensation qu'éprouvait Faustin lorsqu'il avait le sentiment d'être observé. Pour l'heure, alors qu'il suivait le chat des Forges sur les sentiers menant au manoir, il le sentait avec une rare intensité.

Il avait l'impression d'avoir le bout d'une griffe qui lui effleurait continuellement la nuque alors qu'il marchait, ce qui le faisait frissonner de façon spasmodique. Cette espèce de lien qui l'attachait aux défunts l'élançait comme une démangeaison dont la source se serait située hors de son corps.

Tenir en laisse une âme était un exercice plus difficile qu'il ne l'aurait cru. Constamment, il devait raffermir son lien pour s'assurer de la présence du Pendu ou le relâcher quelque peu pour éviter que la proximité du défunt lui soit désagréable. Quant à savoir où se trouvait précisément le Danseur défunt nommé Plaçoa… Faustin le sentait « quelque part » sans pouvoir cerner où dans l'espace.

Tout à ces constatations, le jeune homme analysait distraitement le trajet qui n'était pas celui que ses compagnons et lui avaient emprunté la première fois. En fait, c'était plus une petite sente à peine visible qui serpentait dans une pinède massive où quelques bouleaux blafards et encore dépouillés par l'hiver précédent émergeaient d'entre les branches épineuses en évoquant des squelettes végétaux.

De temps à autre, il repérait des empreintes de *mestabeok*. Alors il dressait l'oreille, inquiet d'entendre le hurlement d'un beuglard. Néanmoins, ses craintes s'avérèrent chaque fois infondées et, lorsque la Siffleuse miaula pour indiquer que l'arrière du manoir Poulin était en vue, Faustin sentit sa détermination le regagner.

François était proche.

Il ne savait trop ce qu'il exigerait du Pendu, une fois à la Grande Maison. Une injonction simple serait sûrement le mieux, « repoussez quiconque m'approche » ou quelque chose du genre. *Je traverserai le pont une fois à la rivière, pas avant*, s'obligea-t-il à penser pour éviter d'angoisser inutilement : après tout, comment prévoir l'imprévisible ?

Silencieusement, Faustin pénétra de nouveau sur le terrain abandonné du manoir en ruine. Il s'écorcha les mains en écartant les rosiers redevenus sauvages, traversa l'allée de pierres mangées par la mousse et suivit la Siffleuse vers le côté est de l'ancienne habitation seigneuriale.

« *Par ici, mon Prince* », émit le chat noir en indiquant l'entrée de la cave.

Le félin aux yeux dorés ne tarda pas à distancer Faustin, ce dernier devant s'habituer à l'obscurité et avancer à tâtons. Lorsqu'il parvint à discerner les formes, il s'engouffra dans le tunnel de maçonnerie et put adopter un bon pas en rasant l'un des murs, car il se souvenait que le sol du souterrain n'était pas encombré. Sans problème, il atteignit la réserve arcanique que ses compagnons et lui avaient découverte l'avant-veille.

« *Nous y voilà, comme vous le souhaitiez, mon Prince. La planque de la guerre des Sept Ans. Le changement de Régime a été difficile pour nous… les Anglicans et leur foutue chasse aux sorcières. Ils avaient envoyé un émissaire, un obsessif du nom de Walpole…* »

— Je sais, dit Faustin à haute voix. C'est lui qui a insisté pour que ma mère soit condamnée.

« *Il aurait été parfaitement à l'aise aux côtés de Torquemada…* »

Haussant les épaules, Faustin s'accroupit pour balayer de la main le sable et la poussière qui couvraient légèrement le pentacle gravé au sol.

« *Vous comptez l'utiliser ?* » s'étonna la Siffleuse.

— Il mène à la Grande Maison, non ? Je tenterai un assaut surprise.

Faustin perçut une onde de satisfaction ; l'esprit de Plaçoa aimait ce plan.

« *Et vous maîtrisez la téléportation ?* »

— À demi. J'ignore la bonne manière de tracer le diagramme. Mais ce pentacle est parfait, François en était certain. Quant à la formule, elle est gravée dans mon esprit : quand ma mère m'a transmis ses souvenirs, elle a aussi transmis la scène de notre première rencontre. J'ai donc en mémoire son sortilège de contact mental… et la formule dont je me suis servi pour la fuir.

Le chat noir balança nerveusement la queue. L'idée ne lui convenait pas. Le Pendu, de son côté, émit une requête à laquelle Faustin accéda aussitôt : recevoir une image mentale de François pour éviter de le blesser. Le défunt projeta ensuite l'idée qu'il se faisait de son assistance : propulser des objets contondants vers ceux qui s'opposeraient à Faustin, de façon à assommer ses ennemis ou, si cela était inévitable, les tuer. Faustin acquiesça, montra les balles d'argent qui lui restaient.

« *Pour l'Étranger, qui n'est qu'effigie,* expliqua-t-il. *Un seul assaut ne sera pas suffisant pour le dissiper : Shaor'i l'a déjà tenté. J'ai vu des défunts projeter des objets à une vitesse fulgurante – c'est ce que j'attends de vous. Je souhaite que la balle ne cesse de traverser et retraverser le corps magique de l'Étranger en ne lui laissant aucun répit… Ça vous ira ?* »

« *Sans problème* », assura Plaçoa.

« *La téléportation vous amènera-t-elle avec moi ?* »

« *Non, mais la notion des distances n'a pas d'emprise sur un défunt. Je serai là en même temps que vous, Spirite.* »

« *Qu'émettez-vous au Pendu ?* » demanda sèchement la Siffleuse.

— Mon plan d'action. Nous sommes prêts.

« *Ne me mettrez-vous pas au courant ?* »

— Vous comptez vous opposer ouvertement à l'Étranger ?

Le chat noir gronda puis fit un tour sur lui-même en agitant la queue.

— C'est bien ce que je croyais, reprit Faustin qui, sans plus attendre, incanta la formule :

— *Izan azif, issus khira, eth silukar-an sahsìr !*

◆

Rien ne l'aurait préparé à l'atroce douleur qui lui vrilla la tête. Il eut l'impression qu'une main d'acier s'était enfoncée dans sa nuque et avait saisi les vertèbres de son cou pour les arracher à vif. Il ne savait par s'il hurlait ou s'il croyait hurler ; sa vue était brouillée et la souffrance lui jetait d'effroyables élancements au cerveau.

Quelque chose s'était brisé. Au début, Faustin crut que c'était sa colonne vertébrale, mais il réalisa que la douleur prenait sa source *en dehors* de son corps. Il lui manquait quelque chose.

Plaçoa. Le Pendu n'était plus là.

Ou plutôt, Faustin le percevait toujours, mais *ailleurs*. Le lien qui les unissait s'était rompu. Effet de la téléportation ?

Non. Du plus profond de ses sens spirites, Faustin sentit qu'on lui avait *arraché* son lien.

— Vous l'avez donc ramené, dit une voix qu'il lui fallut un moment pour reconnaître comme celle de Gamache, le bras droit de l'Étranger.

— Comme promis, répondit une autre voix qu'il entendait pour la première fois tout en l'ayant souvent perçue : celle de la Siffleuse, qui cette fois prononçait réellement les mots.

Avec un effort pénible, Faustin tenta de détailler la scène. C'était une petite pièce toute simple aux murs blanchis à la chaux et au plancher de pin patiné par l'usage. Devant lui se dressait le sorcier roux vêtu de la robe noire du Stigma Diaboli. À ses côtés, de toute évidence, la Siffleuse sous forme humaine.

Elle semblait avoir dans la jeune trentaine. Elle portait une robe noire, boutonnée jusqu'au col, et ses cheveux sombres cascadaient sur son dos jusqu'en bas de ses fesses. Elle avait déjà été jolie, cela Faustin pouvait le constater. Cela pouvait se voir dans certaines courbes de son corps.

Cependant, pour la première fois, Faustin voyait vraiment ce que les transformations animales infligeaient à un corps humain lorsque l'on en abusait. La Siffleuse allait pieds nus, et c'étaient ses pieds qui frappaient d'abord dans son apparence, car ils étaient longs d'au moins dix-huit pouces et étrangement étroits. La Voyante se tenait uniquement sur ses orteils; la plante du pied était ainsi visible et on pouvait la voir couverte d'une espèce de coussinet. Les mains, elles, montraient des paumes également coussinées et des doigts très courts, ne possédant aucun ongle.

Quand la Siffleuse se tourna vers lui, Faustin put détailler le visage : des yeux jaunes à pupilles verticales, un nez retroussé très court et des oreilles pointues situées au niveau des tempes.

— Un de ces jours, laissa tomber Gamache avec un dégoût manifeste, vous vous retrouverez avec une queue.

La femme fit jaillir quatre griffes noires recourbées à sa main droite et les examina d'un œil critique.

— Que vous importe, Gamache ? répliqua-t-elle en laissant voir les petits crocs qui ornaient sa bouche.

Vous voudriez que je me conduise comme votre épouse, qui n'use de sa forme de lynx qu'avec parcimonie ? Allons donc ! À quoi bon avoir une autre apparence si ce n'est pour la revêtir ?

— Vous finirez par y rester coincée, mademoiselle Poulin.

— Cela devrait vous réjouir, non ? Vous qui faites si pâle figure depuis mon retour et celui de l'Ensorceleuse de Pointe-Lévy ! Et maintenant que Lavallée est là... à propos, Plaçoa est ici.

Un portrait de totale satisfaction se peignit sur le visage du sorcier roux.

— Le dernier maître du Kabir Kouba ? Vous êtes parvenu à l'arracher de son enclave ?

— Pas moi, susurra la Siffleuse avec espièglerie. Le contrecoup aurait été trop énorme... notre Prince s'en est chargé, voilà tout... je n'ai eu qu'à lui arracher le contrôle au dernier moment.

— Vous m'avez dupé pour que je le libère ! croassa Faustin, qui recouvrait à peine la possession de ses moyens.

Gamache tourna vers Faustin un regard empreint de respect... et d'autre chose, peut-être de l'inquiétude. Puis son attention revint à la Siffleuse.

— Vous l'avez dupé et il l'a fait. En moins de quatre jours, comme vous l'aviez promis au Seigneur. Vous portez bien votre surnom de Duchesse des Mensonges, mademoiselle Poulin. Auriez-vous l'obligeance de m'indiquer où se trouve maître Plaçoa ?

— Derrière vous.

Louis-Olivier Gamache se retourna et fit une profonde révérence en murmurant quelques mots dans une langue autochtone. D'après les sens de Faustin, le spectre de l'Indien se trouvait plutôt à l'autre bout de la pièce ; à la mine amusée de la Siffleuse, il comprit qu'elle avait mal informé Gamache dans le seul but de se moquer secrètement de lui.

— Quant à vous, Charles Corriveau, ajouta Gamache en se retournant vers Faustin, le Seigneur voudra sûrement vous voir. Nous vous attendions à l'entrée de la Grande Maison mais…

— Il a insisté pour se téléporter, coupa la Siffleuse. C'était l'un des éléments de la marge d'erreur… il acquiert en autonomie, ce jeune homme. Sa personnalité diffère déjà de ce que vous m'aviez esquissé. Reste que je vous ai averti à temps, non ?

Gamache haussa les épaules.

— Vous vous levez ou je vous fais porter par ma femme, Charles ?

Faustin ne savait plus si c'était la douleur du défunt arraché à son emprise ou la rage d'avoir été aussi aisément berné qui l'incapacitait le plus. Ce fut cependant la colère qui l'amena à trouver la force de se lever. Quelque chose venait de se briser en lui. Il était hors de question qu'il subisse passivement la duperie. Il était là pour son frère. Il devait réagir. Son cœur ne se contenterait pas d'autre chose.

La rage déferla en lui. Il se sentit frissonner, puis trembler sous l'emprise de violentes secousses.

— *NON !* hurla-t-il au moment où il lui sembla gouverner cette force qui l'agitait de tremblements.

Gamache recula aussitôt de plusieurs pas, se plaquant contre le mur. La Siffleuse haussa les sourcils, serra le poing. Faustin sentit qu'une volonté tentait de s'imposer à son esprit – il la chassa comme on souffle sur une plume.

Alors la Voyante des Trois-Rivières eut peur. Faustin pouvait le lire sans mal sur son visage. Enhardi par cette constatation, il posa un genou sur le sol. Grava de son ongle un diagramme tout simple qu'il avait utilisé plus d'une fois. Les mots jaillirent d'eux-mêmes de ses lèvres :

— *Ashek akkad baath ahmed dazan il-bekr…*

Les flammes jaillirent sur le visage de la Siffleuse, lui rongeant la chair comme si elle avait été imbibée d'huile. L'espace d'un instant, elle contempla Faustin, en proie à une indicible frayeur, puis elle cria quand sa peau se mit à boursoufler.

— Plaçoa ! implora-t-elle alors que sa chair commençait à se racornir.

— *BRÛLE* ! cracha haineusement Faustin.

Il sentit le défunt tenter de le plaquer au sol. D'un geste de la main, il repoussa l'esprit. Alors la Voyante gémit :

— Mon Prince ! Le réceptacle de votre mère…

Les longs cheveux de la Siffleuse s'enflammèrent quand elle hurla :

— … cette enfant, c'est votre fille !

La concentration de Faustin vacilla. Il sentit la force de l'esprit du Pendu le percuter et, cette fois, il ne parvint pas à esquiver. Jeté au sol, il vit Gamache se précipiter et lui flanquer un coup de pied au crâne. Sonné, Faustin ne put réagir quand le sorcier roux lui retira son sabre, lui fourra une bourse dans la bouche, le bâillonna de son mouchoir et lui ligota les mains à l'aide d'un morceau d'étoffe qu'il arracha à sa toge.

— Si je n'étais pas certain que le Seigneur tuerait ma femme pour me punir, je vous éliminerais tout de suite, jura Gamache en achevant de l'attacher. *Debout !*

Toute résolution l'ayant quitté, Faustin obtempéra. Alors que le sorcier roux le poussait hors de la pièce, abandonnant la Siffleuse qui braillait à quatre pattes sur le sol, Faustin se souvint de cette fois où le maire Latulipe l'avait engagé pour un râtelier…

◆

Il pleuvait, cet après-midi-là. Dans la grange des Latulipe, on pouvait entendre la pluie tambouriner sur le toit de tôle.

Comme chaque fois qu'il avait du travail de bois à faire effectuer, le maire avait engagé Faustin. Si son habileté n'égalait pas celle du charpentier Perdichaud, le bedeau était moins chérant, sans compter que Latulipe espérait ainsi gagner des points auprès du curé Lamare, qui ne cachait pas sa fierté quant à la dextérité de son neveu.

Cette fois, néanmoins, l'ouvrage était complexe et Faustin admettait en son for intérieur qu'il aurait mieux valu que le maire se soit adressé à Perdichaud. Lorsque Latulipe était passé au presbytère, expliquant qu'il souhaitait un râtelier, Faustin avait cru à un simple assemblage de barreaux parallèles fixé au mur de la grange pour y ranger le foin. Ce n'est que ce matin que le maire avait plus clairement expliqué ce qu'il avait en tête : un grand râtelier en cage comme dans les grosses fermes anglaises des cantons, avec des barreaux verticaux fixes et d'autres, horizontaux, qu'on pouvait retirer ou déplacer, ainsi que des côtés latéraux à pentures qu'on ouvrait comme des portes… et avec des barreaux carrés, s'il vous plaît !

C'est pourquoi, bien qu'on fût tard en automne, Faustin travaillait torse nu dans la grange, ruisselant de sueur en aplanissant à la varlope les chants des jeunes troncs de bouleau. Il essayait de passer la frustration de s'être fait enfirouaper en ayant accepté d'avance le montant du salaire pour l'ouvrage. Les traits durs, les sourcils froncés, il marmonnait pour lui-même en imitant d'une voix de fausset la femme du maire s'exclamer: « Ça serait don' beau, mon bon Faustin, si vous ponciez les barreaux et qu'après vous preniez vos ciseaux à bois pour sculpter des p'tits épis de blé… »

Des bruits de pas attirèrent son attention et il cessa toute activité en se redressant, les bras croisés. Si c'était la mère Latulipe qui débarquait pour lui demander une autre extravagance – comme teindre l'ouvrage au sang de bœuf, elle en serait bien capable – il démissionnerait.

— *Tu voulais me voir ?*

La jeune femme se glissa doucement par la porte de la grange. Trempée jusqu'aux os, ses longs cheveux collés sur son visage d'ange, Rose Latulipe rejoignit le bedeau.

— *Bah oui, répondit Faustin, posant sa hache. Tu étais avec ton père dans le canton de Newport quand il a vu ce râtelier anglais, non ? Tu pourrais peut-être m'expliquer avec plus de détails que lui de quelle façon c'était arrangé.*

— *Ah, c'est pour ça que tu m'as demandée…*

Elle semblait déçue. Ou feignait de l'être. On ne pouvait jamais savoir, avec Rose.

— *Bien sûr. Je n'allais quand même pas demander un coup de main à une femme.*

— *C'est pas à ça que j'pensais non plus…*

Faustin détourna la tête pour ne pas fixer trop intensément la fille du maire. Elle était magnifique quand elle prenait ce regard-là, alors que ses yeux verts comme ceux d'un chat semblaient presque bridés.

— *Tu sais, Faustin… t'es mieux bâti qu'on le penserait à te voir en bras de chemise.*

— *C'est l'ouvrage au presbytère, c'est tout… répondit le jeune homme en se raclant la gorge.*

— *Tu ne me trouves pas jolie, c'est ça ? coupa Rose d'un ton capricieux.*

Surpris du coq à l'âne, Faustin ramena son regard vers elle. Rose, pas jolie ? Belle à damner un saint, plutôt ! Surtout en ce moment, alors que la pluie avait plaqué sa robe humide contre sa poitrine plantureuse, au point que les boutons semblaient sur le point de lâcher.

Au point que l'étoffe, rendue translucide, laissait entrevoir la teinte plus sombre du bout de ses seins, dont la pointe était dressée.

Avançant de deux pas en avant, Rose prit la main de Faustin et porta le bout de son index à sa bouche pour le mordiller doucement. Mal à l'aise, Faustin recula d'un pas.

— *Je vois, lança Rose avec espièglerie. Ça t'est jamais arrivé. Faut dire qu'à vivre avec un curé…*

— *Dis pas de niaiseries, répliqua Faustin, d'abord piqué dans son orgueil d'homme, puis souriant en constatant que c'était le but recherché par la jeune femme.*

— *J'aime être la première, le taquina-t-elle en tirant doucement Faustin par la ceinture.*

— *T'es pas la première, se crut-il obligé de répondre, repensant à une idylle passée.*

— *Pas grave. J'aime encore mieux l'expérience.*

C'est cette notion d'expérience, plus encore que la beauté de Rose, qui poussa Faustin à la prendre par la taille et à l'allonger dans le foin. De l'expérience, Rose en avait. Et dans ces villages où presque

toutes les femmes attendaient leur nuit de noces,
c'était une opportunité à ne pas laisser passer.

◆

Certes, il avait couché avec Rose Latulipe. Comme
presque tous les célibataires du village et la moitié
des hommes mariés. Les chances qu'il fût le père de
cette enfant devaient être de l'ordre d'une sur cinquante, pas plus. La Siffleuse, de toute évidence, avait
été à la hauteur de son surnom de Duchesse des Mensonges.

Pourtant, lorsque Gamache ouvrit la lourde porte
de chêne qui menait au salon et que Faustin vit, assise
dans un fauteuil, la Corriveau dans son corps d'enfant,
il fut soudainement convaincu du contraire. Quelque
chose, au plus profond de lui-même, lui soufflait que
cette enfant qu'on avait utilisée en guise de réceptacle avait été la sienne.

— Voilà, cracha Gamache. Votre mère, votre père et
votre fille. Touchant, non ? acheva-t-il avec sarcasme.

— Prenez-lui le Calice, puis laissez-nous, coupa
une voix froide, impérieuse, que Faustin reconnut sans
le moindre mal.

L'Étranger.

Gamache obtempéra, posa le Calice sur une petite
table ronde et s'esquiva. Alors qu'on refermait la porte
derrière lui, Faustin détailla le salon de la Grande
Maison, aménagé avec luxe. Les meubles d'acajou se
mariaient à ravir avec des étoffes noires, tout comme
les hautes bibliothèques d'ébène mettaient en valeur
les livres reliés de maroquin rouge. Un piano à queue
trônait majestueusement dans un coin.

Au bord d'une fenêtre, vêtu d'un chic habit noir,
exactement comme chaque fois que Faustin l'avait

croisé, l'Étranger se tenait dignement, un verre de cognac à la main. À ce moment précis, l'aura de domination qui émanait de son géniteur fit réaliser à Faustin toute la vanité qu'il avait eue à vouloir s'opposer à ses plans.

Comme s'ils avaient été frappés par une vague, les dons spirites de Faustin sentirent la stupéfiante puissance de l'esprit quasi immortel. Une âme forgée pour commander, et à laquelle on ne pouvait qu'obéir.

— Approche ! ordonna l'Étranger d'une voix impérieuse, et Faustin obéit, toute volonté de résistance dissipée.

Avec une lenteur calculée qui imprima grâce à son geste, le seigneur du Stigma Diaboli se tourna vers Faustin, l'air vaguement amusé. D'un léger mouvement de la main, il fit s'effriter le bâillon et les liens qui entravaient le jeune homme puis, comme s'il coulait à travers l'espace, il marcha dans sa direction et lui tendit le verre à pied.

— Il a cinquante ans d'âge…

— Non, merci, déclina Faustin en déglutissant.

Le sourire de l'Étranger devint plus enjôleur.

— Si j'avais voulu te droguer, Charles, j'aurais pu laisser l'un de mes larbins s'en charger.

Occupant toute sa concentration à ne pas trembler, victime de l'écrasante aura qui semblait le réduire à l'état de larve, Faustin détourna le regard vers le jeune corps qu'occupait sa mère.

Le corps de sa fille.

Ayant suivi son regard, l'Étranger laissa tomber :

— Je me doutais bien que tu ignorais sa vraie nature… peut-être comprends-tu maintenant quel fut mon sentiment en découvrant ton existence ?

Ne pouvant détacher les yeux de l'enfant, Faustin échappa dans un murmure :

— Elle a mes yeux… ceux de Rose étaient verts.

— Elle a bien plus que cela. Elle a ta longévité. Du moins, partiellement. Environ deux ans de crédit tous les cinq ans.

Faustin déglutit. Il s'agissait là d'une preuve irréfutable de sa paternité, à condition que l'Étranger dise vrai. Mais, en considérant la puissance des sorts de flamme que cette fillette avait incantés sans le moindre contrecoup apparent, selon les souvenirs que le père Bélanger lui avait transmis, il était difficile de prétendre le contraire.

— Tu es revenu pour le prêtre, n'est-ce pas ?

Déstabilisé par le changement de sujet, Faustin se contenta de hocher la tête. L'Étranger alla se placer dans son dos, posa les mains sur ses épaules et murmura à son oreille.

— Il n'est plus lui-même, bien entendu. Mais il subsiste quelque peu, en effet. Suffisamment pour le forcer, grâce à un sort de coercition, à régénérer mon corps physique… les théurgistes ont leurs avantages… mais ce sera pour les fois où Lavallée lui laissera reprendre le dessus, bien sûr. D'ailleurs, cela me porte à penser…

À haute voix, il s'adressa à la fillette.

— Marie-Josephte… joue-nous une fugue, je te prie.

Avec une petite révérence, celle qui était à la fois la mère et la fille de Faustin trottina jusqu'au piano et, après s'être fait craquer les jointures, commença l'interprétation d'un morceau. Inclinant la tête, mimant de sa main libre quelques accords dans le vide, l'Étranger marcha vers un riche fauteuil de maroquin pour s'y asseoir et poser son verre sur le guéridon de chêne. D'un geste empreint de noblesse, il offrit à Faustin de prendre place devant lui. Comme poussé malgré lui, le jeune homme obtempéra.

— Brave petit pantin, susurra l'Étranger en contemplant toujours la jeune pianiste. La réorganisation de ses souvenirs est parfaite, son contrôle des arcanes est irréprochable et son corps est une merveille d'élevage. Réalises-tu, mon fils, que Rose était ta petite-nièce ?

Forcément, pensa Faustin. *Elle descend de l'une des deux filles que ma mère avait eues avec son premier mari…*

— Le potentiel de cette fillette est absolument stupéfiant, conclut l'Étranger, l'air de se délecter. Et m'ouvre une nouvelle perspective… j'aurai une tâche fort agréable pour toi, mon fils, auprès des filles que j'ai prélevées dans mon cheptel. De belles petites juments poulinières qui n'attendent que toi.

Faustin manqua de s'étrangler en toussant et se leva de son siège.

— Jamais ! hurla-t-il dans la pièce.

Aussitôt, la fillette cessa de jouer et le silence tomba sur le salon. L'Étranger se leva à son tour, balayant l'air comme s'il chassait les objections de Faustin d'un geste.

— Pourquoi crois-tu que je t'ai laissé vivre ? Surtout après que tu as tenté de détruire mon corps ? J'étais hors de moi, je l'avoue… mais j'ai bien agi en t'accordant grâce. Ces jeunes femmes, les perles de mon cheptel… Tu les ensemenceras, mon fils. Oublies-tu avec quelle aisance Lady Elizabeth t'a soumis ? Mes petites juments maîtrisent déjà parfaitement cette technique… en plus d'être aussi dociles que l'est devenue ta mère. Et, à ce propos… Reprends, Marie-Josephte.

La fugue, se poursuivant comme si elle n'avait pas été interrompue, emplit l'air d'harmonieux accords. L'Étranger étrécit les yeux pour observer Faustin, puis haussa un sourcil de surprise.

— Tu as énormément gagné en puissance, mon fils.

— Cessez de me nommer ainsi ! répliqua Faustin en détournant la tête.

— Si cela me plaît. Libérer Plaçoa de son sceau d'entrave aurait drainé tant d'années à ma voyante que je suis ravi que tu t'en sois chargé…

— Elle m'a manipulé du début jusqu'à la fin !

— Ainsi va le monde, mon fils…

— Je vous ai dit d'arrêter !

L'homme en noir eut un petit rire condescendant et marcha vers une table basse.

— Tu veux ton vicaire ? Je puis le libérer… une fois qu'il m'aura régénéré, bien sûr. Lavallée ne m'est plus aussi essentiel maintenant que ta mère est devenue aussi obéissante.

Ne sachant que répondre, Faustin rejoignit l'Étranger quand celui-ci lui fit signe. Du doigt, il indiqua un épais manuscrit de vélin. Les pages étaient couvertes des mêmes caractères inconnus vus aux abords du manoir des Poulin. Le livre était ouvert à un endroit où de nombreuses pages avaient été arrachées – quarante-deux, d'après la pagination.

— L'*Opus æternum*, de Roger Bacon… murmura l'Étranger en caressant amoureusement le livre du dos des doigts. J'avais cru que le Collège le préservait, mais finalement c'est ton oncle qui en avait la garde, d'où la puissance des protections magiques levées sur son presbytère.

— Et c'est pour ça que vous avez violé mon domicile, cracha Faustin.

— Quelle haine dans tes propos... Cela dit, tu as raison. Sauf que le vieux renard avait prévu le coup. Comme tu vois, une section a été retirée, la plus importante... et je dois savoir où elle se trouve, termina l'Étranger en plantant ses yeux dans ceux du jeune homme.

— Mais... mais je l'ignore, bafouilla Faustin en sentant son âme se liquéfier.

— Bien entendu. Mais ton oncle sait, forcément.

— Mon oncle est mort ! Vous l'avez tué !

— La mort n'est qu'une autre contrée à visiter, pour un spirite... d'ailleurs, tu l'as déjà contacté une fois, ai-je appris du vicaire.

Les yeux de Faustin s'agrandirent.

— Vous voulez que... j'interroge mon oncle par-delà la mort !

— Une *nekuia*, oui. Il refusera de te répondre, c'est assuré... alors il te faudra l'asservir un moment.

— Jamais ! tonna Faustin en se retournant pour courir vers la porte.

À peine eut-il esquissé trois pas que son corps refusa de lui répondre. Figé comme une statue de cire, il ne vit l'Étranger que lorsque celui-ci vint se placer devant lui.

— Les spirites sont rarissimes, Faustin. Malgré tous mes efforts, je n'en ai repéré qu'une : la Siffleuse. Je n'ai pas ce don. Ta mère ne l'a pas non plus. Va savoir d'où tu le tiens... peut-être de ma propre mère ? Qu'importe. Suscite ton oncle, laisse-moi dénicher ces pages et je te laisse le vicaire, en le libérant de l'emprise de son ancêtre.

Du coup, Faustin retrouva sa liberté de mouvement.

— Exigez-le de votre Siffleuse, dans ce cas... je vous ai déjà livré Plaçoa, et bien malgré moi !

— Ton oncle ne répondra pas à une *nekuia* de la Siffleuse… mais toi, par contre…

— Non !

Les traits de l'Étranger se durcirent.

— Suffit, Marie-Josephte ! vociféra-t-il.

La musique cessa sur-le-champ et la fillette s'écarta vivement du piano. L'homme en noir fixa Faustin ; ce dernier sentit une force puissante le pousser violemment vers l'arrière et il tomba assis dans un fauteuil. L'Étranger, furieux, s'empara du livre amputé :

— Ce ramassis de fadaises ne me sert à rien !

Faustin s'écarta sur la droite pour éviter le volume lancé dans sa direction. L'Étranger avança de trois pas vers lui, esquissa un geste vague et Faustin fut projeté hors du fauteuil, qui se renversa avec fracas. Plaqué au mur par une force invisible, il sentit son cœur broyé par un étau glacial alors que chaque respiration lui infligeait la douleur de mille aiguilles dans la poitrine.

— L'*Opus æternum* explore la survivance du corps… poursuivit l'Étranger d'une voix à nouveau calme et mesurée, terrifiante par la rage qu'elle dissimulait. Je n'ai que faire des chapitres traitant de plantes médicinales ou de techniques de balnéation. Tout le passage sur les arcanes a été arraché ! Je *dois* savoir à qui Lamare a confié ces pages. Il ne les aurait pas détruites, à te voir nourrisson pendant autant d'années… forcément, ces informations risquaient un jour de lui en apprendre davantage sur toi. L'Ordre Théurgique t'a confié à lui, tout en lui confiant l'*Opus* afin qu'il t'étudie… *Qu'a-t-il fait de ces foutues pages ?*

Vivement, l'Étranger se retourna, tendit le bras et serra le poing. Le piano se mit à trembler violemment, comme agité par une secousse, en émettant des sons épars – avant d'exploser littéralement en fines esquilles de bois. Terrifiée, Marie-Josephte émit un cri et se couvrit le visage de ses mains. Des gouttelettes de sang perlèrent sur le petit corps partout où il avait été éraflé et elle se mit à sangloter.

— Et pourquoi pas… murmura l'Étranger en jetant un regard en biais à la fillette.

Tendant la main vers un guéridon, l'homme en noir attira à lui le Calice des Moires. S'approchant de Faustin, toujours plaqué au mur, il dissipa la douleur qui vrillait la poitrine du jeune homme. Alors que Faustin aspirait l'air à grandes goulées, l'Étranger lui prit la main et lui glissa un doigt dans la paume, creusant une fine coupure d'où le sang ne tarda pas à couler. Ignorant le visage affolé du jeune homme, l'Étranger laissa tomber le fluide vermeil dans le Calice, un sourire satisfait aux lèvres.

— Voilà pour ta signature, mon fils. Le curé Lamare ne devrait réaliser la supercherie qu'une fois qu'il sera trop tard. *Marie-Josephte !*

Derechef, la fillette ensanglantée se leva et trotta jusqu'à son maître.

— Cesse de pleurnicher et cours avertir la Siffleuse qu'elle va procéder à une *nekuia*. Quant à toi, Charles…

L'Étranger claqua des doigts et Faustin, libéré de son entrave, chuta sur le sol.

— … tu vas assister à la *nekuia*. Ta présence ajoutera à la duperie. Et ensuite…

Le sourire du maître du Stigma Diaboli évoqua le rictus d'un prédateur.

— … nous verrons. Il y a beaucoup à tirer de toi, mon fils.

◆

Deux hommes de Sewell vinrent chercher Faustin lorsque l'Étranger appela pour ordonner qu'il soit mené à une salle désignée comme « l'atelier ». Quand la porte s'ouvrit, le jeune homme put voir Gamache qui s'impatientait hors de la pièce, pressé de s'entretenir avec son maître.

Conformément aux ordres, les miliciens dirigèrent Faustin vers une pièce un peu en retrait. Le plancher était jonché de grandes feuilles de papier à dessin que les miliciens écrasèrent en entrant. C'était bel et bien un atelier, comme l'avait nommé l'Étranger, mais un atelier d'artiste. Les étagères étaient garnies de tubes de couleur ou de pots à pinceaux. Des palettes avaient été abandonnées sur un tabouret, la peinture y ayant séché. Une poignée de pastels, tous dans des teintes de vert et de bleu, étaient posés dans un cendrier sur pied. Une toile de bonne taille était installée sur un chevalet dans l'un des coins de la pièce.

Il flottait dans l'atelier un désagréable parfum de térébenthine qui émanait des chiffons laissés à sécher sur une sorte de petite patère.

On força Faustin à s'asseoir sur l'un des deux lourds sièges en chêne, seuls gros meubles de l'atelier avec la massive table ronde qui complétait l'ensemble, cette dernière couverte d'esquisses réalisées à la sanguine ou au fusain.

Alors qu'on ligotait ses chevilles et poignets à la chaise, Faustin fut intrigué par l'un des croquis au fusain laissé en retrait: sur un arrière-plan d'arbres tordus pareils à des griffes se détachaient quatre silhouettes fouillant ce qui semblait être les vestiges d'un bâtiment incendié. L'un des personnages portait une grande robe noire, un autre était d'une taille et d'une carrure surpassant largement celle des autres. Il ne fallut pas longtemps à Faustin pour comprendre qu'il s'agissait de ses compagnons et lui lors de leur passage aux ruines du Collège. La signature de Joseph Légaré, dans le coin inférieur droit, confirma ses soupçons : c'est ainsi que le Stigma Diaboli parvenait à anticiper leurs mouvements.

Quand les miliciens quittèrent l'atelier et que le jeune homme n'eut rien d'autre à faire qu'attendre, il put s'attarder davantage aux œuvres de Légaré. Dans le coin où l'on avait installé le chevalet, une lampe à l'huile allumée diffusait sa lumière sur la toile encore inachevée. Cet ouvrage, auquel l'artiste avait consacré beaucoup plus de temps, avait été amorcé à l'huile et représentait un voilier à deux mâts égaux portant des voiles auriques. Faustin avait suffisamment vu de navires au port de Pointe-Lévy pour reconnaître une goélette ; celle-ci, portant à la proue le nom de Rosamund, semblait essuyer de sérieuses difficultés. Manifestement par manque de pigments – Faustin repensa au passage de Légaré au grand magasin –, l'artiste avait laissé sécher l'huile et poursuivi son œuvre au pastel, dessinant des eaux bouillonnantes et des vagues dépassant le niveau du bastingage. Des marins pointaient leurs fusils en direction des flots, vers une forme à peine ébauchée.

La porte s'ouvrit soudain pour laisser entrer la Siffleuse, sous sa forme humaine, qui prit un grand plaisir à le regarder droit dans les yeux.

Son visage, constata Faustin avec stupéfaction, ne portait pas la moindre trace de brûlure.

— Ton ami est plutôt efficace, ronronna-t-elle en s'assoyant face à lui. Sewell a recouvré l'usage de sa voix après la blessure infligée par l'Indienne. Quant à moi...

La Voyante des Trois-Rivières poussa un petit miaulement et éclata d'un rire moqueur.

— François ! réagit aussitôt Faustin sans se soucier de la provocation évidente. Il a refait surface ?

— Lavallée n'en a pas eu le choix, après la coupure au cou infligée par cette Sauvagesse.

— Elle se nomme Shaor'i.

— Peu m'en chaut. Je disais seulement que le prêtre a son utilité, lorsque son ancêtre ne le domine pas.

— Et tout fonctionne comme prévu ? demanda l'Étranger dans le dos de Faustin.

— Le prêtre ne collabore guère, monseigneur, répondit la Siffleuse. Mes talents de coercition mentale sont totalement indispensables.

L'Étranger s'arrêta auprès de Faustin et posa une main sur son épaule.

— Pour l'instant, mademoiselle Poulin. Car il semblerait que les... performances de mon fils aient fortement impressionné Louis-Olivier.

Un sourire amusé aux lèvres, la Siffleuse répliqua :

— Il a de qui tenir, effectivement... mais m'est avis qu'il ne collaborera pas davantage que le vicaire.

Sans prendre la peine de répondre, l'Étranger fit un large mouvement de la main. Les croquis qui s'amoncelaient sur la table furent balayés d'une rafale surnaturelle et chutèrent sur le plancher.

Quel dommage, déplora l'Étranger en jetant un œil distrait aux esquisses, que le don de Légaré soit si capricieux...

Sur la surface de la table maintenant dégagée, Faustin vit qu'on avait gravé au ciseau un diagramme qu'il connaissait à présent par cœur, celui de la *nekuia*. L'Étranger posa le Calice des Moires au centre du pentacle. La Siffleuse le contempla avec une convoitise manifeste et elle eut un petit sourire qui dévoila ses crocs félins.

— Montre-moi ce que tu vaux, murmura l'homme en noir à sa voyante.

En ronronnant, la Poulin posa les deux mains sur la table, ferma les yeux puis incanta avec assurance.

Sitôt la dernière syllabe prononcée, la Voyante émit un râlement creux et ses yeux se révulsèrent. Son visage s'agita de tics nerveux et les muscles de son cou tressautèrent. Fasciné malgré lui d'assister pour la première fois à une *nekuia* en tant que spectateur, Faustin se demanda si son corps avait réagi pareillement lors de ses contacts avec l'au-delà. Puis une montée d'émotions lui noua la gorge quand une présence familière l'effleura comme une brise légère. L'espace d'un instant, Faustin eut le sentiment que son oncle était là, tout près. Son parfum subtil de tabac, d'encens et de savon d'habitant lui revint à la mémoire aussi clairement que si le curé Lamare s'était physiquement tenu dans la pièce et, un fragment d'éternité durant, Faustin sentit la chaleur d'une main aimante dans ses cheveux. Il goûta le sel d'une de ses propres larmes puis battit des paupières pour reprendre contact avec la réalité.

— Eph… rem… Lam… are…

La tête rejetée vers l'arrière, la Siffleuse appelait à elle l'esprit du prêtre arcaniste défunt. Dans le cœur de Faustin, la nostalgie fit soudainement place à l'écœurement et à l'indignation. *Non*… Encore une fois, une bouffée d'énergie monta en lui en le secouant de tremblements.

Fureur! L'émotion jaillit à la fois en Faustin et en dehors de lui : le jeune homme *sut* à ce moment que son oncle venait de découvrir la supercherie. La Siffleuse devait l'avoir remarqué aussi car elle crispa les doigts, enfonça ses griffes dans la table et couina plus qu'elle ne dit :

— Je... t'ordonne... de...

— Fuyez, mon oncle ! hurla Faustin, qui venait de bander sa volonté et de la relâcher en une seule vague mentale.

Il y eut une sorte de tension, comme un bras de fer psychique, puis Faustin écrasa l'emprise de la Voyante des Trois-Rivières comme il aurait brisé un œuf dans son poing. La femme poussa un cri effroyable, s'affala sur la table, le corps secoué de spasmes alors que le sang coulait de sa bouche et de son nez.

Où que se fût réfugié l'esprit du curé Lamare, il était désormais hors d'atteinte, de cela Faustin était persuadé.

Du Calice des Moires montait une petite fumée noirâtre empestant le sang brûlé. Quand Faustin se tourna vers l'Étranger, il vit que celui-ci le dévisageait avec une expression de complète stupéfaction. Le père et le fils se fixèrent dans les yeux un interminable instant, puis un ricanement monta dans la pièce alors que s'agitaient les épaules de la Siffleuse.

— Quelle force, mon Prince ! s'exclama-t-elle entre deux hoquets. À quoi tiendra ma place ici, désormais ? Reste que vous manquez encore de prestesse...

Elle leva son visage barbouillé de sang, riant par à-coups comme une aliénée.

— Fiche-moi le camp, Poulin ! laissa tomber l'Étranger en la toisant avec mépris.

— Oh non, monseigneur, non… ce n'est point ce que vous désirez…

En ronronnant, la Siffleuse se leva et avança vers son maître.

— N'ayez crainte, monseigneur. J'ai un nom.

— Alors parle, coupa l'homme en noir, impatient.

— Je crains que cela ne vous plaise guère, fit la Poulin avec un petit rire.

— Parle !

Instinctivement, Faustin rentra la tête entre les épaules. Comment la Voyante pouvait-elle être inconsciente au point de jouer ainsi avec l'Étranger ? Venait-elle de perdre définitivement l'esprit ? En quelques pas, la femme fut auprès de son maître et lui murmura un nom à l'oreille. Les traits de l'Étranger se durcirent et il vociféra :

— Si c'est un autre de tes mensonges, Lucinda Poulin, tu retourneras aux ténèbres de l'outremonde d'où je t'ai tirée !

— J'ai bien usé de mon temps et le curé Lamare a été clair. Il n'aurait pas pu me mentir, pas en usant d'un artefact aussi puissant que le Calice des Moires pour une *nekuia*. S'il a parlé du père Masse…

— Masse est mort voilà plus de huit ans ! J'avais exigé de Gamache qu'il…

— Ce ne serait pas son premier échec, monseigneur, pouffa la Siffleuse en osant interrompre son maître. Dois-je vous rappeler de quelle façon ce théurgiste défroqué a échoué plusieurs fois en tentant de capturer votre fils et le descendant de Lavallée ? Et cela expliquerait pourquoi je n'ai jamais réussi à contacter le père Masse par spiritisme…

L'Étranger serra le poing et la pièce se mit à trembler brièvement. La Voyante éclata de rire de plus belle.

— Va me chercher Gamache, Siffleuse.

— Mais tout de suite, monseigneur, susurra la Voyante des Trois-Rivières, sourire aux lèvres.

— Et envoie-moi d'abord Nadjaw.

— Vos désirs sont des ordres, mon maître.

La Poulin reprit son apparence féline et quitta la pièce en quelques bonds, laissant son seigneur et son prince murés chacun dans leur silence.

◆

Faustin n'eut guère le temps de réfléchir à la suite des événements que Nadjaw apparaissait dans l'embrasure de la porte, impassible.

— Escorte mon fils au grenier, Nadjaw. Nos juments poulinières le tiendront occupé un moment. Ensuite, je désire que tu sortes patrouiller les environs des Trois-Rivières pour repérer celle qu'Otjiera a dressée à ta place.

Nadjaw opina du chef et s'avança vers Faustin. D'un geste rapide, elle trancha les liens qui le retenaient à son siège et lui indiqua de la suivre.

Côte à côte, ils traversèrent le grand couloir et croisèrent Louis-Olivier Gamache, visiblement inquiet, qui venait en sens inverse. Lui et son épouse échangèrent un bref regard, puis chacun poursuivit son chemin.

Faustin entendit Nadjaw soupirer près de lui et crut percevoir le silence de l'appréhension… mêlé à autre chose. Il comprit quand elle lui indiqua les escaliers de la cave.

— Je croyais que vous m'ameniez au grenier, chuchota-t-il.

— Le Seigneur le croit aussi. Descendez, Charles.

Face aux lames acérées de la guerrière, Faustin jugea plus prudent d'obéir. Il descendit les marches jusqu'au sous-sol, où il fut bientôt totalement noyé dans l'obscurité.

— Posez la main sur mon épaule, chuchota la voix de Nadjaw. Je n'allumerai pas.

Dans l'obscurité, les yeux de l'Indienne luisaient comme ceux d'un chat. Faustin continua d'obtempérer, en se demandant s'il assistait, encore une fois, à l'une des guerres de pouvoir qui minait l'ordre du Stigma Diaboli.

— Cela ne signifiera rien pour vous, Charles, et vous n'en croirez pas un mot, mais je suis désolée d'avoir blessé votre amie. Je la connais de réputation et je l'ai vue combattre. Déjà là, elle méritait mon respect.

— N'allez pas me faire croire que vous souhaitiez l'épargner.

— À la dernière seconde, oui. Vous n'y comprendrez rien, mais le silence de Shaor'i m'en a convaincue.

Faustin pesa ces mots quelques instants, puis dit :

— Au contraire, je crois que je peux comprendre. Shaor'i a déjà tenté de m'expliquer. *Saokata*… l'Éternel Silence.

Sous sa paume, il sentit l'épaule de Nadjaw tres-sauter sous la surprise. Il demanda :

— Quel genre de silence était-ce ?

La femme resta muette assez longtemps pour que Faustin fût convaincu qu'elle ne répondrait pas. Alors qu'il allait poser une autre question, elle murmura :

— Le silence d'une sœur cadette pleurant l'absence de son aînée.

Ce fut autour de Faustin de s'emmurer dans le mutisme.

— Ne bougez pas, Charles. Il y a une porte devant nous que je dois déverrouiller.

— D'accord. Et c'est Faustin, s'il vous plaît.

— Certes, Faustin.

Dans la noirceur, Faustin entendit le bruit d'une clé ouvrant une serrure. La porte grinça et l'Indienne cueillit la main du jeune homme pour l'inviter à avancer. Quand il eut esquissé quelques pas, elle le lâcha et Faustin entendit la porte se refermer et être verrouillée de nouveau. Une sorte de glapissement jaillit soudainement dans l'ombre.

— Qu'est-ce que c'était?

— N'ayez crainte, il est inoffensif… Je ne survivrai peut-être pas à ce que je m'apprête à tenter, Faustin. Le Seigneur me voudra morte pour cela.

— Et qu'allez-vous faire? demanda le jeune homme, méfiant.

— Vous laisser partir.

Le premier réflexe de Faustin fut d'y voir une autre supercherie. Mais l'Indienne avait une sorte de sincérité dans la voix qu'il ne pouvait remettre en doute.

— Pourquoi, Nadjaw? ne put-il s'empêcher de demander.

— Le silence de ma successeure aurait été suffisant pour que je me mette à douter. Mais ce que m'a dit Plaçoa…

Elle n'ajouta rien et, cherchant à en savoir davantage, Faustin insista:

— Et lui… pourquoi m'a-t-on forcé à le libérer?

— Pour qu'il gouverne Kabir Kouba, bien sûr… Mais Plaçoa ne s'est pas plié à la Siffleuse aussi facilement qu'elle l'escomptait et… peu importe, au fond. Cela ne vous concerne pas. Sachez seulement que vous allez rejoindre les vôtres.

Faustin sentit Nadjaw le saisir fermement par le bras.

— Écoutez-moi, poursuivit-elle. Pour l'heure, vous ne pouvez rien tenter afin de ramener votre ami le prêtre. Alors vous vous rendrez auprès de la Dame Blanche, au sommet de la Grande Chute – la chute Montmorency. Elle vous indiquera comment sauver votre ami, si cela est possible et, surtout, elle vous dira de quelle façon un spirite tel que vous pourra mettre fin à la démence de l'Étranger…

— Mais comment…

— À Shaor'i, coupa Nadjaw, vous direz que j'ai tout essayé pour m'opposer à la corruption des *mah oumet*. Et que ceux qui subsistent, dans le tunnel, ne devraient plus être inquiétés : l'Étranger a jugé l'expérience décevante.

Elle marqua une pause et ajouta :

— Et seulement si vous le voulez, rapportez-lui aussi que c'est moi qui vous ai laissé partir. Le temps presse, maintenant. Le Seigneur doit déjà avoir été mis au courant que vous n'êtes pas dans les combles.

Alors qu'elle s'apprêtait à avancer, Faustin parvint à lui rattraper le bras et à la retenir un instant.

— Pourquoi faites-vous cela, Nadjaw ? Je dois savoir.

— Parce que je refuse de me consacrer à la folie de l'Étranger…

— Mais alors…

— Pourquoi l'ai-je suivi ? C'est mon époux que j'ai suivi. Et Louis-Olivier ne comptait pas vraiment en venir à cela, lui non plus. Au début, il a cru qu'éveiller un maître venu du passé pourrait l'aider, qu'il pourrait collaborer avec lui le temps de rescaper ce qui pouvait l'être des arcanes. Et moi, j'ai cru agir de même.

Mais on ne collabore pas avec l'Étranger. On lui obéit. Et cela, mon époux ne le comprend toujours pas. Il pense encore qu'il pourra mettre fin aux projets de conquête lorsque le temps sera venu et…

Des bruits de pas dévalant les marches interrompirent la guerrière.

— Il suffit, maintenant. Vous devez partir, Faustin. Je ne vous connais pas bien. Tout ce que j'ai eu pour me brosser un portrait de votre personnalité a été votre intrusion au manoir des Sewell. Alors ne m'en veuillez pas si…

— Mais de quoi parlez-vous ? Comment voulez-vous me permettre de fuir ?

Quelqu'un tenta d'ouvrir la porte derrière eux. La trouvant verrouillée, on se mit à frapper violemment.

— *Nadjaw ! What the hell are you doing here ? Unlock the door, right now !* vociféra la voix de Sewell de la pièce d'à côté.

— La seule façon de vous laisser fuir, Faustin, est de vous rendre impossible à identifier pour l'Étranger. *Ish-taelnak !*

Dans la pièce obscure, un gigantesque diagramme se mit à luire sur le sol. D'une violente poussée, Nadjaw jeta Faustin au centre du pentacle.

Derrière eux, on entendit Sewell hurler :

— *Break down the door !*

Un choc sourd ébranla la porte lorsqu'on entreprit de l'enfoncer. Sans se laisser distraire, Nadjaw poursuivit son incantation.

Ad-festrena,
Id est, in est, ir est,
Keran ad-zunir ferald saneranir zar…

— Nadjaw ! hurla Faustin, cloué au sol par le sortilège. Qu'êtes-vous en train…

— *... Ikteru, ikteru, sendera...*

Dans un horrible bruit de fracassement, la porte céda sous les assauts. Faustin eut le temps d'être ébloui par les fanaux des hommes de Sewell avant que Nadjaw ne termine :

— *... sutari anera ad-asneri !*

Au moment où les ombres se saisissaient de Faustin, engloutissant son âme dans une tourmente effroyable, il put voir Nadjaw faire volte-face et attaquer les hommes de Sewell.

Puis plus rien ne fut visible. Ne subsista que la sensation de son corps écartelé dans tous les sens et de son esprit, envahi par *quelque chose...*

... puis ce furent les ténèbres et la vague sensation d'avoir existé...

... puis...

... plus rien.

ÉPILOGUE

Des tavernes émergeaient encore quelques cris d'ivrognes qui brisaient l'aube autrement silencieuse des quais des Trois-Rivières. Shaor'i n'aurait pas dû être aussi nerveuse, elle le savait, pourtant quelque chose en elle, son *autre* nature, tendait ses nerfs comme la corde d'un arc. Une odeur inhabituelle la fit se retourner vivement. *Goudron*, reconnut-elle peu après. Un mouvement attira son regard : un rat grugeant un bout de cordage.

L'énorme main sur son épaule frêle avait dû sentir sa tension et la tapota d'un geste rassurant.

Shaor'i émit un claquement de langue agacé : c'est elle qui aurait dû rassurer Baptiste, pas l'inverse. Le colosse cessa de lui taper l'épaule et elle perçut le sentiment de rejet dans le raidissement des doigts de son ami. Il croyait que c'était contre lui que se dirigeait son irritation alors qu'elle n'en voulait qu'à elle-même. Sa frustration augmenta encore et le bûcheron marmonna :

— On peut m'trouver une canne, si tu veux…

— Ne dis pas de stupidités, coupa-t-elle, acerbe. On ira plus vite comme ça. Remets ta main là où elle était, tu garderas un semblant de dignité.

Et tape-moi encore l'épaule, aurait-elle voulu l'implorer. Elle s'en abstint. S'admettre à elle-même son besoin de réconfort montrait à quel point elle était vulnérable – ce qui accrut encore sa colère.

Parvenue au bord du fleuve, elle chercha le navire qu'on leur avait désigné, qui prendrait des passagers jusqu'à Québec. Cachée près d'une pile de caisses, elle scruta les docks où les navires s'alignaient les uns auprès des autres sur plus d'un mille.

Fixant le lointain, elle dilata ses pupilles comme son *autre* nature la poussait à le faire. Les bâtiments de bois semblèrent alors assez proches pour qu'elle puisse en lire les noms. Un navire effilé nommé le *St. Peter.* Un autre plus large dont la proue portait le nom de *Marygold.* Le troisième, une goélette, s'appelait *Lucky Star.*

C'était le bateau qu'on leur suggérait. Shaor'i agrandit davantage ses pupilles : elle ne vit plus que la proue du *Lucky Star* et l'homme qui y montait la garde, un matelot au port droit, donc probablement sobre, ce qui la rassura.

Elle rapprocha encore son point de vue : étoffe élimée, ceinturon de cuir, avant-bras tatoué, pas d'armes à feu. Voilà qui la rassurait encore plus. Restait à espérer que le marin parlait français.

Danger ! Elle laissa son corps réagir de lui-même, faire volte-face en dégainant, l'ouïe et la vue à l'affût. Une demi-seconde plus tard, son cerveau découvrit la source du sentiment de menace comme un clapotis anormal dans le fleuve.

La silhouette qui venait d'émerger de l'eau n'était pas humaine. C'était une créature à fourrure, aux poils rendus poisseux par les flots sales du port, aux relents désagréables des eaux usées qu'on y déversait.

— Quoi ? s'enquit Baptiste, inquiet d'avoir perdu son contact physique avec la jeune femme.

— *Maymaygwashi*, murmura-t-elle en voyant l'un de Ceux-qui-peuplent-les-rivières s'avancer vers elle et se cacher lui aussi derrière la pile de caisses.

— Icitte ? s'étonna le bûcheron.

Shaor'i ne répondit pas. Elle rengaina ses armes et adopta la posture qui convenait pour s'adresser à un représentant des Peuples Ancestraux : elle posa un genou par terre, inclina la tête, attendit le signal traditionnel.

La main palmée se posa sur son front, l'Indienne leva un regard empreint de respect vers le visage aux yeux sombres et aux vibrisses alertes. Avec déférence, elle sortit de sa bourse un petit bout de charbon de bois et le tendit en le tenant à deux mains. Celui qui ressemblait à une loutre l'accepta de la même manière.

— P'tite ! Qu'est-ce…

— Chut ! coupa-t-elle.

Pas nerveux le moins du monde, Ti-Jean quitta la mackinaw du bûcheron pour dévisager le nouveau venu. Le *maymaygwashi* échangea quelques clics avec le *mah oumet*. Ces civilités acquittées, il ramena son regard vers Shaor'i et traça quelques idéogrammes sur une caisse.

Kabir Kouba – Éveil – Maintenant, lut Shaor'i avant d'effacer, comme cela était requis, les *komk-wejwika'sikl* que le *maymaygwashi* venait de tracer. *Nous – Connaître une information et ne pas en comprendre toutes les implications*, écrivit Shaor'i en deux symboles.

Celui-qui-peuple-les-rivières hocha la tête, usa des poils de son avant-bras pour faire disparaître les mots tracés et dessina de nouveau.

— Baptiste… murmura Shaor'i, stupéfaite. L'émissaire *maymaygwashi* dit qu'il a quelque chose pour l'homme-qui-sait-courir-sur-les-arbres-qui-flottent.

— Moé ?

La créature prit sa longue queue effilée entre ses mains et en retira un petit objet qui brillait à son bout. Elle s'avança vers le bûcheron, lui ouvrit la main et l'y posa.

— Une… une bague ? murmura Baptiste en manipulant la chose entre ses doigts.

— Ça semble être ça, confirma Shaor'i.

— Elle a l'air de quoi ?

— Elle est en platine et est gravée d'une longue croix qui ressemble à une épée.

— Un anneau de maître du Collège ? Comme celui du curé Lamare ? Il tient ça d'où ? Pourquoi y veut m'donner ça ?

Shaor'i usa du charbon pour écrire les deux dernières questions du bûcheron et fronça les sourcils en découvrant la réponse du *maymaygwashi*.

— Il dit que c'est un petit homme sans tête qui le lui a donné pour toi, en aval du fleuve, sur une île.

Incrédule, Baptiste répéta :

— Un p'tit homme sans…

Puis son visage s'illumina et il s'exclama :

— Le père Masse… P'tite ! Ça veut dire qu'un des anciens maîtres du Collège est encore vivant !

Des bruits de pas les firent se tourner vers les ruelles. D'un bond, le *maymaygwashi* plongea dans les eaux froides du fleuve.

Couteaux en main, Nadjaw avançait vers le bûcheron aveugle et la guerrière micmaque. Sans réfléchir, Shaor'i dégaina prestement, adopta une posture d'assaut, puis son esprit perçut que le silence de l'autre

femme n'était pas celui d'une ennemie. Son sentiment se confirma lorsque Nadjaw jeta ses lames au
sol, avança encore de trois pas et s'agenouilla en
disant en langue mohawk :

— Le fardeau de mes remords pèse lourd sur mes
épaules, Sœur-devant-les-Sept-Étoiles.

Dans la même langue, Shaor'i répondit, la voix
chargée de mépris :

— Tu as renoncé à ta place et tu n'as pas le droit
de m'appeler sœur.

— Vrai. Est-ce pour moi que tu portes le Bracelet
du Courroux ?

— Cela ne te concerne pas.

— Vrai.

Nadjaw resta immobile, les yeux fermés. Son silence était celui du soulagement de l'agonisant face
à une mort douce et, en son for intérieur, Shaor'i
écumait de rage : allait-elle accorder une mort douce
à cette femme ? Celle qui, entre toutes, ne le méritait
pas ? Shaor'i jeta un œil à son bracelet offert par
Otjiera : c'était son second. Le premier avait été tressé
pour décréter la mise à mort d'Hubert Sauvageau,
tâche qu'elle n'avait pas pu mener à bien, car elle
avait été devancée par le curé Lamare, et cela, même
si Sauvageau était responsable de la mort de son maître
d'armes. Échouer sa première exécution l'avait brisée.
Elle n'échouerait pas cette seconde. Néanmoins…

— Tu ne m'affronteras plus après avoir perçu mon
silence, n'est-ce pas ? demanda-t-elle à la Danseuse
traîtresse.

— Vrai.

— Tu espères le pardon dans l'outremonde en
prouvant ainsi ton repentir ?

— Vrai.

Lentement, Shaor'i contourna le corps agenouillé de sa prédécesseure au sein du cercle des Sept Danseurs. Elle tenta, en vain, de ne pas percevoir le silence serein de son ennemie : cette quiétude d'esprit l'enrageait. L'injustice d'une mort aussi paisible pour cette traîtresse l'écœurait. Et pourtant…

— Faustin est sauf, ajouta Nadjaw. Je lui ai permis de quitter le village des Forges.

Ce fut cette phrase, plus que tout, qui décida Shaor'i.

La dernière chose que la femme-lynx sentit, avant que les ténèbres ne s'emparent d'elle, fut le couteau de Shaor'i sur sa nuque.

À partir de la période Bell (dès 1790), et cela jusqu'à la fermeture de l'entreprise en 1883, on murmura que les Vieilles Forges du Saint-Maurice étaient hantées par le Diable. Il est difficile de retracer la source de cette sinistre réputation, mais il est certain que l'isolement du village, les mœurs relâchées des ouvriers, la chaleur d'enfer des Forges et l'absence de prêtre doivent y avoir été pour quelque chose.

On sait qu'*Édouard Tassé* a réellement existé et on lui attribua de nombreux exploits, dont celui de s'être battu avec le Diable ou celui d'avoir bu du métal en fusion. Il est notamment cité dans les œuvres de Napoléon Caron et de Dollard Dubé. Plus récemment, Bryan Perro le nomme *Antoine* dans son *Créatures fantastiques du Québec*, sans spécifier d'où il tire ce prénom. C'est toutefois sous le nom d'Édouard qu'on le retrouve sur la liste des ouvriers dressée par Matthew Bell en 1842, laquelle fut transcrite dans les *Mélanges historiques* de Benjamin Sulte (où l'auteur cite en bas de page quelques exploits attribués à l'homme fort des Forges).

De cette liste d'ouvriers sont tirés les noms d'*Antoine Leclerc, Étienne Rouet, Thomas Boivert, Éloi Terrault* et tous les autres « figurants » des Forges.

Henry Stuart fut vraiment le régent des Forges en 1849, et son principal créancier, *James Ferrier*, l'ancien maire de Montréal, cité lui aussi dans le tome 1.

La décision de frapper Baptiste Lachapelle de cécité vient du *post-scriptum* de Louis Fréchette dans sa nouvelle « Une complainte », où il affirme que le draveur finit ses jours aveugle.

Les environs de Trois-Rivières furent un terreau très fertile pour les légendes. Malheureusement, au contraire des célèbres Honoré Beaugrand, Philippe Aubert de Gaspé et Louis Fréchette, les contes des principaux folkloristes s'étant intéressés à la région – soit Caron et Dubé – ne furent pas réédités depuis la parution de *Contes et Légendes des Vieilles Forges*, il y a soixante ans.

La créature nommée *beuglard, gueulard* ou *braillard* est citée par de nombreux auteurs dont Fréchette, Caron, Dubé (et même Ringuet dans *Trente Arpents*). Comme aucun auteur n'en donne la moindre description, j'ai pris la liberté d'associer ce mythe à celui des géants de la Mauricie. Il est notamment question d'un géant mauricien nommé Tranchemontagne dans les compilations d'un certain A.F. de l'Université Laval. Le terme *mestabeok* provient des légendes attikamekw, notamment du conte « Tchikabesh et les géants ». La présence d'êtres géants de type « singe anthropoïde » est toutefois répandue partout en Amérique du Nord : en 1840, dans *Nine Years with the Spokane Indians*, le révérend Elkanah Walker raconta que les histoires concernant des géants poilus étaient fort nombreuses chez les Amérindiens qu'il côtoyait. Une autre légende concernant une créature de ce genre se retrouve dans « Le Géant des Méchins », de Joseph-Charles Taché. Pour l'apparence et la dimension de la créature, j'ai spéculé sur une migration, par le détroit de Béring, de *gigantopithecus*, un primate primitif de plus de trois mètres.

Toujours chez Dubé, Fréchette et Caron, on note la présence d'un mystérieux chat noir dans les Forges.

Le loup-garou nommé *Jos L…*, que j'ai décidé d'assimiler au peintre *Joseph Légaré*, cité dans le tome 1, est présent dans le conte « La Suite d'un bal », de Dubé.

S'il est vrai que la famille Poulin de Francheville fonda les Forges du Saint-Maurice, aucune descendante ne semble avoir gardé suffisamment d'influence pour être la fameuse *mademoiselle Poulin* que l'on accusa d'avoir vendu les Forges au Diable au début de la période Bell. Ce mythe, rapporté par Dubé, Caron et Boucher, ne semble pas avoir de véritable source historique. Dans le folklore des Forges, cette demoiselle Poulin est toutefois liée à un certain coffre magique et à la fameuse Fontaine du Diable, dont l'eau a la réputation de s'enflammer (ladite fontaine existe réellement : il s'agit d'une petite source d'où remonte un peu de gaz naturel).

Une voyante surnommée *La Siffleuse* est citée par Albert Tessier dans une entrevue qu'il accorda à Michel Bédard. Tessier affirme que son cousin avait consulté cette voyante pour retrouver le coffre de mademoiselle Poulin et en connaître très précisément le contenu ; en donnant un corps de vingt-cinq ans à la Siffleuse en 1849, on peut croire qu'elle devint la très vieille voyante qui guida le cousin de Tessier vers 1920.

Pour ce qui est des *huants d'enfer*, il s'agit là d'une pure invention basée sur quelques bribes ramassées çà et là. Dans « La Chasse-Galerie », Beaugrand dit notamment : « *je vous avertis qu'ils font mieux d'aller voir dehors si les chats-huants font le sabbat* ». Le chat-huant étant un petit rapace européen, j'ai librement brodé autour du terme.

Les *maymaygwashi* sont des esprits des eaux issus du folklore ojibwa. Ils sont décrits comme ayant un corps d'enfant couvert de poils. Le conte « La Sirène du lac Supérieur », de Pierre Boucher de La Bruère, en fait mention. Les *mah oumet* tournés à l'état de jacks mistigris sont basés sur les diablotins cités par Aubert de Gaspé fils dans *Le Chercheur de trésors*, quand il relate l'histoire de l'homme du Labrador.

Ce second tome s'est davantage attardé sur les histoires de revenants, qui sont très nombreuses dans notre folklore. Au Québec, le fantôme peut être anthropomorphique et avoir des choses à accomplir avant de reposer en paix, comme dans « Le Fantôme de l'avare », d'Honoré Beaugrand. Il peut également n'être qu'une énergie libre et menaçante, comme chez Fréchette dans « Le Revenant de Gentilly » et « La Maison hantée » – sous cette dernière forme, il n'est pas sans rappeler le poltergeist moderne. Il s'agit probablement de notre mythe le plus vivace : si, de nos jours, nous ne racontons plus d'histoires de feux follets ou de loups-garous, nombreux sont les gens qui croient aux esprits.

Pour ce qui est du pendu de la vieille prison de Trois-Rivières, il s'agit du premier condamné de cet établissement carcéral qui hanterait, dit-on, les abords de la prison. Le nom de Plaçoa est cité, probablement une déformation du nom chrétien du pendu, Noël François.

Le Calice des Moires qu'utilise Faustin est inspiré du gobelet d'argent du père Rouillard dans le conte « Le Passage des murailles », de Taché ; quant à l'*Opus æternum*, de Roger Bacon, il s'agit d'une interprétation très personnelle du mystérieux Manuscrit de Voynich.

◆

Dans ce second tome, je dois à nouveau remercier mon éditeur, Jean Pettigrew, qui continue de me permettre de vivre cette merveilleuse aventure. Merci également à Louise Alain et à Gabriel Sauvé, qui ont permis à mon premier tome de se faire connaître.

Merci à Camil Duplessis pour ses conseils concernant l'architecture du manoir Poulin et de la chapelle ensevelie.

Merci à Francine Pelletier à qui je dois tellement – notamment d'avoir eu envie, à huit ans, de devenir auteur après avoir lu ses romans jeunesse. Lui dédier ce second tome est bien la moindre des choses.

Du fond du cœur, un merci tout spécial à la famille Mergeay : Véronique, Catherine, Élisabeth et le petit Julien. Sans votre accueil aimant dans votre famille durant l'année 2014, je n'aurais pas eu la force de continuer à écrire. Vous faites partie de mon histoire et je ne vous oublierai jamais.

Je ne peux conclure sans un mot pour Nathalie Giguère qui fut, pendant treize merveilleuses années, ma conjointe, ma complice et mon amie fidèle. Si la vie a fait en sorte que le premier qualificatif ne s'applique plus, les deux autres sont toujours vrais et le seront éternellement. Tout ce qu'il y a en moi pour lequel j'éprouve de la fierté, c'est à sa présence tranquille et affectueuse que je le dois.

Jamais je ne serais parvenu à rédiger *L'Ensorceleuse* et *La Voyante* sans son appui et son soutien incommensurable qui m'ont permis de réaliser ce vieux rêve qu'était la publication. Côtoyer un écrivain n'est déjà pas facile. Côtoyer un aspirant-écrivain pendant plus d'une décennie, à l'écouter patiemment décrire ses mondes imaginaires pendant d'interminables heures, jusqu'à lui botter le derrière pour qu'il se décide finalement à soumettre un manuscrit... voilà qui tient de l'exploit. Toujours, sans flancher, sans jamais douter de mon potentiel, sans jamais se plaindre de ces innombrables heures pendant lesquelles je m'enfermais pour écrire, Nathalie fut présente pour m'encourager. À lire chaque petit récit. À s'enthousiasmer pour chaque nouveau projet. À corriger chaque foutu accord de participe passé. À me faire gagner du temps en photocopiant pour moi des ouvrages de références, à m'apporter du café quand j'écrivais tard ou des crudités quand je sautais un repas.

Désormais, nos vies prennent des voies séparées. Si nous n'arpentons plus le même sentier, puissions-nous toujours marcher sur des chemins qui se suivent de très près.

Merci pour tout, Nath... et bonne route.

SÉBASTIEN CHARTRAND...

... est né en 1983. Originaire d'un petit village en Mauricie – il réside présentement à Trois-Rivières –, Sébastien a découvert la science-fiction et la fantasy vers l'âge de neuf ans avec les œuvres de Francine Pelletier et de Joël Champetier. Il a étudié la biologie moléculaire et s'est intéressé à l'histoire de l'art, à la philosophie et à l'histoire avant de s'orienter définitivement vers l'enseignement. Outre ses études, il pratique la photographie artistique, se passionne pour la mycologie, la paléontologie et la musique classique, en plus d'être grand amateur (et humble pratiquant) de fine cuisine du terroir... *L'Ensorceleuse de Pointe-Lévy* (prix Aurora-Boréal 2014) et *La Voyante des Trois-Rivières* seront bientôt suivis par *Le Sorcier de l'île d'Orléans*, qui terminera en beauté la trilogie du « Crépuscule des arcanes ».

EXTRAIT DU CATALOGUE

Collection « GF »

Collection « Romans » / Collection « Nouvelles »

VOUS VOULEZ LIRE DES EXTRAITS
DE TOUS LES LIVRES PUBLIÉS AUX ÉDITIONS ALIRE ?
VENEZ VISITER NOTRE DEMEURE VIRTUELLE !
www.alire.com

LA VOYANTE DES TROIS-RIVIÈRES
est le deux cent dix-neuvième titre publié
par Les Éditions Alire inc.

Il a été achevé d'imprimer
en mars 2015 sur les presses de

MARQUIS

Imprimé au Canada